추천사

김 병 모 박사
호남신학대학교 신약학 교수

이번에 예수의 부활에 대한 좋은 입문서가 번역 출간된 것을 기쁘게 생각한다. 그동안 한국 교회에서는 부활에 거는 기대나 관심은 많았지만, 그만큼 부활에 관한 깊이 있는 묵상은 많지 않았다. 그래서 부활 그러면, 그저 막연히 죽은 후 천국에서 다시 영광스럽게 소생하는 정도로만 연상할 때가 많다. 그러나 부활은 그리스도인의 모든 존재와 삶의 과거와 현재와 미래를 결정짓는 기독교의 핵심 교리임을 기억해야 한다. 이러한 부활의 통전적 이해는 모든 신약의 신학적 주제가 그러하듯이 신약성경에 나오는 부활 자료를 있는 그대로 관찰하는 작업으로부터 시작된다.

이러한 점에서 리디야 노바코비치(Lidija Novakovic)의 책 『예수의 부활』(*Resurrection*)은 그러한 작업에 최적화된 책으로 생각된다. 이 책은 초기 기독교 부활 신앙의 배경이 된 구약과 초기 유대교 문헌을 다룬 후, 바울과 복음서 자료를 통해 초기 그리스도인들의 부활 이해를 빈 무덤 발견 및 부활하신 예수의 현현을 중심으로 분석한다. 저자가 제시하는 대로 각 장의 논지를 주의 깊게 따라가다 보면, 부활의 역사적 쟁점이 무엇이며 부활 신앙의 핵심 사안이 무엇인지 알게 될 것이다.

그렇다고 저자가 부활의 신학적 측면을 소홀히 다루는 것은 아니다. 부활의 의미를 옛 창조의 완성으로서 새 창조를 이루시는 하나님의 능력의 행위로, 나사렛 예수가 그리스도요 살아계신 하나님의 아들임을 확증하는 계기로, 오늘도 부활의 생명으로 이 땅의 모든 형태의 죽음의 세력과 투쟁하는 그리스도인의 삶의 핵심 동력으로 이해하는 저자의 통찰은 특히 귀담아 들을 만하다.

최근 국내에 소개된 부활에 관한 단행본 중 이 책만큼 부활의 주제를 균형 있고 명료하게 다룬 입문서는 없다고 여겨진다. 따라서 이 주제에 관심이 있는 신학생과 목회자를 포함하여, 모든 그리스도인에게 이 책을 기꺼이 추천하고 싶다. 이 책이 한국 교회의 부활에 대한 더 깊은 묵상과 통전적 이해에 도움이 되기를 바란다.

∴ ∵ ∴

데일 C. 앨리슨 Jr.(Dale C. Allison Jr.) 박사
Princeton Theological Seminary, USA

이 책은 논란이 많고 매우 복잡한 주제를 해박하고 논리정연하게 무엇보다 공정하게 다룬다. 이 주제에 대해 리디야 노바코비치의 책보다 더 낫고 신뢰할만한 개요와 개론이 있는지 모르겠다.

∴ ∵ ∴

케이시 D. 일레지(Casey D. Elledge) 박사
Gustavus Adolphus College, USA

우아한 필체로 쓰인 이 간략한 연구에서 리디야 노바코비치는 부활에 관한 일련의 역사적인 문제와 본문상의 문제를 열정적으로 조사하면서 그것들을 신학과 윤리에 대한 부활절 신앙의 지속적인 의미와 능숙하게 연관시킨다. 부활에 대한 성경의 증거에 비추어 이 책은 현대 독자들로 하여금 오늘날 세상 문화의 힘을 다루는 죽음의 한복판에서 생명을 축하하도록 진정으로 도전한다.

조엘 B. 그린 (Joel B. Green) 박사

Fuller Theological Seminary, USA

부활과 관련된 초기 유대교와 기독교 문헌을 통한 이 여행으로 리디야 노바코비치는 하나님이 예수를 살리셨다는 선포에 대한 잘못된 가정들과 부주의한 주장들의 덤불을 제거한다. 그녀의 주요 관심사는 역사적이지만 이 주제에 대한 신학적 중요성도 소홀히 다루지 않는다. 독자들은 이 책이 다소 복잡하긴 하지만 핵심 연구 분야에 대한 환영받는 입문서임을 알게 될 것이다.

∴ ∴ ∴

A. K. M. 아담 (A. K. M. Adam) 박사

University of Oxford, UK

리디야 노바코비치는 여러 다양한 관점들을 존중하면서 예수의 부활이라는 주제를 설명한다. 그녀는 많은 독자에게 새로울 광범위한 자료를 제공하며 자신이 도달한 결론에 대해 증거를 모으는 이유를 인내심 있게 설명한다.

이 책은 비교적 간략하지만, 예수의 부활이 지닌 많은 미묘한 차원에 대해 읽기 쉬운 개요를 제공해준다. 따라서 이 책이 많은 청중에게 다가가기를 기대한다. 독자들은 그녀의 도움으로 이 주제에 대해 훨씬 잘 이해할 수 있을 것이다.

예수의 부활

Resurrection (A Guide for the Perplexed)
Written by Lidija Novakovic
Translated by SeungHo Lee

Copyright © Lidija Novakovic, 2016
together with the following acknowledgment:
This translation *Resurrection (A Guide for the Perplexed)*
Is published by arrangement with Bloomsbury Publishing Plc.
All rights reserved.

Translated and printed by permission of Bloomsbury Publishing Plc.
Korean Edition Copyright © 2021 by Christian Literature Center, Seoul, Korea.

예수의 부활

2021년 5월 10일 초판 발행

지 은 이 | 리디야 노바코비치
옮 긴 이 | 이승호

편   집 | 구부회, 정희연
디 자 인 | 박성숙, 박성준
펴 낸 곳 | (사)기독교문서선교회
등   록 | 제16-25호(1980.1.18.)
주   소 | 서울특별시 서초구 방배로 68
전   화 | 02-586-8761~3(본사) 031-942-8761(영업부)
팩   스 | 02-523-0131(본사) 031-942-8763(영업부)
이 메 일 | clckor@gmail.com
홈페이지 | www.clcbook.com
송금계좌 | 기업은행 073-000308-04-020 (사)기독교문서선교회
일련번호 | 2021-40

ISBN 978-89-341-2280-7(93230)

T&T clark A Guide for the Perplexed 시리즈

예수의 부활

리디야 노바코비치 지음
이 승 호 옮김

CLC

목차

추천사

김 병 모 박사 | 호남신학대학교 신약학 교수   1

데일 C. 앨리슨 Jr. 박사 | Princeton Theological Seminary, USA   2

케이시 D. 일레지 박사 | Gustavus Adolphus College, USA   2

조엘 B. 그린 박사 | Fuller Theological Seminary, USA   3

A. K. M. 아담 박사 | University of Oxford, UK   3

저자 서문   11
역자 서문   13

서론   17

제1장 제2성전 시대의 유대교에 나타난 부활 소망   22
   1. 유대인 성경에 나타난 부활 개념   26
   2. 초기 유대교 문헌에 나타난 부활 개념   39
   3. 요약과 결론   82

제2장 예수 부활에 대한 비내러티브 전승(Non-Narrative Traditions)   87
   1. 공식구적 진술들(Formulaic Statements)   90
   2. 부활에 대한 바울의 이해   103
   3. 요약과 결론   130

제3장 빈 무덤 발견에 관한 내러티브   132
   1. 마가복음   134
   2. 마태복음   140
   3. 누가복음   145
   4. 요한복음   151
   5. 빈 무덤 전승의 발전   159
   6. 요약과 결론   168

제4장 부활하신 예수의 현현에 대한 내러티브   **171**

  1. 마태복음   **173**

  2. 누가복음   **176**

  3. 요한복음   **183**

  4. 예수의 현현 전승의 발전   **195**

  5. 요약과 결론   **201**

제5장 예수의 부활과 역사   **208**

  1. 역사적 탐구의 본질   **211**

  2. 빈 무덤의 역사성   **218**

  3. 예수의 현현의 객관성   **233**

  4. 부활 신앙의 출현   **248**

  5. 예수 부활의 역사성   **255**

  6. 요약과 결론   **258**

제6장 예수의 부활과 신학   **261**

  1. 예수의 부활과 기독교의 소망   **263**

  2. 예수의 부활과 그의 메시아적 정체   **268**

  3. 예수의 부활과 하나님의 성품(character)   **286**

  4. 예수의 부활과 그리스도인의 삶   **294**

  5. 요약과 결론   **297**

참고 문헌   **302**

저자 서문

리디야 노바코비치 박사

Baylor University 종교학부 교수

예수의 부활에 대한 필자의 관심은 스위스 뤼슐리콘침례교신학교(Rüschlikon Baptist Theological Seminary)에서 수학하던 시절, 신약학 교수였던 귄터 바그너(Günter Wagner)가 이 주제로 신약신학 세미나를 열었을 때 촉발되었다. 또한, 뤼슐리콘의 조직신학 교수 토르발트 로렌젠(Thorwald Lorenzen)은 기독교 학계에서 부활이 차지하는 중요성을 일깨워 주었다.

필자가 프린스턴신학교(Princeton Theological Seminary)의 박사 과정에 있을 때 PTS 사해 두루마리 프로젝트의 멘토였던 지도교수 도널드 쥬엘(Donald Juel)과 제임스 H. 찰스워스(James H. Charlesworth)가 제2성전 시대의 유대교 문헌을 소개해 주었는데, 그것은 부활 신앙의 출현을 이해하는 데 큰 도움이 되었다.

성서학자로서 필자는 예수의 부활과 관련된 다양한 문제를 계속해서 연구해 왔지만, 이 분야의 주요 저술은 초기 기독교의 부활 해석을 위한 이스라엘 성경 사용을 탐구하는 것이었다.

A Guides for the Perplexed 시리즈에 이 책을 쓰도록 위임해 준 출판사 T&T Clark의 편집장 안나 터턴(Anna Turton)에게 감사를 드

린다. 특히 원고 제출 마감시한을 연장시켜준 그녀의 인내와 배려에 감사드린다. 또한, 이 프로젝트를 지속적으로 지원주고 격려해준 베일러대학교(Baylor University)의 종교학과 학과장 빌 벨링거(Bill Bellinger)와 동료들에게도 감사를 드리고 싶다. 아울러 편집 작업과 원고 내용에 대한 유용한 피드백에 도움을 준 조교 아만다(Amanda Brobst-Renaud)에게도 특별한 감사의 말을 전한다.

끝으로 이 책에서 다루어진 이슈들에 대해 필자와 많은 고무적인 대화를 나누었던 남편 이보(Ivo)와 관심으로 이 프로젝트의 완성을 도운 자녀 안드레자(Andreja)와 매튜(Matthew)에게도 감사를 표하고 싶다.

역자 서문

이 승 호 박사

영남신학대학교 신약학 교수

예수의 부활이 그의 십자가 죽음과 함께 기독교 신앙의 가장 핵심적인 주제임을 부인할 사람은 아무도 없을 것이다. 그러나 이러한 중요성에 비해 부활의 주제만큼 제대로 이해되지 않은 분야도 거의 없다. 역사적으로 예수의 십자가 사건이 어느 정도 추적이 가능지만, 부활은 인류 역사에서 그 유례를 찾아볼 수 없는 독특하고도 신비로운 사건으로 남아있기 때문이다. 실제로 예수의 부활 사건은 오늘날 기독교 신학에서 가장 논란이 많이 되는 주제 중 하나이다.

그리스도인 중에는 성경이 말하는 몸의 부활과 헬라의 영혼 불멸 사상 간의 차이를 감지하지 못하는 사람들이 많다. 또한, 죽어서 부활할 것이라는 막연한 기대감은 있지만, 예수의 부활과 신자의 부활과의 연관성은 어디에 있으며 부활의 진정한 의미가 무엇인지 이해하지 못하는 경우도 많다. 심지어 복음서나 바울 서신에 나타나는 부활 이야기 간의 차이조차 감지하지 못하는 경우도 있다. 예를 들면 예수가 살아난 것을 누가 먼저 보았는지, 그의 부활한 몸의 특징은 지상의 몸과 어떤 연관을 가지는지, 빈 무덤은 당시 널리 퍼져있는 지식이었는지 대해 바울이나 복음서 저자들 간의 견해가 각기 다르다.

이러한 상황에서 리디야 노바코비치(Lidija Novakovic)의 책 『예수의 부활』(*Resurrection*)은 부활의 역사성과 신학적 의미를 올바로 이해하는 데 매우 유용한 개론서로 인정된다. 이 책은 신약성경에 나오는 부활에 대한 자료들을 포괄적으로 다루면서도 부활과 관련된 핵심 주제와 개념을 이해하기 쉽게 설명해 준다. 이는 현재 기독교에서 가장 논란이 되고 도전이 되는 주제를 명확하고 간결하게 제시하고자 하는 "A Guides for the Perplexed" 시리즈의 기본 방향과도 일치한다.

물론 본서는 부활에 대한 모든 주제를 다루거나 그에 대한 해결안을 제시하는 데 목적이 있지 않다. 오히려 예수의 부활과 관련된 다양한 역사적, 신학적 쟁점들을 명확히 제시함으로써 그 주제를 더욱 깊게 이해하기 위한 길잡이 역할을 하고자 한다. 이런 점에서 이 책의 가장 큰 장점 중 하나는 예수의 부활 사건을 가능한 한 편견 없이 접근하고자 한다는 점이다. 물론 한 저자의 글이 저자의 배경이나 선입견 없이 제시되기는 불가능하지만, 이 책의 저자는 기독교 변증가나 역사적 탐구가 사이에서 그들의 연구 자료와 결과를 가능한 한 공정하게 다루려고 노력한다.

저자 역시 부활 자체는 초자연적 사건이므로 역사적 탐구의 대상이 될 수는 없지만, 적어도 부활이 예수를 처음 따르는 사람들에게 끼친 영향에 관해서는 연구할 수 있다는 학자들의 견해에 동의한다. 따라서 그의 논지의 핵심은 예수를 따르는 자들이 그가 죽은 자 가운데서 다시 살아났다고 선포했을 때 그들이 의미했던 바가 무엇인가를 찾는 데 있다. 저자에 따르면 그것을 이해해야 비로소 부활이라는 이 사건의 본질과 의미에 대해 제대로 파악할 수 있다.

제1장은 기독교의 부활 이해의 배경이 되는 제2성전 시대의 유대 문헌을 조사하는데, 이 부분은 초기 그리스도인들이 예수의 부활을 선포하고 표현하기 위해 사용된 어휘와 개념을 이해하는 데 큰 도움이 된다.

제2-4장에서는 예수의 부활에 대한 신약성경의 증거를 다루는데, 지상의 몸과 부활의 몸 사이의 불연속성을 강조하는 바울과 십자가에 달린 예수와 부활하신 예수 사이의 연속성을 확립하려 한 복음서 저자들 간의 차이를 종교-역사적 맥락을 통해 설명하고자 한다.

제5장은 예수의 부활 연구에서 가장 논쟁이 되는 문제, 즉 예수 부활의 역사성 문제를 다루는데, 이 책의 핵심 질문(guiding question), 즉 예수를 따르는 자들이 왜 예수가 죽은 자 가운데서 다시 살아났다고 선포했는가의 주제를 다룬다.

제6장은 예수의 부활이 기독교 신학에 끼친 영향을 종말론, 기독론, 신론, 윤리의 관점에서 설명하는데, 다음과 같은 결론으로 마무리된다.

그러므로 예수의 부활을 단언한다는 것은 하나님이 한 특정한 개인-나사렛 예수-을 죽은 자 가운데서 새로운 종말론적 생명으로 다시 살리심으로써 결정적으로 행동하셨다는 것을 믿는 것이다. 따라서 우리 또한 예수처럼 죽은 자 가운데서 다시 살아날 것을 소망하고, 예수의 메시아 성이 그의 부활로부터 유래한 것을 인정하며, 신실하신 하나님께서 일찍이 예수를 위해 행동하셨던 것처럼, 우리를 위해서도 행동하실 것을 확고하게 믿고, 생명의 충만함을 긍정하면서 모든 형태의 죽음과 투쟁하는 부활 시민으로 살아가야 할 것이다.

전반적으로 이 책은 예수의 부활과 죽은 자의 부활에 대한 다양하고 복잡한 문제를 분명하고도 명쾌한 문체로 잘 정리해 주고 있어서 부활의 개론서로서 손색이 없다. 따라서 신학교 학생들은 물론이고 일반 목회자 그리고 부활에 관심을 가진 그리스도인 모두에게 추천할 만한 책이다.

끝으로 이 책의 번역 출판을 위해 수고해 주신 기독교문서선교회(CLC) 대표 박영호 목사님과 모든 지체에게 감사를 드리며, 이 책을 교정해 준 아내 최현숙에게도 감사를 표하고 싶다. 아무쪼록 이 책이 이 땅의 그리스도인이 기독교의 핵심 주제인 부활의 메시지를 균형 있게 바라보고 오늘을 살아가는 원동력으로 삼는 데 기여하기를 소망한다.

서론

예수의 부활에 대한 믿음은 기독교의 기본 신조 중 하나이다. 바울은 "그리스도께서 만일 다시 살아나지 못하셨으면 우리가 전파하는 것도 헛것이요 또 너희 믿음도 헛것"(고전 15:14)이라고 열정적으로 진술한다. 그러나 부활만큼 제대로 이해되지 않은 주제도 거의 없다.

오늘날 많은 그리스도인에게 바울의 진술은 기독교가 빈 무덤과 함께 일어서거나 넘어질 수 있음을 의미한다. 그리스도인은 예수가 죽은 자 가운데서 육체적으로 다시 살아났으며 이 사건에 대한 다른 어떤 해석도 진정한 기독교적 관점이 될 수 없다고 고백한다.

하지만 어떤 이들은 육체적 몸의 부활을 문자 그대로 믿는 것은 익히 알려진 자연법칙과 모순되므로 영적(spiritual) 또는 은유적(metaphorical) 부활에 대해 말하기를 더 선호한다. 또한, 신앙이 다른 사람들, 불가지론자들, 무신론자들은 종종 예수의 부활 신앙을 기독교의 전설로 간주하기도 한다. 또 어떤 이들은 부활절을 축하하는 진정한 이유보다 부활절 달걀과 토끼에 더 많은 관심을 기울인다.

게다가 다수의 그리스도인은 죽은 예수에게 일어난 일이 자신들이 죽을 때 일어날 일과 직접적인 연관성이 없다고 본다. 예수가 무덤에서 육체적으로 살아났다고 고백할 수는 있지만, 그들은 죽을 때에 그들의 불멸의 영혼이 곧바로 천국으로 갈 것으로 믿는다.

2013년 가을에 필자는 예수의 부활에 대한 학부 수업을 진행한 적이 있다. 그 수업 첫날에 필자는 학생들에게 부활에 대해 정의해 보라는 질문을 던졌다. 그들이 답변한 내용 중 대표적인 몇 가지 사례를 들면 다음과 같다.

> "부활은 실제로 죽은 후에 다시 살아나는 것을 의미한다. 먹고 마시고 잠자는 기능이 더 이상 필요하지는 않지만, 여전히 가능하다."
> "부활은 완전히 죽은 무언가를 되살리는 것이다. 죽을 때 영혼은 몸을 떠나고 부활은 몸과 영혼을 재결합한다."
> "부활은 시신(corpse)의 소생(reanimation)을 포함한다."
> "부활에는 몇 가지 유형이 있는데, 그 유형에 따라 부활 이후 다른 결과(즉 부활 이후 사망의 가능성 유무)가 초래된다."
> "부활은 육체적으로 죽고 매장되었지만, 그 후 외부의 비물질적인 힘으로 다시 살아나는 초자연적인 사건이다."
> "부활은 육체적 죽음의 상태를 뛰어넘는 몸 또는 영혼의 행위이다. 죽음의 상태에서 몸은 나이를 먹지 않는다."

학생들이 답변한 이러한 부활에 대한 다양한 정의에서 한 가지 공통점은 부활의 육체적 측면이 강조된다는 점이다. 하지만 다른 문제들, 특히 부활한 몸(resurrected body)의 특징과 연관된 문제들은 덜 명확하거나 실로 당황스럽기까지 하다. 부활을 소생(resusciation)과 혼동한 학생들이 있었다. 또한, 영혼 불멸 사상을 몸의 부활 개념과 결합하는 경향도 있었다. 그 수업의 토론을 통해 많은 학생이 복음서에 나오는 부활 이야기 간의 차이를 감지하지 못하고 있음이 드러났다. 예수의 부활에 대한 기독교의 선포가 시작된 종교적 환경에 관해 알고 있는 학생은 거의 없었다.

이 책은 예수의 부활과 관련된 이러한 다양한 문제를 명확히 하고자 한다. "A Guide for the Perplexed" 시리즈의 다른 책들처럼, 이 책의 주요 대상은 신학대학의 상급생들이나, 부활이라는 주제에 대해 어느 정도 알고는 있지만, 이 주제와 관련된 특정한 사상들이 도전되거나 당황스럽게 여겨지는 관심 있는 독자들을 대상으로 한다.

필자의 기본적인 가정은 예수를 따르는 자들이 그가 죽은 자 가운데서 다시 살아났다고 선포했을 때 그들이 의미했던 바가 무엇인지 이해하지 않고서는 부활이라는 이 사건의 본질과 의미에 대해 말할 수 없다는 것이다.

1세기의 많은 유대인이 종말에 일어날 죽은 자의 부활에 대해 기대한 것은 사실지만, 이 부활이 역사의 영역 내에서 이미 한 개인에게 일어났다는 기독교의 선포는 전대미문의 것이었다. 그러나 초기 그리스도인들이 예수의 부활을 묘사하기 위해 사용했던 어휘와 개념은 전혀 새로운 것이 아니었다.

그러한 어휘와 개념은 세상, 하나님 그리고 사후 세계에 대한 그 이전의 믿음들, 즉 기존의 세계관으로부터 유래했다. 이 세계관은 대부분 제2성전 유대교(Second Temple Judaism)에서 발전된 종교적 사상에 의해 형성되었다. 그러한 믿음 중 하나가 죽은 자의 부활에 대한 믿음이었다. 하지만 이 믿음은 결코 균일하지 않았다.

이 책의 제1장에서 살펴보겠지만, 유대인 중에는 하나님께서 부활의 몸을 만들기 위해 지상의 몸을 사용할 것으로 추정한 이들이 있었던 반면, 하나님께서는 무로부터(ex nihilo) 창조하실 수 있으므로 죽을 몸은 실제로 필요하지 않다고 믿었던 이들도 있었다. 하지만 그들 모두의 일치된 공통점은 부활이 종말에 일어날 공동의 사건(corporate event)이라는 점이었다.

이 책의 제1장에 이어 나오는 세 장(제2-4장)은 예수의 부활에 대한 신약성경의 증거를 다룬다. 본서의 특성을 고려하여 서신과 복음서에 나오는 가장 중요한 구절들만 고려된다. 초기 기독교 해석자들은 예수가 살아난 것을 누가 보았는지, 그의 살아난 육체의 특징은 무엇이었는지, 그리고 빈 무덤은 널리 알려진 사건이었는지, 아니면 이전의 믿음에 근거한 가정이었는지에 관해 견해가 서로 다르다. 지상의 몸과 부활의 몸 사이의 불연속성을 강조하는 바울과 달리 복음서 저자들은 십자가에 달린 예수와 부활하신 예수 사이의 연속성을 확립하려고 한다. 이 책의 과제 중 하나는 그러한 차이들이 생겨난 종교-역사적 맥락을 고찰함으로써 그러한 차이가 왜 생겨났는지 설명하는 데 있다.

제5장은 예수의 부활 연구에서 가장 논쟁이 되는 문제, 즉 예수 부활의 역사성을 다룬다. 이 주제에 대한 다양한 학자의 견해를 제시하는 것 대신에 필자는 빈 무덤의 역사성 찬반 논란과 부활하신 예수 현현의 객관성 찬반 논란에 대한 주된 견해들에 대해 논평했다. 이 장에서 필자의 목표는 논쟁이 되는 쟁점들을 설명할 뿐만 아니라, 개별 견해들의 강점과 약점을 평가하는 데도 있다. 이 논평에 앞서 역사적 탐구의 본질에 대한 간략한 논의가 선행되는데, 그것은 예수 부

활의 역사성에 관한 많은 논쟁이 범하는 방법론적 혼란을 명확하게 하기 위함이다.

이 제5장의 끝부분에서 필자는 이 책의 핵심 질문(guiding question), 즉 "예수를 따르는 자들이 왜 예수가 죽은 자 가운데서 다시 살아났다"고 선포했는가의 문제를 다룰 것이다. 이것은 사용 가능한 증거의 단편적 특성에도 불구하고 대답될 수 있는 역사적 문제다. 하지만 예수의 부활 자체가 역사적 논의로 입증될 수 있는지의 문제에 대해 필자는 이 문제가 역사적 탐구의 대상이 아니라고 주장하는 학자들과 견해를 같이 한다.

이 책의 마지막 장(제6장)은 예수의 부활이 기독교 신학에 끼치는 영향에 대해 논의한다. 이 주제는 다음의 네 가지 소주제를 포함한다.

① 종말론(예수의 부활과 기독교 소망과의 연관성)
② 기독론(예수의 부활과 예수의 메시아적 정체성과의 연관성)
③ 신론(예수의 부활과 우리의 하나님 이해와의 연관성)
④ 윤리(예수의 부활과 그리스도인의 삶과의 연관성)

각각의 경우에 필자는 기독교 선포의 새로움을 당시의 종교적 배경과 관련해서 설명하고자 한다.

필자는 교회에서든 강의실에서든 학문 분야에서든 이 책을 읽는 독자들이 예수의 부활과 관련된 석의적, 역사적, 신학적 쟁점들을 보다 더 잘 이해할 수 있기를 기대한다.

제1장

제2성전 시대의 유대교에 나타난 부활 소망

부활 신앙은 특히 유대인의 내세(사후 세계, afterlife) 개념으로 등장했다. 그것을 정의하는 특징은 일종의 유형의[형체를 지닌] 생명(embodied life)이 '죽음 상태'(death as a state)의 중간기(interim period)가 지나면 회복될 것이라는 사상이다. 이러한 정의의 양 측면—육체(body)의 회복과 죽음과 부활 사이의 간격—은 부활을 "'죽음 이후의 생명' **이후의** 육체적 생명"(bodily life *after* life after death)으로 묘사하는 N. T. 라이트(N. T. Wright)의 기발한 문구에 의해 잘 표현되어 있다.[1]

학자들은 관례상 유대인의 몸의 부활 사상과 플라톤(Platon)의 영혼 불멸 사상 그리고 내세에 대한 다른 헬레니즘적 믿음—예컨대 죽은 자가 하데스(Hades)에서 그림자와 같은 존재로 머문다는 사상 — 사이의 차이를 강조한다. 이러한 차이는 당시 하층 계층 사이에서 유행했던, 사후에 다시 살아난 시체나 사람들을 육체적으로 신의 영역으로 데려갔다는 다양한 이야기를 고려하더라도 여전히 유효하다.

---

[1] N. T. Wright, *The Resurrection of the Son of God* (vol. 3 of *Christian Origins and the Question of God*; Minneapolis: Fortress, 2003), 31.

죽음 이후에 형체를 지닌 생명으로 존재한다는 그러한 사상은 당시
대중들의 폭넓은 지지를 얻지 못했다.

이러한 주제에 대한 플루타르크(Plutarch)의 논평은 당시 그레코-
로만 세계의 내세에 대한 일반적인 태도를 잘 드러내 준다.

> 여하튼, 인간 미덕(human virtue)의 신성을 전적으로 부인한 것은 불경
> 스럽고 비열한 짓이었다. 그렇다고 하늘과 땅을 혼합하는 것은 어
> 리석은 일이다. 그러므로 우리는 안전한 길을 택하여 핀다르(Pindar)
> 와 함께 "우리 몸은 모두 죽음의 최고 명령을 따라야 하지만, 살아있
> 는 것, 즉 생명의 형상(image of life)은—이것만이 신들에게서 나오기
> 때문에—여전히 살아남는다"는 점을 인정하자. 그렇다. 그것은 신
> 들에게서 나오고 신들에게로 돌아간다. 하지만 몸과 함께 가는 것이
> 아니라 완전히 분리되어 몸으로부터 해방되어 완전히 순수하고 육체
> 가 없는(fleshless) 정결한 상태가 될 때 비로소 돌아간다.
> 헤라클레이투스(Heracleitus)에 따르면, '마른 영혼이 가장 좋은데', 구
> 름에서부터 번개가 번쩍이듯이 그것이 몸으로부터 날아가기 때문
> 이다. 그러나 몸으로 오염되고 축축하고 무거운 호흡처럼 몸에 푹
> 잠긴 영혼은 자유롭게 되는 것이 더디며 그 근원으로 올라가는 것이
> 느리다. 그러므로 우리는 선한 사람들의 몸을 영혼과 함께 하늘로
> 보냄으로써 자연(의 법칙)을 위반해서는 안 되며 그들의 미덕과 영혼
> 이 자연과 신적 정의(divine justice)에 따라 사람에서 영웅으로, 영웅
> 에서 반신(demi-gods)으로, 그리고 그들이 입교의식(initiation)의 마지
> 막 의식의 경우처럼 순결하고 거룩해지고 죽음과 감각으로부터 해
> 방된 후에는 반신(demi-gods)에서 신(gods)으로 올라간다는 점을 무

조건 믿어야 한다. 이와 같이 우리는 시민법에 의해서가 아니라 진
리와 올바른 이성에 따라 가장 공평하고 축복된 완성을 이루게 된다
(Plutarch, *Rom.* 28.6-8; Perrin, LCL).

이처럼 사후의 삶에서 몸의 참여를 단호하게 부인하는 일반적 태
도와는 달리, 부활 소망은 유형의(embodied life) 생명 회복을 고수
한다. 하지만 유대 문헌에서 부활 개념을 연구하는 데 있어 주된 어
려움은 유형(embodiment) 개념이 불분명하여 어떤 본문을 고려해야
할지 그 기준이 명확하지 않다는 사실에 있다.

첫째, 유형의(형체를 지닌) 생명 회복에 대한 기대가 죽기 이전 존
재의 특징이 되는 동일한 신체(physicality) 회복에 대한 기대와 같지
않다. 죽은 자를 되살리는 것, 즉 누군가를 이전에 가졌던 동일한 생
명으로 되돌리는 것은 부활(resurrection)이 아니라 소생(resuscitation)
이다. 그렇게 소생한 사람은 그 외의 모든 사람처럼 결국 다시 죽
는다. 부활은 죽음에서 벗어난 유형의 사후 생명을 가리킨다. 이
런 점에서 죽음 이전과 이후의 몸 사이에 어느 정도 불연속성이 존
재한다.

둘째, 현대의 많은 독자에게는 유형 개념이 물질적 실체(material
entities)와 비물질적(무형의) 실체(immaterial entities)의 구별과 연관되
만, 고대의 사람들은 영적 존재, 심지어 영혼조차도 일종의 물질(stuff)
로 구성되었다고 여겼다.[2] 그것이 불이나 공기 같을지라도 말이다.

2　Dale B. Martin, *The Corinthian Body* (New Haven: Yale University Press, 1995),
　108-17)을 보라.

그렇다면, 사후에 회복된 생명이 유형의 생명으로 간주하기 위해서는 얼마나 밀도가 높아야 할까?

셋째, 죽음 이전과 이후의 몸 사이의 연속성 문제가 있다. 제2성전 유대교 본문은 썩어가는 시신이 어떤 방식으로 또 어느 정도까지 새로운 불멸의 몸으로 변형될지에 대해 일치하지 않는다.

그런데도 부활에 대한 어떤 가설적 정의(working definition)가 포함해야 할 특정한 요소들이 나타나는데, 그것은 부활의 소망에 대해 언급하는 구절을 선별하는 데 사용될 수 있다.

첫째, 문자 그대로의 죽음에 대한 언급

둘째, 죽음 상태(lifelessness)의 중간기 이후의 죽은 자의 소생(revival)

셋째, 죽기 이전의 존재와 연속성은 있지만 동일하지는 않은 죽음 이후의 새로운 형체를 지닌 생명

이때 하나의 본문에 '일어나다'(rise 또는 arise), '일으키다'(raise) 등의 동사가 포함되어 있는지는 중요하기는 하지만 결정적이지는 않다.

이러한 방법론은 분명 어느 정도는 순환적이다. 우리는 제2성전 시대의 유대인들이 죽은 자의 부활에 대해 무엇을 믿었는지 파악하기 위해 위에서 언급한 기준들을 사용하여 부활에 관한 본문들을 구별해낸다. 하지만 이러한 예비적인 정의(preliminary definitions) 없이는 현존하는 유대 문헌에 나타난 사후 세계에 대한 다양한 개념을 구별해내지 못할 것이다.

이러한 기준은 몸의 부활을 언급하는 다양한 본문을 포함할 수 있을 만큼 충분히 광범위하다. 그러나 이 사건이 언제 일어날 것인지, 부활한 몸(resurrected body)의 특징은 무엇인지, 그 몸이 죽기 이전의 몸과는 어떤 연관성이 있는지, 그리고 개인의 정체성은 어떻게 보존되는지에 대해서는 차이가 난다. 이 장의 첫 번째 부분에서는 유대인 성경의 관련 구절을 개관하고, 두 번째 부분에서는 히브리어 정경으로 받아들여지지 않은 초기 유대 문헌의 관련 구절을 다룰 것이다.[3]

1. 유대인 성경에 나타난 부활 개념

죽은 자의 운명에 지대한 관심을 보였던 이스라엘의 이웃 국가들(예를 들어 이집트의 죽은 자 의식과 메소포타미아의 조상 숭배 의식)과는 달리 유대인 성경의 저자들은 내세 문제에 대해 많은 관심을 드러내지 않는다. 이 말은 히브리어 성경이 이 주제에 대해 완전히 침묵하고

---

[3] 이 주제에 관한 탁월한 연구들이 많다. 주목할 만한 문헌들은 다음과 같다. Hans C. C. Cavallin, Life After Death: *Paul's Argument for the Resurrection of the Dead in 1 Cor, Part I: An Enquiry into the Jewish Background* (ConBNT 7; Lund: Gleerup, 1974); Alan J. Avery-Peck and Jacob Neusner, eds, *Death, Life-After-Death, Resurrection and World-to-Come in the Judaisms of Antiquity* (part 4 of *Judaism in Late Antiquity*; HO I/49; Leiden: Brill, 2000); Wright, The *Resurrection* of the Son of God, 85-206; Alan F. Segal, *Life After Death: A History of the Afterlife in the Religions of the West* (ABRL; New York: Doubleday, 2004); James H. Charlesworth et al., *Resurrection: The Origin and Future of a Biblical Doctrine* (FSC; London: T&T Clark, 2006); George W. E. Nickelsburg, *Resurrection, Immortality, and Eternal Life in Intertestamental Judaism and Early Christianity* (expanded ed ed.; HTS 56; Cambridge, MA: Harvard University Press, 2006); Adela Yarbro Collins, *Mark: A Commentary* (Hermeneia; Minneapolis: Fortress, 2007), 782-94.

있다는 뜻이 아니라 단지 내세에 대한 본문이 비교적 적을 뿐이라
는 의미이다. 그러나 이러한 소수의 본문조차도 놀랄만한 다양성을
보인다. 어떤 구절들(신 26:14; 사 14:9; 26:14; 시 88:11; 106:28; 잠 2:18;
9:18; 21:16; 욥 26:5-6)은 스올(Sheol)을 죽은 자의 그림자(shades)의 거
처로 믿고 있음을 보여 주지만, 어떤 본문들은 내세의 개념이 완전히
거부되고 있음을 나타낸다(욥 14:12-14; 시락서 17:28; 41:4; 전 9:5-10).
   좀 더 논쟁이 되는 증거가 시편 16:9-10과 73:23-26과 같은 몇몇
구절에서 발견된다. 이 구절들은 어떤 학자들에 의해 죽음 이후의 기
쁨 넘치는 비전에 대한 갈망으로, 또 다른 어떤 학자들에 의해 단순
히 계속해서 하나님 존전에 남아있으려는 욕구로 해석된다.
   이러한 시편 구절의 헬라어 번역은 문제를 더 복잡하게 만든다.
예를 들어 일부 학자의 견해에 따르면, 70인 역 시편 15:10(히브리어
성경에서는 16:10)에 나오는 "주께서 내 영혼을 하데스(Hades)에 버리
시거나 주의 거룩한 자를 썩지 않도록 하실 것이다"와 같은 표현이
부활에 대한 언급으로 이해될 수 있기 때문이다. 사도행전 2:31에
나오는 베드로의 설교 경우처럼, 후대의 독자들이 이러한 문구들을
부활의 소망에 대한 증거로 이해할 수 있었을 가능성을 배제할 수는
없지만, 이러한 해석은 본래의 역사적, 문학적 배경에서 볼 때는 여
전히 의심스럽다.
   일반적으로 다니엘 12:1-3이 히브리어 성경에서 부활 신앙에 대
한 가장 명백한 증거를 담고 있다는 데 일치한다. 하지만 이 본문을
논의하기 전에 이스라엘의 회복 문맥에서 부활의 이미지를 사용하는
세 개의 성경 단락(겔 37:1-14; 호 6:1-3; 아마 사 26:19도)을 먼저 검토
하는 것이 유익할 것이다. 이 세 단락은 비록 앞에서 지적한 기준들

을 충족시키지는 못하지만, 부활 소망의 발전 과정에 도움이 된 어휘를 사용한다.

1) 에스겔 37:1-14

하나님의 영에 의해 다시 살아난 마른 뼈 골짜기의 환상은 히브리어 성경에서 죽은 자의 소생(revival)에 대해 가장 생생하게 묘사한다. 소생의 과정은 다음과 같이 두 개의 주요 단계로 이루어진다.

첫째, 마른 뼈들이 서로 연결되고 점차 힘줄, 살, 가죽(피부)이 나타나는 단계
둘째, 회복된 시신이 하나님의 영을 통해 소생하는 단계

> 여호와께서 권능으로 내게 임재하시고 그의 영으로 나를 데리고 가서 골짜기 가운데 두셨는데 거기 뼈가 가득하더라 나를 그 뼈 사방으로 지나가게 하시므로 본즉 그 골짜기 지면에 뼈가 심히 많고 아주 완벽히 말랐더라 그가 내게 이르시되 인자야 이 뼈들이 능히 살 수 있겠느냐 하시기로 내가 대답하되 주 여호와여 주께서 아시나이다 또 내게 이르시되 너는 이 모든 뼈에 대언하여 이르기를 너희 마른 뼈들아 여호와의 말씀을 들을지어다 주 여호와께서 이 뼈들에 이같이 말씀하시기를 내가 생기를 너희에게 들어가게 하리니 너희가 살아나리라 너희 위에 힘줄을 두고 살을 입히고 가죽으로 덮고 너희 속에 생기를 넣으리니 너희가 살아나리라 또 내가 여호와인 줄 너희가 알리라 하셨다 하라 이에 내가 명령을 따라 대언하니 대언할 때에 소리가 나고 움직이며 이 뼈, 저 뼈가

들어 맞아 뼈들이 서로 연결되더라 내가 또 보니 그 뼈에 힘줄이 생기고 살이 오르며 그 위에 가죽이 덮이나 그 속에 생기는 없더라 또 내게 이르시되 인자야 너는 생기를 향하여 대언하라 생기에게 대언하여 이르기를 주 여호와께서 이같이 말씀하시기를 생기야 사방에서부터 와서 이 죽임을 당한 자에게 불어서 살아나게 하라 하셨다 하라 이에 내가 그 명령대로 대언하였더니 생기가 그들에게 들어가매 그들이 곧 살아나서 일어나 서는데 극히 큰 군대더라(겔 37:1-10).

하지만 뒤따르는 설명은 죽은 자의 소생에 대한 이 생생한 묘사가 단지 이스라엘의 정치적 회복에 대한 하나의 알레고리(allegory)로 기능하고 있음을 명확하게 한다. 뼈의 마름은 소망의 상실을 상징하고, 무덤은 이스라엘 민족의 바벨론 유배(exile)를 표현하며, 생명의 회복은 바벨론 유배로부터 고국으로의 귀환을 의미한다.

또 내게 이르시되 인자야 이 뼈들은 이스라엘 온 족속이라 그들이 이르기를 우리의 뼈들이 말랐고 우리의 소망이 없어졌으니 우리는 다 멸절되었다 하느니라 그러므로 너는 대언하여 그들에게 이르기를 주 여호와께서 이같이 말씀하시기를 내 백성들아 내가 너희 무덤을 열고 너희로 거기에서 나오게 하고 이스라엘 땅으로 들어가게 하리라 내 백성들아 내가 너희 무덤을 열고 너희로 거기에서 나오게 한즉 너희는 내가 여호와인 줄을 알리라 내가 또 내 영을 너희 속에 두어 너희가 살아나게 하고 내가 또 너희를 너희 고국 땅에 두리니 나 여호와가 이 일을 말하고 이룬 줄을 너희가 알리라 여호와의 말씀이니라(겔 37:11-14).

현재의 문학적 문맥에서는 마른 뼈의 소생이 민족의 회복을 의미하는 것이 분명하지만, 일부 후대의 독자는 유대인 독자이든(*Pseudo-Ezekiel*; *Gen. Rab.* 14:5; *Lev. Rab.* 14:9; 탈굼역 에스겔) 기독교 독자이든 (Justin, *1 Apol.* 52; Irenaeus, *Haer.* 5.15.1; Tertullian, *Res.* 29-30) 대체로 이러한 설명을 무시했다. 그들은 첫 부분 열 개의 구절을 '문맥에서 떼어내어'(decontextualized), 문자 그대로 죽은 자의 부활에 대한 예언으로 해석했다.

그러나 이러한 해석 전통은 놀라운 일이 아니다. 하나의 본문을 문맥에서 떼어내어 단편적으로 취급하는 일이 초기 유대교와 기독교 문학에서는 흔한 석의 관행이었다. 에스겔의 마른 뼈에 대한 환상은 부활 소망의 출현에 일조한 새로운 표상과 어휘를 제공했으며 이러한 내세에 대한 믿음을 채택한 독자들에게 그것을 분명하고 생생한 용어로 표현할 수 있게 한 것으로 보인다.

2) 호세아 6:1-3

이 단락에서 예언자 호세아는 북왕국 이스라엘의 위기 이후 백성들에게 회개하기를 간청하고 깊은 절망의 시기 후에 있을 민족의 회복을 약속한다. 에스겔과 같이 호세아는 소망의 메시지를 전달하기 위해 부활의 용어를 사용하지만, 에스겔과 달리 현재 역사적, 문학적 배경에서 이 본문의 의미에 대한 명확한 설명을 첨부하지 않는다.

오라 우리가 여호와께로 돌아가자 여호와께서 우리를 찢으셨으나 도로 낫게 하실 것이요 우리를 치셨으나 싸매어 주실 것임이라 여호와께서 이틀 후에 우리를 살리시며 셋째 날에 우리를 일으키시리니 우리가 그의 앞에서 살리라 그러므로 우리가 여호와를 알자 힘써 여호와를 알자 그의 나타나심은 새벽빛같이 어김없나니 비와 같이, 땅을 적시는 늦은 비와 같이 우리에게 임하시리라 하니라(호 6:1-3).

시간을 나타내는 표현인 '이틀 후에'와 '셋째 날에'는 이스라엘을 위한 하나님의 개입하심에 대한 긴박감을 전달한다. '셋째 날에'라는 문구는 랍비 문헌에 빈번히 나타나는데, 그 문헌은 일상적으로 호세아 6:2을 시대의 전환기에 있을 죽은 자의 부활에 대한 예언으로 해석한다(*y. Ber.* 5:2; *y. Sanh.* 11.6; *b. Sanh.* 97a; *b. Roš Haš.* 31a; *Gen. Rab.* 56.1; 91:7; *Deut. Rab.* 7:6; *Esth. Rab.* 9:2; *Pirqe R. El.* 51[73b-74a]; *Midr. Pss.* 22:5; 탈굼역 호세아).

하지만 이러한 본문에서 '셋째 날에'라는 문구는 구원의 날에 대한 일반적 언급으로, 또는 죽은 자의 부활에 대한 특정한 언급으로 기능한다. 또한, 이러한 의미 중 하나 또는 둘 다 그리스도가 "성경대로 사흘 만에 다시 살아나셨다"(고전 15:4)라는 초기 기독교 고백에 나타나는 '사흘' 모티브의 배후에 놓여 있을 가능성도 있다.

A.D. 3세기에 널리 퍼졌던(이미 A.D. 1세기에 통용되었을지라도) 이러한 해석 전통은 에스겔 37:1-10의 해석 전통과 유사하다. 즉 민족 회복에 대한 소망을 전달하기 위해 부활 표상을 사용한 본문이 후에 문자 그대로 죽은 자의 부활에 관해 말한 본문으로 해석되었다.

3) 이사야 26:19

이 구절은 빈번히 죽은 자의 부활에 대한 초기 믿음의 증거로 해석
되곤 한다.

> 주의 죽은 자들은 살아나고 그들의 시체들은 일어나리이다 티끌에 누운
> 자들아 너희는 깨어 노래하라 주의 이슬은 빛난 이슬이니 땅이 죽은 자
> 들을 내놓으리로다(사26:19).

하지만 본문을 그렇게 해석하는 것은 여전히 논쟁의 여지가 남아
있다. 이미 에스겔 37장과 호세아 6장에서 살펴본 것처럼, 부활의
표상과 어휘의 사용은 그 자체로 결론지을 수 없다.

결정적 문제는 시체의 소생에 대한 진술을 문자적으로 이해해야
하느냐 아니면 은유적으로 이해해야 하느냐의 여부이다. 문자적 해
석은 이 본문이 속한 이사야 묵시록(사 24-27장)의 저작 연대를 포로
기 이후로 볼 때 가능하다.

이 시기는 부활 소망의 출현 시기와 일치한다. 하지만 그것의 저
작 시기를 8세기 이사야 선지자의 시대로 볼 경우, 그 시대에는 내세
문제에 관한 관심이 일반적으로 부족했다는 점을 감안할 때 이사야
26:19의 문자적 해석이 불가능할 정도는 아니지만, 상당히 타격을
받는 것은 사실이다.

이 구절의 본래의 문학적 문맥은 비문자적 해석을 위한 추가적 근
거를 제공하는 것처럼 보인다. 본문 앞의 세 구절(사 26:16-18)은 환
난에 빠진 사람들을 잉태한 여인의 해산 고통에 비유한다.

우리가 잉태하고 산고를 당하였을지라도 바람을 낳은 것 같아서(사 26:18).

또한, 본문 뒤의 구절들은 백성들에게 하나님께서 '땅의 거민의 죄악'을 벌하시고 "땅이 그 위에 잦았던(스며든) 피"(21절)를 드러낼 때까지 인내하기를 권고한다.

이사야 26장 도처에 비유적 어휘가 사용되는 것을 볼 때, 19절 또한 비유적으로 아마도 민족의 회복에 대한 은유로 이해해야 한다는 것을 암시할 수 있다. 이러한 해석은 또한, 부활의 소망을 부인하는 듯한 14절의 내용과도 쉽게 조화를 이룬다.

> 그들은 죽었은즉 다시 살지 못하겠고 사망하였은즉 일어나지 못할 것이니 이는 주께서 벌하여 그들을 멸하사 그들의 모든 기억을 없이하셨음이니이다(사 26:14).

하지만 이사야 26:19과 이사야 26:14 사이의 모순은 26:19이 문자적 부활을 언급한다고 해도 해결될 수 있다. 26:14의 부활에 대한 부인이 단지 이스라엘의 적에게만 적용되는 반면, 26:9에는 그 범위가 죽은 이스라엘 백성에 제한되는 것으로 보이기 때문이다. 이런 식으로 읽게 되면 부활 자체는 의인의 정당성 입증으로, 그것의 부정은 악한 자의 처벌로 작용한다.[4]

---

4   Nickelsburg, *Resurrection, Immortality, and Eternal Life*, 32.

4) 다니엘 12:1-3

이 단락은 유대인의 성경에서 몸의 부활 소망에 대한 가장 분명한
—가장 초기의 것은 아닐지라도—표현으로 간주한다.

> 그 때에 네 민족을 호위하는 큰 군주 미가엘이 일어날 것이요 또 환난이
> 있으리니 이는 개국 이래로 그 때까지 없던 환난일 것이며 그 때에 네
> 백성 중 책에 기록된 모든 자가 구원을 받을 것이라. 땅의 티끌 가운데
> 에서 자는 자 중에서 많은 사람이 깨어나 영생을 받는 자도 있겠고 수치
> 를 당하여서 영원히 부끄러움을 당할 자도 있을 것이며 지혜 있는 자는
> 궁창의 빛과 같이 빛날 것이요 많은 사람을 옳은 데로 돌아오게 한 자는
> 별과 같이 영원토록 빛나리라(단 12:1-3).

이 단락이 몸의 부활 신앙에 대한 성경의 가장 분명한 표현이라고
말한다면 약간의 오해의 소지가 있다. 분명한 점은 '땅의 티끌 가운
데에서 자는 자'라는 문구는 문자적으로 죽은 사람을 지적한다는 것
이다. 죽음은 은유적으로 사람이 깨어날 잠으로 묘사되는데, 이것
은 생명 없는 상태(lifelessness)의 중간기를 암시한다. 깨어남의 은유는
'잠자기' 이전 존재의 특징인 유형(有形)의 생명(embodied life) 회복을
가리킨다.

우리는 여기서 앞에서 언급했던 부활에 대한 가설적 정의의 세 가
지 본질적 요소를 확인할 수 있다. 또한, 기대되고 있는 부활이 전례
없는 환난 시기 이후의 미래에, 즉 종말론적 맥락에서 일어날 것이라
는 점도 분명하다. 하지만 부활의 범위(즉 부활에 포함되는 자와 포함되

지 않은 자)와 죽음 이전과 이후의 생명의 연속성 측면(즉 부활한 상태의 특징과 정체성의 보존 방식)은 덜 분명하다.

어떤 사람은 깨어나서 영원한 생명을, 어떤 사람은 영원한 수치를 받을 것이라는 다니엘 12:2의 진술은 다니엘서의 저자가 선인과 악인 모두의 부활을 마음속에 그리고 있음을 지적한다. 그러나 '땅의 티끌 가운데에서 자는 자 중에서 많은 사람'이라는 문구는 이것이 보편적 부활(universal resurrection)이 아님을 암시해준다.

본문은 선인은 보상하고 악인은 처벌한다는 두 가지 목적을 가지는 동시에 죽은 자 가운데서 다시 살아나지 못할 사람들도 있을 것으로 추정하고 있으므로 학자들은 일반적으로 세 그룹을 고려하는 데 동의한다. 부활을 경험할 두 그룹은 윤리적 스펙트럼의 양쪽 끝에 속한다. 즉 그들은 예외적으로 도덕적이거나 아니면 악한 사람들이었다. 세 번째 그룹은 단순히 죽은 채로 남아있을 보통의 사람들로 구성된다. 히브리어 성경의 매우 독특한 이러한 윤리적 시나리오는 다니엘서가 기록된 특별한 역사적 상황의 결과로 보인다.

다니엘서의 저작 시기는 대체로 마카비 혁명 기간(B.C. 167-164년)으로 추정된다. 이 시기는 토라를 계속해서 지키려고 했던 경건한 유대인에 대한 안티오쿠스 4세 에피파네스(Antiochus IV Epiphanes)의 박해가 전례 없던 신학적 딜레마를 초래했던 때였다.

의인이 토라를 어기기 때문이 아니라 정확히 그것에 순종하기 때문에 고통을 당한다면 하나님의 정의를 어떻게 이해해야 하는가?

다니엘서에 주어진 답변은 비록 이 땅의 삶이 아니라 다가올 삶에서라도 하나님의 정의가 궁극적으로 승리할 것이라는 점이다.

하나님의 율법에 대해 신실하여 고통을 끝까지 견디는 자들은 다시 살아나서 영원한 생명을 얻을 것이지만, 의인에 대해 중대한 불의를 저지른 죄인들은 다시 살아나서 영원한 부끄러움을 당할 것이다. 이런 점에서 마카비 혁명 시기에 생겨난 부활 신앙은 순교의 맥락에서 신정론 문제에 대한 답변이었을 뿐만 아니라, 경건한 사람들이 계속해서 토라에 신실하기를 요청하는 격려이기도 했다.

다니엘 12:3은 다시 살아나서 영원한 생명을 얻을 사람들에 관한 추가 정보를 제공한다. 그들은 처음에는 '지혜 있는 자'로, 나중에는 '많은 사람을 옳은 데로 돌아오게 한 자'로 묘사된다. 이 구절을 구성하고 있는 두 부분의 병행구조(parallelismus membrorum)는 동일한 그룹을 언급하고 있음을 암시하는 것으로 보인다. 하지만 이러한 묘사(즉 많은 사람을 옳은 데로 돌아오게 하는 지혜 있는 자)가 부활과 함께 보상을 받을 전체 그룹인지 아니면 단순히 종교적 엘리트와 같은 하위그룹 중 하나인지는 덜 분명하다.

이 그룹을 확인하는 데 다니엘 11:32-35이 도움을 준다. 거기서는 처음에 '언약을 배반하고 악행 하는 자'와 '하나님을 아는(하나님께 신실한) 백성'을 구별하고 나중에는 '많은 사람을 가르칠', '백성 중에 지혜로운 자'라는 표현을 사용한다. 다니엘서의 역사적 문맥을 볼 때, 후자의 그룹은 아마 안티오쿠스 4세 에피파네스의 헬라화 정책에 저항하는 신실한 자들에게 용기를 북돋아주는 종교 지도자들을 언급하는 것으로 보인다. 만일 '많은 사람을 가르치는 지혜로운 자'가 다니엘 12:1-3의 '많은 사람을 옳은 데로 돌아오게 한 자'와 동일 그룹이라면, 그 메시지는 영생으로 이끄는 부활이 토라를 위해 순교할 준비가 되어 있음은 물론 다른 사람을 지도하고 가르치는 신실한

자에 대한 하나님의 보상이라는 점이다.[5]

우리는 또한 본문이 부활이 악한 자에게 수치와 영원한 경멸을 안겨 줄 심판의 행위를 의미한다는 것을 제외하고는 그들의 운명에 대한 어떤 특정한 정보도 제공하지 않고 있다는 점에 주목해야 한다. 그렇다면 이 본문에서 부활은 윤리적 스펙트럼의 양쪽 끝에 있는 두 그룹—매우 덕이 있는 자들과 극도로 악한 자들—이 각각 의로움을 입증하거나 정죄를 받게 될 수단으로 기능한다.

죽음 이전의 생명과 이후의 생명이 어느 정도 연속성을 가지는가에 대해서는 다니엘 12:1-3이 대답보다는 오히려 더 많은 문제를 제기한다. 우선 다니엘 12:2에 있는 '땅의 티끌'이라는 표현이 죽은 자가 살아날 무덤을 가리키는지 아니면 욥기 17:16의 경우처럼 스올(Sheol)에 있는 죽은 자의 그림자 같은 존재를 가리키는지 분명하지 않다. 또한, 다시 살아나서 영원한 생명을 누릴 자들의 부활 이후의 생명은 '궁창의 빛같이', '별과 같이 영원토록 빛나는'(단 12:3) 상태로 묘사된다.

---

[5] 다니엘 12:3에 언급된 많은 사람을 의로 이끄는 지혜 있는 자(지혜로운 자)에 대한 묘사와 이사야 53:11에 언급된 많은 사람을 의롭게 하는 종 사이의 유사성에 주목한 Harold L. Ginsberg ('The Oldest Interpretation of the Suffering Servant', VT 3 [1953]: 400-4)을 따라 많은 학자가 전자를 후자에 비추어 해석한다. 이렇게 이해할 경우 다니엘서의 저자는 이사야 52:13-53:12에 언급된 종을 당대의 '지혜 있는 자'와 동일시하여 그들을 스스로 고난을 받으므로 많은 사람을 의로 이끈 순교자로 묘사한 것이 된다. 그러나 이 견해의 주된 약점은 다니엘서가 결코 '지혜 있는 자'의 순교에 회유 기능(propitiatory function)을 부여하지 않는다는 데 있다. 그러므로 다니엘 12:3을 다니엘 11:33에 비추어 해석하여 지도자들이 토라에 대한 순종으로 인하여 부당하게 고난당할지라도 '순교보다는 가르침이 정당함의 입증(justification) 수단'이라고 결론 내리는 그것이 더욱더 타당하다(John J. Collins, Daniel, *A Commentary on the Book of Daniel* [Hermeneia; Minneapolis: Fortress, 1993], 393).

어떤 학자들에게 이러한 묘사는 일종의 육체적 내세보다는 천상적 불멸(astral immortality)이라는 대중적인 헬라 개념에 더욱 가깝게 여겨진다(Aristophanes, *Pax* 832-34; Cicero, *Resp.* 6.13-17). 하지만 다니엘 12:1-3의 저자는 지혜 있는 자가 별이 될 것이 아니라, 다만 별과 같이 빛날 것이라고 언급할 뿐이다. 별을 천사와 동일시하는 널리 퍼진 유대 전승에 비추어볼 때(삿 5:20; 욥 38:7; 단 8:10; 에녹1서 90:21; 104:2-6), 이러한 비유는 부활한 의인이 천사와 같이 될 것이라는 의미의 가능성이 더 크다.

이 본문이 천상적 변형(astral transformation)이 아니라, 천사 동형(angelomorphism)을 암시할지라도 부활 상태의 육체적 측면은 모호한 채로 남아있다. 부활 이후의 생명이 부활 이전의 존재와 다르다는 것은 분명하지만, 지상적 몸이 변형되는지, 또 변형되면 어떻게 변형되는지는 분명치 않다. 또한, 부활한 개인의 정체성이 시신의 변형을 통해서 보존되는지 아니면 어떤 다른 수단을 통해 보존되는지에 대한 문제 역시 모호한 채로 남아있다. 하지만 부활 소망의 초기적 특성과 다니엘 환상의 문맥적 특성을 고려할 때 이보다 명확한 것을 기대하는 것은 아마도 부적절할 것이다.

결국, 이 본문의 목적은 죽은 자의 운명을 상세하게 다루는 데 있는 것이 아니라 신실한 자들에게 순교를 불사하고서라도 인내하며 토라에 대해 순종하도록 격려하는 데 있다.

2. 초기 유대교 문헌에 나타난 부활 개념

이 단락에서 우리는 유대인의 경전으로 받아들여지지 않은 제2성전 시대의 유대교 문헌의 여러 본문을 조사하려고 한다. 이 본문 중일부의 저작 시기는 앞에서 이미 개관한 유대인 성경의 본문보다 앞서거나 동일한데, 이는 둘 사이의 복합적인 개념적, 문학적 연관성을 암시해준다.

여기서 필자의 목적은 부활 개념의 발전 과정을 설명하는 데 있는 것이 아니라, 예수를 따르는 자들이 하나님께서 그를 죽은 자 가운데서 일으키셨다고 선포했을 때 그것이 의미한 바가 무엇인지를 더욱더 잘 이해하기 위해 부활 소망과 연관된 제2성전 시대 유대교의 종교적 풍경을 재구성하는 데 있다.

1) 감시자들의 책(*The Book of the Watchers* / 에녹1서 1-36장)

감시자들의 책에서 발견되는 내세 개념은 다니엘 12:1-3의 내세 개념보다 더 오래된 것이다. 그것은 보통 B.C. 3세기 또는 2세기 초에 기록된 것으로 여겨진다. 가장 흥미로운 본문 중 하나는 22장인데, 거기서는 죽은 자의 영혼의 중간 상태에 대한 에녹의 환상이 묘사된다. 중간 상태에서 죽은 자의 영혼은 심판의 날까지 다양한 구역에 머무른다.

거기에서 나는 또 다른 곳으로 갔다. 그는 내게 서쪽에 있는 크고 높은 바위로 된 산을 보여 주었다. 그 안에는 네 개의 우묵한 땅이 있었는데, 깊고 매우 매끄러웠다. 그것 중 세 곳은 어두웠고 한 곳은 밝았으며 그 한 가운데 샘이 있었다.

"이 우묵한 땅들이 얼마나 매끄럽고 깊으며 볼 수 없을 정도로 어두운가"라고 나는 말했다. 그때 내 옆에 있었던 거룩한 천사 중 하나인 라파엘이 나에게 이렇게 말했다.

"이 움푹 파인 땅은 죽은 자의 영혼을 모으기 위해 마련된 곳이다. 그러한 목적으로 이 장소가 만들어졌으며 모든 인간의 영혼이 이곳으로 들어와야 한다. 이 장소는 그 영혼을 감금하기 위한 웅덩이이다. 그것들은 심판이 임할 날까지, 즉 그들에게 임할 대심판의 날까지 여기 머물 것이다."

거기서 나는 탄원하고 있는 한 죽은 남자의 영혼을 보았는데, 그의 애통 소리는 하늘에까지 이르렀으며 울부짖으면서 탄원했다. 나는 곁에 있던 감시자이며 거룩한 천사인 라파엘에게 물었다.

"하늘을 향해 탄원하는 이 영혼은 누구의 것입니까?"

그는 나에게 이렇게 대답했다.

"이것은 형 가인에 의해 살해된 아벨의 영혼이다. 아벨은 형의 자손이 지상에서 멸망하고 그의 자손이 인간의 자손 중에서 멸절될 때까지 그에 대한 고발을 계속하고 있다."

나는 이 우묵한 장소들이 왜 분리되어 있는지를 물었다. 그러자 그는 다음과 같이 대답하였다.

"이 세 개의 장소는 죽은 자의 영혼들을 선별하기 위해 만들어졌다. 이곳은 의인의 영혼을 위해 분리되었는데, 거기에는 밝은 샘이 있다. 그리고 이곳은 죄인이 죽어 장사 되었지만, 지상의 삶 동안 심판을 당하지 않은 그들의 영혼을 위해 구별되었다. 여기서 그들의 영혼은 저주받은 자의 심판과 고통의 날까지 영원히 이 큰 고문을 위해 분리되어 있다. 그것은 그들의 영혼에 대한 보상이리라. 거기서 그는 그들을 영원히 결박할 것이다. 또한, 이곳은 탄원하는 자들의 영혼을 위해 분리되었는데, 그들은 죄인들에 의해 살해된 사실을 폭로한다. 그리고 이곳은 경건하지 않고 하나님을 믿지 않은 죄인들의 영혼을 위해 만들어졌다. 그들은 무법자와 함께 어울렸다. 그들의 영혼은 심판의 날에 처벌되지도 않고 거기에서 올리어지지도 (raise) 않을 것이다"(에녹1서 22:1-13).[6]

어떤 학자들은 이 단락을 유대교에서 죽은 자의 운명을 상세하게 다룬 가장 초기의 본문이며 아마도 다니엘 12:1-3의 죽은 자의 부활 묘사의 기초가 된 것으로 간주한다.[7]

그러나 이것은 부활에 대한 본문이 아니라 죽음과 최후의 심판 사이의 중간기에 관한 본문이다. 저자가 일종의 부활이 심판 전에 일어날 것을 기대하는지는 분명치 않다.

이 단락에서 유일하게 언급된 '올려진다'(raising)는 단어-어떤 사람들의 영혼이 "심판의 날에 처벌되지도 않고 거기에서 올리어지지도 않을 것이다"(에녹1서 22:13)의 문장에서 언급—는 다소 이상할 뿐만 아니라 결정적인 증거가 되지 못한다. 죽은 자의 영혼(the spir-

6 에녹 1서(1 Enoch) 인용문의 영어 번역은 George W. E. Nickelsburg and James C. VanderKam, *1 Enoch: A New Translation* (Minneapolis: Fortress, 2004)에서 가져왔다. 다른 모든 위경 작품의 인용문은 James H. Charlesworth, ed., *The Old Testament Pseudepigrapha* (2 vols; New York: Doubleday, 1983-5)에서 가져왔다.

7 George W. E. Nickelsburg, *1 Enoch 1: A Commentary on the Book of 1 Enoch, Chapters 1-36; 81-108* (Hermeneia; Minneapolis: Fortress, 2001), 304.

its of the dead / 에녹1서 22:3에서 '죽은 자의 영혼[the spirits of the souls of the dead]'으로 표현된)이 기억, 빛에 대한 감각, 갈증, 고통과 같은 육체적 기능을 보유하고 있는 반면, 그들의 '부활'이―그러한 사건이 상상되고 있을지라도―육체적 형태로 기대되고 있는지는 분명치 않다.

하지만 이러한 문제점에도 불구하고 에녹1서 22:1-13에 나타난 죽은 자의 임시적 거처(temporary repository)에 대한 묘사는 다니엘 12:1-3과 일맥상통하며 그것의 비범한 윤리적 시나리오를 어느 정도 밝혀줄 수 있다. 의인의 영혼은 악한 자의 영혼과 분리되는데, 악한 자의 영혼은 또다시 지상의 삶 동안 처벌을 피했던 사람들과 죽기 전에 이미 심판을 받았던 사람들로 구분된다. 전자의 영혼이 결국 최후의 징벌 장소로 이동되는 반면, 후자의 영혼은 그들이 있는 곳에 계속 남아있을 것이다. 이 두 번째 악한 자 그룹에는 분명 최종적인 부활이 부인된다.

에녹1서 22:1-13에는 의인의 마지막 운명에 대한 어떤 말도 없지만, 에녹1서 24:2-25:7에는 이 문제에 대해 언급한다. 이 본문에 묘사된 환상에서 에녹은 일곱 개의 영광스러운 산을 본다. 한가운데 있는 일곱 번째 산은 향기로운 나무로 둘러싸여 있다. 그 나무들 가운데 특별한 한 나무가 있는데 그것의 향기와 아름다움은 다른 모든 나무를 능가한다. 뒤이어 나오는 설명은 이 나무가 의인에게 주어질 것을 분명하게 밝힌다. 하지만 해석해 주는 천사는 그들의 실제적 생명 회복을 묘사하는 것이 아니라, 오히려 그들의 마지막 상태에 초점을 맞추는데 그것은 놀라울 정도로 길지만, 반드시 영원하지는 않은 지상에서의 삶으로 표현한다.

네가 본 이 높은 산, 그 꼭대기가 하나님의 옥좌와 비슷한 이 산은 거룩하고 위대한 분, 영광의 주님, 영원한 왕이 선을 가지고 땅을 방문하기 위해 내려오실 때 앉으실 보좌이다. 또한, 이 향기로운 나무로 말하자면, 하나님께서 모든 사람에게 보복하시고 영원한 완성이 있을 때 심판의 때까지 어떤 인간도 그 나무에 손을 댈 수가 없다. 심판 후에 그것은 의롭고 경건한 자에게 주어질 것이며 그 열매는 선택된 사람을 위한 음식이 될 것이다. 이 나무는 거룩한 곳, 영원한 왕이신 하나님의 집으로 옮겨질 것이다. 그 후 그들은 크게 기뻐하며 성소로 들어갈 것이다. 그 나무의 향기가 그들의 뼈에 있어 너희 조상들이 오래 살았듯이 그들 또한, 땅에서 오랫동안 살 것이다. 그들에게 더 이상 고통도 재앙도 괴로움도 없을 것이다(에녹1서 25:3-7).

이 본문은 이 땅의 회복된 생명을 묘사하기 위해 이른바 처음-마지막(Urzeit-Endzeit) 유형론을 사용하지만, 저자가 전형적인 부활 어휘를 사용하고 있지 않기 때문에 육체적 부활을 추정하고 있는지는 분명하지 않다. 생명 나무의 향기가 의인의 뼛속에 있을 것이라는 진술을 육체적 부활에 대한 암시로 해석하는 학자들도 더러 있지만, 이러한 결론은 잠정적인 견해로만 남아있다.

2) 동물 묵시록(*The Animal Apocalypse* / 에녹1서 85-90장)

최종 형태의 저작 시기가 B.C. 163년경으로 추정되는 에녹1서의 이 부분은 아담의 창조에서부터 헬레니즘 시대에 이르기까지 이스라엘의 역사를 알레고리적으로 표현한다. 이러한 알레고리에서 동물

은 인간이나 민족을 나타낸다. 양은 이스라엘을 상징하고, 포식동물
은 민족을 상징하며 하얀 황소는 아담과 홍수 이전의 족장들(antedi-
luvian patriarchs)을 상징한다. 이 단락의 마지막 장에서는 역사적 예루
살렘(옛 집)이 종말론적 예루살렘(새 집)으로 대체되는 내용이 묘사되
며 그 뒤에 다음과 같은 환상이 뒤따른다.

> 모든 들짐승과 하늘의 모든 새에 의해 파괴되고 흩어졌던 모든 것이
> 그 집에 모여들었다. 양의 주님은 그들 모두가 선하고 그 집으로 돌
> 아왔기 때문에 크게 기뻐하였다. … 또 나는 하얀 황소 한 마리가 태
> 어나는 것을 보았는데 그 소의 뿔은 거대했다. 모든 들짐승과 모든
> 하늘의 새들이 그 황소를 두려워했으며 계속해서 그에게 간청했다.
> 나는 그들의 모든 종들(species)이 변화되어 하얀 소가 되는 것을 지켜
> 보았다(에녹1서 90:33, 37-38a).

이전에 흩어졌던 양이 모인다는 표상은 아마도 의로운 이스라엘
백성의 부활에 대한 상징적 언급이고 양이 '하얀 소'로 변화되는 표
상은 그들의 지상의 몸이 더욱더 영광스러운 몸으로 변형되었음을 언
급할 수도 있다. 이러한 해석은 비록 잠정적이긴 하지만, 동물 묵시록
과 다니엘서의 비슷한 저작 시기를 고려할 때 확실히 개연성이 있다.

3) 에녹의 서신(*The Epistle of Enoch* / 에녹1서 91-105장)

에녹의 서신은 에녹1서의 결론 부분에 보존되어 있는데, 그 저작
시기는 보통 알렉산더 얀네우스(Alexander Jannaeus, B.C. 104-78년)의

통치 시기로 추정된다. 그것은 부유하고 권세 있는 자에게 억압받는 의인의 고통을 묘사하며 내세에서의 그들의 의로움의 입증(vindica-tion)을 약속한다.

의인의 영혼들아 두려워하지 말라. 너희 죽은 경건한 자들아 용기를 내라. 너희의 영들이 슬픔으로 스올에 내려간 것 때문에 슬퍼하지 말라. 너희의 육체는 지상의 삶에서 경건에 대한 합당한 보상을 받지 못했다. 왜냐하면, 너희가 살아온 날들은 땅 위에서 죄인의 시대요 저주의 날들이었기 때문이다(에녹1서 102:4-5).

나는 하늘의 돌 판을 읽었고 반드시 기록되어야 할 글을 보았다. 나는 그 안에 기록된 너희들에 관해 새겨진 내용을 알고 있다. 좋은 것들과 기쁨, 영광이 죽은 경건한 자들의 영혼을 위해 준비되어 기록되었다. 너희의 노동을 대신하여 많은 좋은 것들이 너희에게 주어질 것이며 너희가 차지할 몫은 살아있는 자의 몫을 능가할 것이다. 죽은 경건한 자들의 영혼들은 다시 살아날 것이며 기뻐하고 기뻐할 것이다. 그들의 영혼은 멸망하지 않을 것이며 그들에 대한 기억은 위대한 하나님의 존전 앞에서 영원히 사라지지 않을 것이다(에녹1서 103:2-4).

그렇다면 용기를 가져라. 이전에는 너희들이 악과 환난으로 살아 왔지만 이제는 너희가 하늘의 광채처럼 빛날 것이다. 너희는 빛나고 나타날 것이며 하늘의 문들이 너희를 위해 열릴 것이다.… 용기를 내고 소망을 포기하지 말라. 너희에게 하늘의 천사처럼 큰 기쁨이 임할 것이다(에녹 104:2, 4).

이 단락들의 저자는 죽은 의인의 영혼들이 일정 기다림의 기간 후에 다시 살아나 하늘에 올라갈 것이며, 거기서 천사들처럼 계속 존재할 것임을 지적한다. 이러한 순서—죽음, 중간기, 다시 살아남—는 부활의 소망을 표현하는 구절들에 나오는 전형적인 사건들의 순서와 일치한다. 따라서 일부 학자가 이러한 구절들 또한, 몸의 부활을 암시한다고 여기는 것은 놀라운 일이 아니다.

하지만 이 결론은 논란의 여지가 있다. 의인이 맞이할 최후의 운명이 형체를 가진 생명으로 묘사되지 않고 오히려 다니엘 12:3의 경우처럼 천사동형론(angelomorphism)과 유사하다. 아마도 저자는 다니엘 12:3을 잘 알고 있었던 것처럼 보인다. 하지만 다니엘서의 본문과 달리 이 단락은 죽은 자의 시체의 부활이 아니라 그들의 영혼의 부활 및 그 이후 천상에서의 영광을 묘사한다.

이러한 개념은 다니엘 12:3보다 에녹1서 22:1-13에 더 가까워 보인다. 이러한 내세의 개념을 헬라의 영혼불멸사상에 대한 유대의 각색(adaptation)으로 간주하는 것이 잘못인 것처럼, 그것을 육체적 부활로 간주하는 것 역시 문제가 있다.

4) 에녹의 비유(*The Similitudes of Enoch* / 에녹1서 37-71장)

이 작품은 일반적으로 B.C. 1세기 말 또는 A.D. 1세기 상반기에 기록된 것으로 추정되는데, 에녹1서에서 몸의 부활 기대에 대한 모호하지 않은 증거를—완전히 일치하는 것은 아니지만—제공하는 유일한 부분이다.

그때에 땅은 맡겨진 것을 회복할 것이고 스올은 받은 것을 회복할 것
이며 멸망은 빚진 것을 회복할 것이다(에녹1서 51:1).

이 세 부분은 유사 병행구(synonymous parallelism)를 형성하는데, 상
응하는 용어들이 서로를 해석해 준다. 그렇다면 첫 번째 부분의
"'땅'은 죽은 자를 언급하는 것으로 이해될 수 있고, 그 회복은 몸의
부활에 대한 언급으로 이해할 수 있다. 이 단락의 끝에 나오는 '땅은
기뻐할 것이고 의인은 거기에 거할 것이다'"(에녹1서 51:5b)라는 진술
은 아마 죽은 자 가운데서 다시 살아날 사람들이 땅에서 계속 살아
갈 것을 지적하는 것으로 보인다.

이와는 약간 다른 그림이 에녹1서 39:3-5a에 나오는데, 거기서는
의인의 거처가 천상의 천사들 가운데 있을 것이라 기대한다.

그때에 돌풍이 나를 지상에서 끌어올려 천상의 끝에 앉혀 놓았다. 거
기서 나는 또 다른 환상을 보았는데, 곧 거룩한 사람들의 거처요 의인
의 안식처에 대한 환상이었다. 거기서 나는 그의 의로운 천사들과 함
께 그들의 거처를 보았고, 거룩한 사람들과 함께 그들의 안식처도 보
았다(에녹1서 39:3-5a).

에녹1서 58:3("의인은 태양 빛 가운데 있을 것이며 선택된 자는 영원한 생
명의 빛 가운데 있을 것이다. 그들의 생명의 날은 끝이 없고 거룩한 자의 날은
셀 수 없을 것이다")이나 에녹1서 62:15("또한 의인과 선택된 자는 땅에서
일어나서 더 이상 얼굴을 숙이지 않고 영광의 옷을 입을 것이다.")과 같은 일
부 구절들은 의인의 변형된 생명을 생생하게 묘사하고 있다. 죽음

이후의 존재에 대한 이러한 다양한 묘사들은 쉽게 조화될 수 없다. 그러한 묘사들은 회복된 생명이 땅의 생명과는 다를 것이라는 점에서는 공통점이 있지만, 의인의 거처나 미래 몸의 특성과 같은 구체적 측면에 대해서는 일관성이 없거나 파악하기 어렵다.

5) 희년서(Jubilees)

희년서는 '다시 쓰인 성경'(rewritten Scripture)으로 불리는 해석서(exegetical works) 그룹에 포함된다. B.C. 2세기경에 기록된 것으로 추정되는 이 작품은 창세기 1장에서 시작해서 출애굽기 14장으로 끝나는 모세오경 일부를 개작한다. 아브라함의 죽음과 장사에 관한 이야기와 에서의 장자권을 탈취하는 야곱의 이야기 사이에 종말에 대한 긴 논의가 나온다(희년서 23:16-31). 인간 역사의 마지막 시기는 건강, 노화 부재, 그리고 인간 수명의 연장이 특징인 에덴동산으로의 귀환으로 묘사된다. 저자는 이러한 종말에 대한 묘사 마지막 부분에서 죽음 이후의 의인 운명을 다음과 같이 묘사한다.

> 그 후에 주님께서 자기 종들을 고치시고 그들은 일어설 것이고 큰 평안을 볼 것이다. 그리고 그들은 적들을 몰아내고 의인들은 볼 것이고 찬양을 드릴 것이며 영원한 기쁨으로 기뻐할 것이다. 그들은 적들에게 내려진 모든 심판과 저주를 목도할 것이다. 또한, 그들의 뼈가 땅에서 쉴 것이고 그들의 영혼은 기쁨이 더할 것이며 그들은 주께서 심판의 집행자이심을 알게 될 것이다. 그러나 주님은 주님을 사랑하는 모든 사람에게 자비를 보일 것이다(희년서 23:30-31).

이 단락에 묘사되고 있는 내세의 형태를 식별하기는 쉽지 않다. 만일 '그들이 일어설 것이다'라는 문장을 육체적 부활로 이해한다면, '그들의 뼈가 땅에서 쉰다'는 말이 설명되어야 한다. 만일 이두 부분이 동시에 일어나는 두 가지 행동을 묘사한다면, 저자는 부활의 소망과 영혼불멸사상을 혼합하는 기묘한 비육체적(non-bodily) 부활의 개념을 촉진하는 것처럼 보인다.

만일 이 두 부분이 다른 시기에 일어날 두 가지 행동을 묘사한다면, 육체적 부활 개념은 저자가 종말 사건을 역순으로 제시한다고 가정하는 경우에만 타당할 수 있다. 이렇게 읽을 때 '그들의 뼈가 땅에서 쉴 것'이라는 말이 죽음과 부활 사이의 시기를 묘사하는 반면, '그들이 일어설 것'이라는 말은 나중에 일어날 실제적 부활을 묘사하게 된다.[8]

하지만 이러한 해석은 '그들의 뼈가 땅에서 쉴 것'이라는 말 바로 다음에 '그들의 영혼은 기쁨이 더할 것'이라는 표현이 나오기 때문에 설득력이 없다. 왜냐하면, 그 말은 의인의 지상의 몸과 그들의 영혼의 분리를 암시하고 있기 때문이다.

만일 이 본문이 일종의 부활을 묘사하고 있다면 그 개념은 육체적 부활의 개념보다는 오히려 의인의 영혼을 스올에서 천상으로 들어 올리는 에녹서 103:3-4의 내용과 더 유사하다.

---

8 Wright, *The Resurrection of the Son of God*, 144를 보라.

6) 마카비2서(Second Maccabees)

B.C. 100년과 63년 사이에 기록된 것으로 추정되는 이 문헌은 안티오쿠스 4세 에피파네스 통치하의 유대인 박해를 서술한다. 육체적 부활 소망에 대한 가장 생생한 표현은 7장에서 찾을 수 있는데, 거기서는 안티오쿠스의 헬라화 정책을 따르기를 거절했던 일곱 형제와 그들의 어머니의 순교를 서술한다.

이 이야기에 앞서 6장에는 어느 누구도 하나님의 심판을 피할 수 없을 것이라는 단순한 선언 때문에 고난을 받은 늙은 엘르아살(Eleazar)의 순교 이야기(마카비2서 6:18-31)가 언급된다.

> 내가 당장에는 인간의 벌을 피할 수 있다 하더라도, 살아서나 죽어서나 전능하신 분의 손길을 피할 도리는 없을 것입니다. 그러므로 지금 나는 용감하게 죽어 나잇값을 하고자 합니다. 또 나는 숭고하고 거룩한 율법을 위해 기쁜 마음으로 고상하고 훌륭한 죽음을 택하여 젊은이들에게 좋은 표본을 남기려는 것입니다(마카비2서 6:26-28).

하지만 7장에 나오는 젊은 순교자들은 엘르아살처럼 죽음을 단순히 받아들이는 것이 아니라, 부활할 때 그들의 파괴된 몸—각 인체 기관과 팔다리—을 다시 돌려받을 것이라는 소망을 표현한다. 이러한 소망의 첫 번째 언급은 둘째 형제의 마지막 말에서 찾을 수 있다.

> 이 못된 악마여, 너는 우리를 죽여서 이 세상에 살지 못하게 하지만 이 우주의 왕께서는 당신의 율법을 위해 죽은 우리를 다시 살리셔서 영원

한 생명을 누리게 할 것이다(마가비2서 7:9).

세 번째 형제도 동일한 소망을 표현하지만, 더욱더 구체적으로 설명한다.

그는 혀를 내밀라는 말을 듣자 곧 혀를 내밀 뿐 아니라 용감하게 손까지 내밀면서 엄숙하게 말하였다.

"하나님께 받은 이 손발을 하나님의 율법을 위해서 내던진다. 그러므로 나는 이 손발을 하나님으로부터 다시 받으리라는 희망을 갖는다"(마카비2서 7:10-11).

네 번째 형제는 더 나아가 부활이 순교자에게만 예비 되어있음을 분명히 밝힌다.

나는 지금 사람의 손에 죽어서 하나님께 가서 다시 살아날 희망을 품고 있으니 기꺼이 죽는다. 그러나 너는 부활하여 다시 살 희망이 전혀 없다(마카비2서 7:14).

이러한 각각의 진술은 하나님께서 그들의 조기 죽음으로 인해 육체적 존재의 즐거움을 빼앗긴 젊은 순교자들에게 생명을 되찾아 주실 뿐만 아니라, 그들의 회복된 몸이 지상의 몸과 동일한 몸이 될 것이라는 소망도 표현한다.

파괴된 육체 기관(bodily organs)이 부활을 통해 하나님에 의해 회복될 것이라는 개념은 또한, 예루살렘의 원로 중 하나인 라지스(Razis)의 죽음 이야기에서도 찾아볼 수 있다(마카비2서 14:37-46). 그를 체포하기 위해 보낸 시리아 군대가 탑을 포위했을 때, 그는 자살을 시도했지만 너무 서두르다가 실패하였다. 화자(narrator)는 죽어가는 라지스의 모습을 다음과 같이 섬뜩하게 묘사하며 그의 이야기를 끝낸다.

> 라지스는 자기 창자를 뽑아내어 양손에 움켜쥐고 군중에게 내던지며 생명과 영혼의 주인이신 하나님께 창자를 자기에게 다시 돌려주십사고 호소하였다(마카비2서 14:46).

이 모든 본문에서 기대되는 의로움 입증(vindication)은 퀴드 프로 쿠오(quid pro quo / 보상법칙)에 따라 작용한다. 즉 "파괴된 것은 회복되어야 한다."[9]

마카비2서 7장에 언급된 부활 개념은 또 하나의 비범한 특징을 지닌다. 앞에서 논의한 다른 본문과 달리 일곱 형제와 그들의 어머니의 순교 이야기는 고난받는 의인의 부활한 몸이 아무리 보잘것없어도 그들의 지상의 유해(remains)로부터 회복되는 것이 아니라 무(nothing)에서 다시 창조될 것임을 암시한다.

여기서 다시 살아나게 하시는 하나님의 능력은 하나님의 창조 능력에 비유된다. 부활과 창조의 유비는 하나님께서 자기 뱃속에서 그들의 몸을 창조하신 것처럼 미래에 그것들을 재창조하실 것이기 때

---

9 George W. E. Nickelburg, 'Judgment, Life-After-Death, and *Resurrection* in the Apocrypha and Non-Apocalyptic Pseudepigrapha', in *Death, Life-After-Death, Resurrection and the World-to-Come in the Judaisms of Antiquity (part 4 of Judaism in Late Antiquity*; eds. Alan J. Avery-Peck and Jacob Neusner; HO I/49; Leiden: Brill, 2009), 149.

문에 그녀의 아들들에게 다음과 같이 인내하도록 격려하는 어머니의 가슴 아픈 진술에서 가장 분명하게 표현된다.

> 너희들이 어떻게 내 뱃속에 생기게 되었는지 나도 모른다. 너희들에게 목숨을 주어 살게 한 것은 내가 아니며, 또 너희들의 신체의 각 부분을 제자리에 붙여준 것도 내가 아니다. 너희들은 지금 너희들 자신보다도 하나님의 율법을 귀중하게 생각하고 있으니 사람이 출생할 때에 그 모양을 만들어주시고 만물을 형성하신 창조주께서 자비로운 마음으로 너희에게 목숨과 생명을 다시 주실 것이다 (마카비2서 7:22-23).

> 애야, 내 부탁을 들어다오. 하늘과 땅을 바라보아라. 그리고 그 안에 있는 모든 것을 살펴라. 하나님께서 현존하는 무엇인가를 가지고 이 모든 것을 만들었다고 생각하지 말아라. 인류가 생겨난 것도 마찬가지다. 이 도살자를 무서워하지 말고 네 형들에게 부끄럽지 않은 태도로 죽음을 달게 받아라. 그러면 하나님의 자비로 내가 너를 너의 형들과 함께 다시 맞이하게 될 것이다(마카비2서 7:28-29).

"하나님께서(하늘과 땅, 그리고 그 안에 있는 모든 것을) 현존하는 무엇인가를 가지고 만들지 않으셨다"(마카비2서 7:28)라는 말은 보통 '무로부터의 창조'(creatio *ex nihilo*) 개념에 대한 최초의 표현으로 간주한다.

시걸(Segal)은 다음과 같이 주장한다.

> 이 구절은 '무로부터의 창조' 개념이 사실상 육체적 부활이 무엇을 의
> 미하는지 분명하게 밝힐 필요성에서 발전되었다는 점을 보여 준다.…
> 이전에는 창조가 하나님의 능력을 증언해주었고, 안식일은 그분의 능
> 력에 대한 제의적인 축제(rerual celebration)였다. 이제 창조는 또한, 다
> 시 살아나게 하시는 하나님의 능력에 대한 입증이다. 그것은 유대 사
> 상에서 완전한 혁신이었다.[10]

육체적 부활이 '무로부터의 창조'에 비유된다는 사상은 또한, 부
활한 순교자의 개인적 정체성이 그들의 죽은 몸과 부활한 몸 사이의
일종의 연속성을 통해 보존되는 것이 아니라 오직 하나님에 의해서
만 보존된다는 점을 암시한다.

이런 점에서 마카비2서의 부활 개념은 비록 역설적이긴 하지만 두
개의 독특한 특징을 포함한다. 한편으로는 관련 본문들이 부활한 몸
의 육체적 특성을 강조한다. 다른 한편으로는 동일한 본문들이 하나
님께서 토라에 순종하기 위해 끝까지 인내한 신실한 유대인의 몸을
회복하시기 위해 지상의 몸이 필요하지 않으신다는 점을 지적한다.
오히려 새로운 몸은 무로부터 세상을 창조하신 하나님의 최초 창조
패턴에 따라 무로부터(ex nihilo) 재창조될 것이다.

---

[10] Segal, *Life after Death*, 270-1.

7) 쿰란 문헌(Qumran Literature)

사해 두루마리(Dead Sea Scrolls)는 '끝없는 삶과 함께 누리는 영원한 즐거움과 영원한 빛으로 장엄한 의복을 가진 영광의 왕관'에 대한 약속(1QS 4.7-8), '먼지 속에 누워있는 자들이 기를 올리고 죽은 자의 벌레가 깃발을 들어 올릴 것'이라는 기대(1QHa 14.34), 또는 한 사람의 정화(purification)가 "너희 거룩한 자와의 연합을 끌어내고 죽은 자의 벌레들을 먼지로부터 끌어 올린다"는 주장(1QHª 19.12)과 같은 내세에 대한 다양한 암시를 담고 있다.[11]

하지만 이러한 언급들을 문자적으로 이해해야 하는지, 아니면 단순히 공동체 구성원의 영적 경험에 대한 시적인 묘사로 이해해야 하는지는 논쟁의 여지가 있다.

사실상 쿰란 문헌에서 죽은 자의 부활에 대한 분명한 언급은 상당히 드물다. 부활 신앙에 대한 가장 확실한 증거를 제공하는 두 개의 문헌—이른바 메시아 묵시록(*Messianic Apocalypse*)과 위-에스겔(*Pseudo-Ezekiel*)—은 일반적으로 종파 문서, 즉 쿰란 공동체의 구성원이 작성한 문서로 간주하지 않는다. 이 모든 것은 부활 소망이 쿰란 공동체의 다양한 내세 개념의 스펙트럼에는 속했지만, 그들의 지배적 믿음은 아니었을 수도 있음을 암시한다.[12]

---

[11] 달리 표시되지 않는 한 쿰란 문서의 모든 번역은 Florentino García Martínez and Eibert J. C. Tigchelaar, *The Dead Sea Scrolls: Study Edition* (2 vols; Leiden: Brill, 1997-8)에서 가져왔다.

[12] 부활의 기대가 쿰란 공동체의 주요 믿음이었다는 견해에 대해서는 Émile Puech, *La croyance des Esséniens en la vie future: Immortalité, résurrection, vie éternelle? Histoire d'une croyance dans le Judaïsme ancien* (EtB 21-22; 2 vols; Paris: Gabalda, 1993)를 보라.

메시아 묵시록(4Q521)은 B.C. 1세기경에 기록된 것으로 추정된다. 이 문서의 frg. 2의 두 번째 열(column)은 종말 사건에 대해 다음과 같이 묘사한다.

> 10 선행의 열매는 누구에게도 지체되지 않을것이다.
>
> 11 주께서 말씀하신 대로 아직 일어나지 않은 영광스러운 일들을 행하실 것이다.
>
> 12 그분은 상한 자를 고치시고 죽은 자에게 생명을 주실 것이며, 가난한 자에게 복음을 전할 것이다.
>
> 13 그리고 약한 자를 만족시키시고 소외된 자들을 인도하시며 굶주린 자를 부요하게 하실 것이다.[13]

12행에 언급된 "죽은 자에게 생명을 주실 것이다"라는 표현이 문자적인 부활을 가리킬 가능성이 크다. 유감스럽게도 본문은 부활한 몸에 대한 묘사나 개인적 정체성의 보존 방식과 같은 이 부활 사건의 특성에 대한 정보를 제공해 주지 않는다. 문법적으로는(또한, 신학적으로도) 이 구절에 언급된 일체의 행동 주어가 하나님일지라도 저자는 이 모든 일이 이 두 번째 열의 1행에 언급된 메시아의 사역을 통해 일어나는 것으로 기대한다("… 하늘과 땅이 그의 메시아의 말을 들을 것이다").

하지만 보다 중요한 점은 죽은 자의 부활이 종말에 의인이 경험할 영광스러운 사건에 속한다는 관찰이다. 의로운 삶('선행의 열매')에

대한 보상이 지체되지 않을 것이라는 10행의 확언은 아마 부활이 신적 정의의 행위(act of divine justice)로 기능한다는 점을 나타낸다. 본문이 경건한 자의 부활만을 언급하고 있으므로 악한 자의 부활은 기대하지 않는 듯하다.

일반적으로 B.C. 2세기경에 기록된 위(僞)-에스겔(4Q385-4Q388, 4Q391)로 알려진 문서는 에스겔의 마른 뼈 골짜기 환상(겔 37장)을 죽은 자의 문자적 부활로 해석하는 가장 초기의 해석 중 하나를 제공한다. 4Q385 frg. 2, 2-9행은 이 본문의 가장 잘 보존된 필사본이다.

2 [나는 다음과 같이 말했다. "오 주여!] 나는 이스라엘의 많은 (사람)을 보았는데, 그들은 당신을 사랑했고

3 [당신의 마음]의 길을 따라 걸었습니다. 그들은 언제 올 것이며 그들의 경건에 대해 어떻게 보상받을 것입니까?"

그때 주께서 나에게 말씀하셨다.

4 "내가 그것을 이스라엘 자손에게 [ ] 밝힐 것이다. 그러면 그들은 내가 주임을 알게 될 것이다."

5 [또 그가 말씀하셨다.] "사람의 아들아 뼈에게 예언하여 뼈와 뼈가, 관절과 관절이 연결되게 하라."

6 [그러자 그렇게 되었다.] 또 그가 두 번째로 말씀하셨다. "예언하여 동맥이 나타나고 피부가 그 위에 덮이게 하라."

7 [그러자 그렇게 되었다]. 또 그가 말씀하셨다. "하늘의 네 바람에게 다시 한 번 예언하여 죽은 자에게 숨을 불어넣게 하라."

8 [그러자 그렇게 되었다]. 그러자 큰 무리가 다시 살아나서 그들에게 생명을 주신 만군의 주(Lord Sebaoth)를 찬양했다.

9 [그들에게 생명을 주리라.] 그때 내가 다음과 같이 말했다. "오 주여! 이 일이 [언제] 일어나겠습니까?" 그러자 주께서 나에게 말씀하셨다….[14]

위-에스겔은 전체로서의 이스라엘의 민족 회복에 대한 에스겔의 예언을 개별 의인의 미래 부활로 제시한다. 첫 부분에 나오는 에스겔과 하나님의 대화는 그 예언이 이 땅에서 경건한 삶을 살았지만 의로운 삶에 대해 보상받지 못했던 개별 이스라엘 백성에게 적용된다는 점을 분명하게 밝힌다. 마른 뼈들이 소생하는 실제적 묘사가 "그러자 그렇게 되었다"라는 단순한 성취 문구의 도움으로 생략된다는 점이 의미 있다. 이는 죽은 자의 부활을 창세기 1장의 창조 기사와 연결하기 때문이다.

끝으로 마른 뼈의 환상을 이스라엘의 민족 회복에 적용하는 에스겔 37:11-14의 내용이 생략되고 이러한 예언의 성취 시기에 대한 질문으로 대체된다. 이것은 현존하는 본문의 단편적 특성에도 불구하고 종말론적 미래를 지적해준다. 이러한 해석 전략의 도움으로 부활한 몸의 육체성은 마른 뼈의 단계적 소생에 대한 생생한 묘사를 통해 부활 소망의 가장 중요한 측면이 된다.

14 Dimant, DJD 30:24 번역. 이 본문은 또한, 부분적으로 4Q386 frg. 1 1.1-10과 4Q388 frg. 7 2-7행에도 보존되어 있다.

8) 열두 족장의 유언(*Testaments of the Twelve Patriarchs*)

열두 족장의 유언은 B.C. 2세기경에 기록된 유대 문헌으로 후대 기독교 서기관에 의해 상당 부분 편집되었다. 이 문헌의 편집 층을 분리해 내는 작업은 쉽지 않지만, 죽은 자의 부활을 언급하는 네 단락에서 기독교 이전 내용의 윤곽을 분리하는 것은 가능하다.

그 때 나는 기쁨으로 일어나 지극히 높으신 분이 행하신 놀라운 일에 대해 그 분을 찬양할 것이다(시므온의 유언[*T. Sim.*] 6.7).

이 일 후에 아브라함, 이삭, 야곱은 부활하여 생명을 얻을 것이며 나와 내 형제들은 이스라엘에서 홀(sceptre)을 휘두르는 족장이 될 것이다.
첫 번째로 레위가, 두 번째로 내가, 세 번째로 요셉이, 네 번째로 베냐민이, 다섯 번째로 시므온이, 여섯 번째로 잇사갈이, 그리고 나머지는 각자의 순서대로 될 것이다.… 또한, 슬픔으로 죽은 자들은 기쁨으로 일으킴을 받을 것이고, 주를 위해 가난하게 죽은 자들은 부유해질 것이며, 주를 위해 죽은 자들은 다시 깨어나 생명을 얻을 것이다(유다의 유언[T. *Jud.*] 25.1, 4).

나의 자녀들아, 내가 죽는 것 때문에 슬퍼하지 말고 내가 너희를 떠나는 것 때문에 낙담하지 말라. 나는 너희 가운데 다시 살아나서 너희 자손을 다스리는 지도자로 설 것이다. 주의 율법과 그들의 조상 스블론의 계명을 지키는 내 지파의 많은 사람 한가운데서 기뻐할 것이다. 그러나 주께서는 불경건한 자들에게 불을 내릴 것이며 모든 세대에 걸쳐 그들을 멸망시키실 것이다. 나는 이제 내 조상들처럼 안식에 들어가길 서두른다(스블론의 유언[*T. Zeb.*] 10.1-4).

그다음에 너희는 에녹, 셋, 아브라함, 이삭, 야곱이 오른편에서 큰 기쁨으로 다시 살아나는 것을 볼 것이다. 그다음에 우리 또한, 각 지파 위로 다시 살아나서 천상의 왕 앞에 엎드릴 것이다. 그다음에 모든 사람이 변화될 것인데, 어떤 이들은 영화롭게 되고 어떤 이들은 부끄러움을 당할 것이다. 주께서 먼저 이스라엘이 저지른 잘못에 대해 심판하시고 이어 모든 민족의 잘못에 대해 심판하실 것이기 때문이다. 그다음에 형제들을 사랑한 미디안 사람들을 통해 에서를 시험하신 것처럼, 선택된 이방인들을 통해 이스라엘을 심판하실 것이다. 그러므로 나의 자녀들아 너희는 주를 경외하는 자들과 함께할 것이다(베냐민의 유언[*T. Benj.*] 10.6-10).

이 네 단락의 경우 죽어가는 족장은 모두 자신이 다시 살아날 소망을 표명한다. 또한, 유다의 유언과 베냐민의 유언은 에녹, 셋, 아브라함, 이삭, 야곱 그리고 열두 족장처럼 과거 이스라엘의 저명한 인물들의 부활을 언급한다. 그들의 부활은 전형적으로 그들이 살았던 연대순으로 일어난다. 이 두 유언은 가난과 슬픔으로 죽은 자들 또는 주를 위해 죽은 자들로 묘사되는 의인의 부활도 언급한다. 각각의 경우 부활은 운명의 역전을 초래한다. 슬픔은 기쁨이 되고 가난은 부요가 되며 폭력적 죽음은 생명이 된다. 열두 족장의 유언의 모든 본문이 의인의 부활을 기대하는 반면, 베냐민의 유언은 살아나서 부끄러움을 당할 자들도 언급한다(베냐민의 유언 10.8).

이러한 본문들은 몸의 부활을 기대하고 있지만, 어떤 특정한 변형을 포함할 수 있다는 암시 외에는 부활한 몸의 특성에 대한 어떤 구체적인 정보도 제공하지 않는다(베냐민의 유언 10.8). 일부 진술이 부활 이후 존재의 지상의 삶과 민족 회복과의 연관성을 암시하는 것처럼 보이는 반면(유다의 유언 25.1; 베냐민의 유언 10.7; 스블론의 유언 10.2), 또 다른 일부 진술은 부활의 천상의 배경을 지적한다(베냐민의 유언 10.6-7). 이처럼 혼합된 현세적 범주와 초월적 범주를 조화시키기란 쉽지 않다. 따라서 이 문서를 통해 부활한 몸의 특성에 대한 어떤 명확한 결론을 끄집어낼 수 없다.

9) 솔로몬의 시편(*Psalms of Solomon*)

솔로몬의 시편은 B.C. 65년과 B.C. 30년 사이에 기록된 18편의 시편 모음집이다. 죽은 자의 부활은 시편 3편에 언급되어 있다.

> 그는 삶 속에서 죄에 죄를 더한다. 그는 넘어져서—그의 넘어짐은 심각하다—다시 일어나지 못할 것이다. 죄인의 멸망은 영원하고 하나님이 의인을 돌보실 때 그는 기억되지 않을 것이다. 이것이 죄인의 영원한 운명이다. 그러나 주를 경외하는 자들은 다시 일어나서 영원한 생명을 얻을 것이다. 그들의 생명은 주의 빛 가운데 있을 것이며 영원히 끝나지 않을 것이다(솔로몬의 시편 3.10-12).

이 시편의 저자는 죄인과 의인의 궁극적인 운명을 날카롭게 대조시킨다. 오직 의인만이 다시 살아나서 영원한 생명을 얻고, 죄인은 멸망하여 영원히 기억에서 지워질 것으로 기대한다. 하지만 본문은 부활한 몸이 영원할 것이며 주의 빛 가운데 있을 것이라는 점 외에는 구체적인 정보를 제공해주지 않는다. 또한 '주를 경외하는 자들'이 왜 다시 살아나는지에 대한 설명도 제공해 주지 않는다.

저자가 그들이 지상에서 사는 동안 불의를 당했다는 점을 지적하지 않기 때문에 그들의 부활은 아마 옳은 행위 때문에 그들이 당한 손실에 대한 보상이라기보다는 그들의 의로운 삶에 대한 보상으로 묘사되는 듯하다.

10) 요세푸스

A.D. 70년 예루살렘 멸망 후에 기록한 플라비우스 요세푸스의 문헌에는 A.D. 1세기 유대인의 부활 신앙에 대한 귀중한 통찰력을 제공하는 몇 가지 정교한 구절들이 들어있다.

이러한 단락은 다음과 같이 두 가지 그룹으로 구분할 수 있다.

첫째, 요세푸스 자신의 믿음을 드러내는 구절
둘째, 그와 동시대 사람들의 믿음을 묘사하는 구절

우리가 인용할 두 개의 본문은 전자에 속한다.
첫 번째 본문은 갈릴리의 요새 요타파타(Jotapata)가 함락될 때 로마인에게 항복하기보다는 자살을 원했던 동료들에게 전달한 요세푸스

의 연설이다.

왜 영혼과 몸과 같이 그렇게 사랑스러운 동반자를 산산조각 내려
합니까?
… 우리는 모두 부패하기 쉬운 물질로 구성된 몸을 가지고 있는 것이
사실입니다. 그러나 영혼은 영원히 불멸합니다.
영혼은 우리의 몸에 거주하는 신의 일부입니다. … 여러분은 자연의
법칙에 따라 이생을 떠나 하나님으로부터 받은 빚을 갚는 자들이 ―빌
려주신 분이 그것을 기꺼이 되찾으실 때―영원한 명성을 얻는다는
것, 그들의 집과 가족이 안전하다는 것, 그리고 흠 없이 순종한 그들
의 영혼이 하늘의 가장 거룩한 곳을 배당받으며 시대의 전환기에 정결
한 몸으로 새로운 거처를 찾아 돌아온다는 것을 알지 못합니까? 그러
나 자기 자신에게 미친 손을 댄 자들에 대해 말하자면(여기서는 자살
한 자들을 가리킴―역주), 지하세계의 더욱 어두운 지역이 그들의 영혼
을 받고 그들의 아버지 하나님은 부모의 터무니없는 행위에 대해 그의
자손을 벌하십니다(*J.W.* 3.362, 372, 374-375[Thackeray, LCL]).

두 번째 본문은 아피온 반박(*Against Apion*)에서 찾을 수 있다.

자기 양심의 증언과 하나님의 확실한 증거로 확인된 율법 수여자(lawgiver/모세를
의미-역주)의 예언에 의지하는 각 개인은 하나님께서 율법을 지키고 그것을 위해
죽을 필요가 있다면 기꺼이 죽음을 맞이하는 사람들에게 새로워진 존재와 ―시대
의 전환기에―더 나은 생명의 선물을 부여하셨다는 것을 굳게 믿고 있다(*Ag. Ap.*
2.218[Thackeray, LCL]).

　전반적으로 요세푸스의 요타파타 연설은 영혼 불멸에 대한 헬레니
즘적 논문처럼 들린다. 요세푸스는 부패하기 쉬운 물질로 구성된 몸과
영원히 사는 불멸의 영혼을 날카롭게 구분한다. 그는 죽음을 몸과 영
혼의 분리로 묘사한다. 또한, 자연적 죽음을 맞은 자들('흠 없이 순종하는
영혼'을 간직할 자들로 묘사되는)의 영혼만이 '하늘의 가장 거룩한 장소'를 배
당받고, 악한 자(여기서는 자살하는 자들로 제한)의 영혼은 '지하세계의 더욱 어
두운 지역'으로 떠날 것이라고 주장한다.

　하지만 연설의 마지막 부분에서 요세푸스는 하늘이 의인의 마지
막 운명이 아니라고 설명한다. 오히려 이러한 영혼들은 '시대의 전
환기'(in the revolution of the ages)에 '정결한 몸'으로 새로운 거처를 찾
으리라는 것이다. 이 주장의 두 측면—'시대의 전환기'와 '새로워진
존재'—은 또한, 아피아 반박, 2.218에서도 발견된다.

　어떤 학자들은 이러한 표현들을 요세푸스의 영혼 환생(transmi-
gration of souls), 즉 윤회(metempsychosis)에 대한 믿음으로 해석하기도
한다. 하지만 요세푸스는 일반적 의미에서의 영혼 환생(reincarnation
of the soul)을 말하는 것이 아니라, '정결한' 몸, 즉 특별한 자질을 지
닌 몸으로의 환생(reincarnation)을 말한다.

　그러므로 요세푸스의 진술은 유대인의 몸의 부활에 대한 믿음을
교양 있는 로마 청중이 이해할 수 있는 철학적 개념으로 번역했다고
말하는 것이 더 정확하다. 그의 독자의 대부분이 몸의 부활 개념을
혐오스럽게 여겼을 것이므로 그는 영혼 불멸과 윤회의 개념을 사용
하여 종말에 의인이 새로운 육체적 생명으로 회복될 것이라는 믿음
을 표현했다.

여러 차례에 걸쳐 요세푸스는 유대의 주요한 세 종파, 즉 사두개파, 바리새파, 에세네파의 믿음을 서술한다. 앞에서 논의한 구절의 경우처럼, 그는 내세에 대한 유대인 사상을 독자에게 친숙한 그레코-로만 세계의 개념으로 설명하려고 시도한다. 이를 위해 그는 사두개파를 에피쿠로스학파(Epicureans)와 바리새파를 스토아학파(Stoics)와 에세네파를 피타고라스학파(Pythagoreans)와 연결한다.

그는 내세를 부인한 사두개파(*Ant*. 18.16-17; *J.W*. 2.165)와 내세를 믿은 바리새파와 에세네파를 구분한다. 그는 바리새인의 믿음을 다음과 같이 묘사한다.

> 모든 영혼이 불멸할 것이지만, 선한 이의 영혼만은 또 다른 몸으로 들어가는 반면, 악한 자의 영혼은 영원한 형벌을 받을 것이라고 그들은 주장한다(*J.W*. 2.163 [Thackeray, LCL]).

> 그들은 영혼이 죽음에서 살아남을 힘이 있으며, 세상에는 선행이나 악행의 삶을 살았던 자에 대한 보상이나 형벌이 있다고 믿는다. 즉 영원한 투옥이 악한 영혼의 운명이지만, 선한 영혼은 새로운 생명으로 쉽게 나아간다(*Ant*. 18:14 [Feldman, LCL]).

분명한 점은 요세푸스의 내세에 대한 믿음이 바리새파의 그것과 유사하다는 것이다. 그의 주장에 따르면, 바리새파는 모든 인간의 영혼 불멸을 확신하지만, 오직 의인의 영혼만이 '또 다른 몸'으로 들어가거나 '새로운 생명으로 쉽게 나아갈 것'임을 믿는다.

이러한 표현들은 보통 몸의 부활에 대한 언급으로 해석된다. 이런 점에서 요세푸스는 바리새인의 부활 개념을 다음과 같은 두 단계 과정으로 서술한다.

첫 번째 단계: 죽을 때에 몸과 불멸의 영혼으로의 분리
두 번째 단계: 시대의 전환기에 몸의 부활

그러나 그는 영혼이 한번 떠났던 동일한 몸으로 되돌아가는 것이 아니라, '또 다른 몸'으로 들어갈 것을 고수한다.

하지만 이 점에 근거해서 바리새인이 의인들의 불멸 영혼이 부활 때에 새로운 몸과 연합되는 반면, 그들의 지상의 몸이 무덤에 계속 남아있다고 믿은 것으로 결론 내린다면, 그것은 잘못된 일이다.

요세푸스는 아마도 로마 청중의 마음을 불쾌하지 않게 하려고 상당히 조심했던 것처럼 보인다. 왜냐하면, 그들은 영혼이 동일한 몸으로 돌아간다는 사상, 즉 부패한 시체가 소생한다는 사상을 불합리하게 여겼을 것이기 때문이다. 그러므로 그가 지상의 몸과 새로운 몸의 연속성을 단언하기를 주저했다고 해서 둘 사이에 어떤 연속성도 없다고 추정했다는 의미는 아니다.

그러나 요세푸스가 이 주제에 대해 침묵했다는 사실은 또한, 이러한 가능성을 개연성으로 바꾸어—그의 견해에 따르면—바리새인들이 사실상 죽을 몸이 다른 종류의 몸으로 변형될 것을 기대했다고 결론 내리지도 못하게 한다. 그렇다면, 그의 해석학적 한계를 고려할 때 부활한 몸에 관한 그의 주장은 단지 의인이 갖게 될 새 몸이 지금의 부패하기 쉬운 몸과는 다를 것임을 지적할 뿐이다.

에세네파의 믿음에 대한 요세푸스의 표현은 바리새파의 경우와 어느 정도 차이가 난다.

> 왜냐하면 몸은 부패할 수 있고 그것을 구성하는 물질은 영구적이지 않지만, 영혼은 불멸하며 부패하지 않는다는 것이 그들의 확고한 믿음이기 때문이다. 최상의 에테르(ether)에서 나온 이러한 영혼은 말하자면 일종의 자연의 마법으로 몸이라는 감옥에 갇히게 되었다. 그러나 그 영혼은 일단 육신의 굴레로부터 풀려나면 마치 오랜 종살이에서 해방되는 것처럼 기뻐하고 고결해진다. 그들은 그리스의 아들들의 믿음을 공유하면서 고결한 영혼에게는 바다 너머의 거처, 즉 비, 눈, 열기에 억눌리지 않고 바다에서 불어오는 서풍의 온화한 숨결로 언제나 상쾌한 거처가 마련되어 있다고 주장한다. 반면 불의한 영혼들은 형벌이 끊이지 않는 어둡고 떠들썩한 지하 감옥에 떨어진다는 것이다(*J.W.* 2.154-155 [Thackeray, LCL]).

> 그들은 영혼을 불멸의 것으로 간주하며 특히 의를 가까이하려고 노력해야 한다고 믿는다(*Ant.* 18.18 [Feldman, LCL]).

요세푸스 자신의 믿음을 드러내는 구절과 바리새인의 믿음에 대한 그의 묘사에서처럼, 요세푸스는 에세네파 역시 영혼 불멸에 대한 믿음을 가진 것으로 서술한다. 또 하나의 유사점은 죽을 때에 몸을 영혼이 벗어나는 감옥으로 간주하는 모티브인데, 그의 요타파타 연설에서도 발견된다. 요세푸스의 글이 지닌 철저한 헬레니즘적 경향을 고려할 때 이러한 개념들은 놀라운 것이 아니다.

하지만 다른 점은 몸의 부활에 대한 믿음을 지적하는 개념, 즉 영혼이 다른 몸으로 들어간다거나 새로운 생명으로 나아간다는 것과 같은 어떤 형체(re-embodiment) 개념도 없다는 점이다. 유대인의 유형의(embodied) 사후 생명 개념을 헬라화하는 요세푸스의 탁월한 능력을 감안할 때 여기서 그렇게 하지 않은 이유는 아마도 그가 입수한 자료에는 에세네파의 부활 신앙에 대한 언급이 없었기 때문이었던 것으로 보인다. 사해 두루마리(Dead Sea Scrolls)의 증거에 따르면, 부활의 소망은 쿰란 공동체의 믿음 중 하나였다. 이런 점에서 요세푸스는 에세네파의 문헌 자료를 포괄적으로 알지는 못했던 것으로 보인다. 그러므로 에세네파의 사후 생명에 대한 그의 묘사는 불완전하다고 할 수 있다.

이러한 결론은 그들의 율법을 모독하거나 금지된 음식 먹기를 거부한 에세네파 사람들의 순교에 대한 요세푸스의 이야기(J.W. 2.152)를 고려하더라도 여전히 유효하다. 이 이야기는 에세네파 사람들의 사후 생명에 대한 요세푸스의 설명 직전에 나온다. 일부 학자들에 따르면, 요세푸스의 이 이야기에 일종의 부활 소망을 지적하는 주장이 들어있다.

> 그들은 고통에 미소 짓고, 고문하는 자들을 가볍게 조롱하면서 그들의 영혼을 다시 돌려받을 것을 확신하며 기쁘게 영혼을 포기했다 (J. W. 2.153).

하지만 이어 나오는 2.154-155의 설명에는 몸의 부활에 대한 어떤 암시도 포함되어 있지 않으므로 자신의 영혼을 다시 돌려받는다는 표현이 실제로 몸의 부활에 대한 기대를 의미하는지는 논쟁의 여지가 있다.

11) 필로의 위서(*Pseudo-Philo*)

성서고대사(*Liber Antiquitatum Biblicarum*)라고도 불리는 필로의 위서는 보통 A.D. 1세기 말경에 기록된 것으로 추정되는 개정된 성서 이야기인데, 천지창조로부터 시작하여 사울(Saul)의 죽음으로 끝난다. 이 작품은 같은 문학 장르에 속하지는 않지만, 두 개의 묵시록 에스라 4서(4 Ezra) 및 바룩2서(2 Baruch)와 여러 면에서 유사하다.

필로의 위서를 포함한 이 세 작품 모두 A.D. 70년 예루살렘 멸망 이후에 기록되었고, 세 작품 모두 본래 히브리어로 쓰였으며 팔레스타인에서 유래한다. 이 세 작품은 또한, 죽음 이후의 생명에 대한 개념이 완전히 일치하지는 않을지라도, 죽은 자의 부활이라는 공통의 관심이 있다.

필로의 위서의 저자는 내세에 대한 두 단계 시나리오를 제시한다.

첫 번째 단계: 죽음을 통한 영혼과 몸의 분리로 시작한다.
두 번째 단계: 죽은 자의 부활로 시작한다.

하지만 두 단계에 대한 그의 묘사에는 단지 가능성만을 암시하는 주장들이 많이 포함되어 있다. 예를 들면, 필로의 위서는 '영혼이 몸과 분리될 때 그들이 다음과 같이 말할' 것이라고 주장한다.

우리가 겪는 이런 일들 때문에 슬퍼하지 말자. 우리가 무엇을 생각했
든지 간에 우리는 이런 일들을 겪을 것이기 때문이다(*L.A.B.* 44.10).

악인의 중간 상태에 관한 이 설명은 그들이 죽음 직후에 일종의 심
판을 경험할 것임을 암시하는 것처럼 보인다. 만일 그렇다면 이것은
부분적인 심판일 수 있다. 왜냐하면, 마지막 심판은 오직 부활 이후
에만 일어날 것이기 때문이다.

드보라의 고별 연설에 나오는 또 하나의 구절은 중간 상태의 영혼
들이 일생동안 지은 죄를 회개할 수 없고, 계속 죄를 지을 수도 없다
고 주장한다.

네가 죽은 후에 지옥에서 악을 행하려고 해도 행할 수 없다. 왜냐
하면, 죄에 대한 욕구가 그치고 악한 충동이 힘을 잃을 것이기 때문
이다(*L.A.B.* 33.3).

한편 의인의 영혼은 부활을 기다리는 동안 평안하게 보관된다.

그러나 결국 너희 각 사람의 운명은 너희와 너희의 씨를 위해 영원
한 생명이 될 것이며, 내가 너희의 영혼을 가져다가 세상에 할당된
때가 끝날 때까지 평안하게 보관할 것이다(*L.A.B.* 23.13).

필로의 위서는 죽은 자의 부활을 세상 끝에 일어날 사건으로 묘사
한다. 이 사건의 가장 상세한 설명은 홍수 이후에 하나님께서 노아
에게 하신 말씀에서 발견된다.

그러나 세상을 위해 정해진 때가 되었을 때 빛은 멈추고 어둠은 사라
질 것이다. 그리고 나는 죽은 자에게 생명을 주어 잠자고 있는 자들을
땅에서 일으킬 것이다. 지옥은 그 빚을 갚을 것이며 그 영벌의 장소는
내가―영혼과 육체를 심판할 때까지―그의 행위와 그의 생각의 열매
에 따라 각자에게 갚아주도록 그 보증금(deposit)을 반환할 것이다. 세
상은 끝날 것이고 죽음은 폐지될 것이며 지옥은 그 입을 닫을 것이다.
땅은 거기에 사는 사람들에게 불모지가 되지 않을 것이다. 나의 용서
를 받은 어느 누구도 더럽혀지지 않을 것이다. 또 다른 땅과 또 다른
하늘, 영원한 거처가 있을 것이다(*L.A.B.* 3.10).

저자는 미래의 부활을 묘사하기 위해 두 개의 유사 구문―죽은 자
에게 생명을 주는 것과 잠자고 있는 사람을 일으키는 것―을 사용
한다. 다니엘 12:1-3에서 살펴보았듯이, 잠을 죽음에 대한 은유로
사용하는 방식은 상당히 전통적이다. 죽은 자의 부활은 아마 영혼과
몸의 재결합을 수반할 것이지만, 이것은 단지 죽음 이후 영혼의 중간
상태에 관한 언급에 근거한 추론일 뿐, 이 본문에서 설명하는 주된
주장은 아니다.

그러나 분명한 것은 부활의 목적이 마지막 심판을 실행할 수 있게
한다는 점이다. 악인과 의인 모두 '그의 행위와 그의 생각의 열매에
따라' 보응을 받을 것이므로 부활은 보편적 범위를 지닌다. 이 단락
의 끝부분에 언급된 '또 다른 땅과 또 다른 하늘, 영원한 거처'라는
표현은 아마도 생활 환경의 근본적인 변화와 죽음의 폐지를 나타내
는 것으로 보인다.

모세가 죽기 전에 하나님께서 그에게 하신 말씀에는 죽은 자의 부활에 대한 또 다른 언급이 포함되어 있다. 이 말씀은 필로의 위서가 제시하는 부활 개념을 보다 상세하게 밝혀준다.

> 모든 천사가 너에 대해 애곡할 것이며 천상의 군대가 슬퍼할 것이다. 그러나 내가 세상을 방문할 때까지 천사도 사람도 네가 매장될 무덤을 알지 못할 것이다. 또한, 내가 너와 너의 조상들을 네가 잠자고 있는 이집트의 땅에서 다시 살릴 것이다. 너는 함께 와서 시간에 구애받지 않는 영원한 거처에서 거주하게 될 것이다.… 세상을 방문할 때가 가까워지면, 내가 세월과 시간이 단축되도록 명할 것이다. 별들은 서두를 것이고 태양 빛은 서둘러 어두워질 것이며 달빛도 남아 있지 않을 것이다. 왜냐하면, 살아날 수 있는 모든 사람이 내가 너에게 보여 준 거룩한 곳에 거주할 수 있도록 내가 잠자고 있는 너를 서둘러 다시 살릴 것이기 때문이다(L.A.B. 19.12-13).

이 본문은 상당히 모호하기 때문에 일부 학자들은 두 번에 걸친 부활이 추정되고 있다고 주장하기도 한다.

첫 번째 부활은 이집트 땅에서 영원한 거처로 옮겨지는 것
두 번째 부활은 종말에 일어난다는 것

그러나 그러한 특이한 시나리오는 본문에 필요하지 않다.[15]

---

15 Daniel J. Harrington, 'Afterlife Expectations in Pseudo-Philo, 4 Ezra, and 2 Baruch, and Their Implications for the New Testament', in *Resurrection in the New Tes-*

실제로 저자가 동일한 종말 사건을 두 개의 병행 표현을 통해 설명하고 있다는 몇 가지 징후가 있다. 예를 들어 유사한 시간 언급('내가 세상을 방문할 때까지'와 '세상을 방문할 때가 가까워지면')과 유사한 부활 이후의 거처에 대한 묘사('시간의 구애를 받지 않는 영원한 거처'와 '거룩한 곳') 등이 그러하다.

그렇다면 이 단락은 부활을 잠자는 상태에서 일어나는 것에 비유한다. 이러한 은유는 지상적 존재의 특징인 유형의(형체를 지닌) 생명 회복을 암시한다. 불행하게도 본문은 그 일이 영원하고 거룩한 거처에서 일어날 것이라는 개념을 제외하고는 회복된 생명의 본질에 대한 어떤 구체적인 정보도 제공해주지 않는다. 이 장소가 하늘이라는 어떤 암시도 없으므로 저자는 아마 변형된 이 땅에서의 새로운 삶을 염두에 둔 것으로 보인다.

12) 에스라4서(Fourth Ezra)

필로의 위서와 마찬가지로 A.D. 1세기 말경에 기록된 것으로 추정되는 이 묵시록의 저자는 내세의 삶을 두 단계로 기대하고 있다. 죽음과 함께 시작하는 중간 상태와 부활과 함께 시작하는 회복된 생명이 그것이다. 천상의 해석자는 에스라에게 사람이 죽을 때 다음과 같은 일이 일어난다고 설명한다.

---

tament (eds. Reimund Bieringer, Veronica Koperski and Bianca Lataire; BETL 165; Leuven: Peeters, 2002), 29-30.

영혼은 몸을 떠나 그것을 주신 분에게 다시 돌아가 무엇보다도 지극히 높으신 분의 영광을 흠모한다. 그리고 지극히 높은 분을 경멸하고 그분의 도를 지키지 않았으며 그 분의 율법을 멸시하고 하나님 경외하는 자들을 미워한 자들의 영혼들은 거처에 들어가지 못하고 곧바로 비통과 슬픔 속에서 일곱 가지 방식의 고통을 받으며 떠돌아다닐 것이다(에스라4서 7:78-80).

이와는 달리 의인의 영혼들은 "자신을 받아들이는 분을 큰 기쁨으로 보게 될 것인데, 일곱 가지 순서로 쉼을 얻을 것이기 때문이다"(에스라4서 7:91). 칠 일 후에 그 영혼들은 "그들의 거처에 모이게 될 것이다"(에스라4서 7:101). 그 영혼들은 의인의 수가 다 찰 때까지 이 중간 상태로 머물 것이다(에스라4서 4.36).

에스라4서 7:26-44에 묘사된 종말론적 시나리오의 독특한 특징은 400년 동안 지속되는 일시적인 메시아 왕국에 대한 기대이다. 그 왕국은 모든 인간과 함께 메시아의 죽음으로 끝나고 칠일간의 태고의 침묵(primeval silence)이 뒤따를 것이다. 그 후 "땅은 그 안에 잠들어 있는 자들을 포기할 것이며, 처소(chambers)마다 그들에게 맡겨진 영혼들을 포기할 것이다"(에스라4서 7:32).

죽은 자와 그들의 소생에 대한 전통적 어휘를 사용하는 이 진술은 아마도 죽은 자의 부활에 대한 언급일 것이다. 이러한 추정은 다음과 같은 말로 시작하는 마지막 심판에 대한 묘사를 통해 확인된다.

그때 지극히 높으신 분은 죽은 자 가운데서 다시 살아난 민족들에게 말씀하실 것이다(에스라4서 7:37).

죽은 자의 부활은 몸과 영혼의 재결합과 연관되는 것으로 보이지만, 이 점이 어디에서도 설명되지는 않는다. 본문은 메시아가 다시 살아날 사람들 가운데 있을 것인지 아닌지도 분명하게 밝히지 않는다. 사실 이 단락에서 메시아는 어떤 기능도 하지 못한다. 저자는 단지 그가 400년간의 기쁨의 시대가 시작될 때 나타나서 이 복된 시기가 끝날 때 죽을 것이라고만 말한다.

> 보편적 차원의 부활로 보이는 죽은 자의 부활은 모든 민족에 대한 최후의 심판 이후에 일어날 것이다. 최후의 심판 때에 하나님은 의인들에게는 기쁨과 쉼으로 보상할 것이며 악인들에게는 불과 고문으로 처벌하실 것이다(에스라4서 7:37-38).

에스라4서의 저자는 어디에서도 부활한 몸에 대해 묘사하지는 않지만, 그와 연관된 몇 가지 특성을 다가올 시대를 묘사하는 다음의 단락에서 추론할 수 있을 것이다.

> 그러나 그대 자신의 경우를 생각하고, 그대 자신과 같은 사람들의 영광에 대해 문의하라. 왜냐하면, 천국이 열리고 생명 나무가 심어지며, 다가올 시대가 준비되어 많은 것이 제공되며 한 도시가 건설되고, 안식이 지정되며, 선이 확립되고, 지혜가 먼저 완성되는 것이 바로 그대들을 위한 것이기 때문이다. 악의 근원은 그대로부터 봉인되고 병은 그대로부터 추방되며 죽음은 숨겨진다. 지옥은 달아났고 부패는 잊혔으며, 슬픔은 사라졌다. 결국, 불멸의 보화가 분명하게 드러난다(에스라4서 8:51-54).

질병, 죽음의 숨겨짐, 부패의 사라짐, 불멸의 보화 등은 부활한 몸에 쉽게 적용될 수 있다. 그렇다면 에스라4서에서 기대된 부활은 지상적 몸의 변형을 수반하는데, 그것은 죽음과 부패가 인류에게 피해를 주기 전의 본래의 창조된 영광을 회복할 것이다.

13) 바룩2서(Scond Baruch)

바룩2서로 알려진 문헌은 여러 가지 면에서 에스라 4서와 유사하지만, 일반적으로 내세 개념을 포함한 신학적 개념은 더욱더 발전되었다. 예를 들어 이 작품의 저자는 왜 죽음 이후에 생명이 있어야 하는지에 대해 상세하게 설명한다.

> 여기서 모든 사람이 소유하는 이 생명만 존재한다면, 이보다 더 비통한 일은 없을 것이기 때문이다.
> 약함으로 변하는 힘, 기근으로 변하는 풍성함, 추악함으로 변하는 아름다움이 무슨 소용이 있는가?
> 인간의 본질은 언제나 변화될 수 있다.… 모든 것의 끝이 준비되어 있지 않았다면, 그들의 시작은 의미가 없었을 것이기 때문이다
> (바룩2서 21:13-15, 17).

여기서도 에스라4서와 같이 죽음 이후의 삶이 두 단계로 제시된다. 하나는 중간 상태('죽음의 영역'과 '영혼의 금고'[바룩2서 21.23]로 묘사됨)이고 다른 하나는 죽은 자의 부활과 함께 시작되는 회복된 생명이다. 죽은 자의 부활은 메시아의 출현과 함께 시작한다.

그리고 기름 부음 받은 분이 나타날 때가 되어 영광으로 돌아오시면 이 일이 일어날 것이다. 그때 그를 소망하며 잠자던 모든 이들이 일어날 것이다. 그때 의인들의 영혼이 간직된 금고들이 열려 그들이 밖으로 나올 것이며 수많은 영혼이 한마음으로 함께 나타날 것이다. 첫 번째 영혼들은 즐거워할 것이고 마지막 영혼들은 슬퍼하지 않을 것이다. 그들은 종말이라고 알려진 때가 왔다는 것을 알기 때문이다. 그러나 악인들의 영혼은 이 모든 일을 목도할 때 더욱더 쇠약해질 것이다. 그들은 그들의 고통이 임했고 그들의 멸망이 도래했다는 것을 알기 때문이다(바룩2서 30:1-5).

죽은 자의 부활은 이 전통적인 은유를 사용하는 다른 본문들의 경우처럼 몸의 부활 개념을 암시하는 잠자는 상태로부터의 일어남에 비유된다. 이 작품의 저자는 아마 부활을 몸과 영혼의 재결합으로 기대하는 것처럼 보인다. 하지만 이러한 결합은 직접 묘사되지 않고 다만 의인들의 영혼이 간직된 금고가 열린다는 언급을 통해 암시만 될 뿐이다.

본문은 부활의 범위에 관해 분명하게 서술하지 않는다. 의인의 부활만을 묘사할 뿐, 악인의 운명에 대해서는 단지 그들의 영혼이 고통의 때가 임박했다는 사실을 알게 됨으로써 경험하게 될 것에 대한 설명만을 포함하고 있다. 그러나 바룩2서의 다른 구절들은 부활이 최종 심판의 전제 조건으로 작용하기 때문에 악인의 부활 또한 고려되고 있음을 분명하게 보여 준다.

이 작품이 죽은 자의 부활을 언급하는 다른 유대 문서와 차이점은 부활한 몸의 특징을 독특하고도 꽤 상세하게 묘사하고 있다는 점이다.

그러나 전능하신 분이시여 나는 당신에게 구합니다. 나는 만물을 창조하신 분께 은혜를 구할 것입니다.

살아있는 사람은 당신의 날에 어떤 모습으로 살게 됩니까?

또한, 그 이후 그들의 찬란함은 어떻게 남아있습니까?

그들이 이 현재의 형태를 다시 취하여, 악에 사로잡혀 있고 악이 자행되는 사슬에 묶인 지체를 입을 것입니까?

아니면 당신은 세상 자체와 함께 세상에 있었던 이러한 것들을 변화시키실 것입니까?

그러자 그분은 나에게 다음과 같이 대답하셨다.

바룩아 이 말을 듣고 네가 알아야 할 모든 것을 너의 마음의 기억 속에 적어두어라. 그때 땅은 반드시 죽은 자를 되돌려줄 것이다. 땅은 그들의 형태를 변화시키지 않고 보존하기 위해 지금 그들을 받는다. 그들을 받았던 그대로 땅은 그들을 되돌려줄 것이다. 내가 그들을 땅에 전달했던 그대로 그것은 그들을 일으킬 것이다. 살아있는 자들에게 죽은 자가 다시 살아나며 떠났던 자들이 다시 돌아왔음을 보여 주는 것이 필요하기 때문이다. 그리고 그들이 이 순간 서로를 알아보았을 때 나의 심판이 강해질 것이며 전에 말했던 일들이 일어날 것이다.

그리고 그가 지정한 이 날이 지난 후에 죄가 있는 것으로 밝혀진 자들의 모습과 의롭다고 입증된 자들의 영광이 모두 변화될 것이다. 지금 악행을 저지르는 자들의 모습은 지금보다 더 악해져서 고통을 당할 것이기 때문이다. 내 율법으로 의롭다고 입증된 자들의 영광에 대해서 말하자면 그들의 삶에 총명을 소유했던 자, 그들의 마음에 지혜의 뿌리를 심었던 자들은 그들의 모습이 영광스럽게 변화될 것이며 그들의 얼굴 모양은 아름다운 빛으로 변화되어 그들에게 약속된 불멸의 세상을 얻게 될 것이다. 그러므로 특히 나의 율법을 멸시하고 귀를 막아 지혜의 말도 듣지 못하고, 총명도 얻지 못한 자들은 그때 슬퍼할 것이다. 그들이 지금 높임을 받는 사람들이 그들보다 더 높임을 받고 더 영광스럽게 될 것을 알게 될 때, 이 사람들과 저 사람들 모두가 변화될 것인데, 이 사람들은 천사의 영광(splendor)으로, 저 사람들은 깜짝 놀랄 환상(visions)과 끔찍한 모양으로 변화될 것이다. 후자는 훨씬 더 쇠약해질 것이다. 왜냐하면, 그들이 먼저 보고 그다음에 고통을 받으러 떠날 것이기 때문이다

(바룩 2서 49:1-51.6).

부활한 몸에 대한 이러한 묘사의 독특성은 그것의 아름다움, 썩지 않음 또는 광채와 같은 우월한 특성에 놓여 있지 않다. 다른 유대 문헌들도 어떤 종류의 변화가 기대되는지 늘 분명하게 밝히지는 않지만, 몸의 부활이 지상적 몸의 특정한 변화가 포함된다는 점을 자주 추정한다.

이 작품의 독특성은 오히려 죽은 자가 단지 서로를 인식할 목적으로만 죽기 이전에 가졌던 동일한 형태로 다시 살아날 것이라는 사상에 있다. 일단 부활한 개인의 신분이 확인되면, 그들의 몸은 점진적으로 변화될 것이다. 악한 자의 모습은 점점 더 추악해지는 반면, 의인의 모습은 점점 더 아름다워져서 천사의 영광으로 변화될 것이다. 저자는 다음과 같이 덧붙인다.

시간이 더 이상 그들을 늙게 하지 못할 것이다. 그들이 그 세상의 높은 곳에 살 것이고 천사들처럼 될 것이며 별과 같이 될 것이기 때문이다. 또 그들은 아름다움에서 사랑으로, 빛에서 영광의 광채에 이르기까지 원하는 모양으로 변화될 것이다(바룩2서 51.9-10).

부활한 의인이 천사처럼 될 것이고 별과 같이 될 것이라는 사상은 다니엘 12:3의 영향을 보여 준다. 하지만 다니엘서와는 달리, 바룩2서는 그 모양이 천사와 별처럼 될 때까지 부활한 몸의 점진적인 변화 개념을 고취한다.

14) 시빌의 신탁(*Sibylline Oracles*)

A.D. 1세기 말경에 기록된 것으로 추정되는 이 헬라적 유대 문헌 제 4권에 묘사된 죽은 자의 부활은 에스라4서와 마찬가지로 생명의 보편적 파멸로 이어진다.

그러나 모든 것이 이미 먼지투성이 재가 되고 하나님께서 형언할 수 없는 불을 ─일으키신 것처럼─ 잠재우실 때, 하나님은 다시 사람의 뼈와 재(ashes)를 만드셔서 인간을 이전의 모습처럼 다시 일으키실 것이다. 그 후에 하나님이 직접 주재하시는 세상에 대한 심판이 있을 것이다. 흙더미와 넓은 타르타로스(Tartarus, 그리스 신화에 등장하는 지하세계의 심연-역주)와 게헨나의 역겨움이 불경건으로 죄를 지은 많은 사람을 뒤덮을 것이다. 그러나 많은 경건한 사람들은 하나님이 그들에게 영과 생명, 호의를 베푸실 때 다시 땅 위에서 살게 될 것

이다. 그 후에 그들은 모두 태양의 유쾌한 빛을 바라보고 있는 자신
들을 볼 것이다(시빌의 신탁 4:179-191).

이 단락에서 부활은 창세기 2장에 언급된 최초의 인간 창조와 유
사한 하나님의 창조 행위로 제시된다. 저자는 지상의 몸과 부활한
몸의 연속성과 유사성 모두에 강조점을 둔다. 하나님이 새로운 몸을
만드실 재료는 '인간의 뼈와 재'이며 부활한 몸은 '이전의 모습처럼'
보일 것이다. 하지만 부활의 범위는 여전히 논쟁의 여지가 있다. 본
문이 경건한 자와 죄인 모두의 부활을 기대하지만, 이 두 그룹이 인
류 전체를 의미하는지 아니면 불에 의해 파괴될 마지막 세대만을 의
미하는지는 분명치 않다.

15) 포킬리데스 위서(Pseudo-Phocylides)

B.C.에서 A.D로 넘어갈 무렵 알렉산드리아에서 유래한 이 익명
의 유대 작품의 저자는 내세에 대한 두 개의 상이한 개념, 즉 몸의 부
활과 영혼 불멸을 나란히 둔다.

신의 노여움을 일으키지 않도록 죽은 자의 무덤을 파지 말고 보이
지 않는 것을 햇빛에 노출하지 마라. 인간의 골격(frame)을 해체시키
는 것은 좋지 않다. 우리는 죽은 자의 유해가 곧 땅에서 다시 빛으
로 나오기를 희망하기 때문이다. 나중에 그들은 신이 될 것이다. 영
혼은 죽은 자 가운데서 해를 입지 않고 남아있기 때문이다. 영혼은
하나님이 인간에게 대여해주신 것이며 (그의) 형상이다. 우리는 흙

으로 만들어진 몸을 소유하고 있고, 나중에 다시 흙으로 돌아갈 때
는 단지 먼지일 뿐이다. 그 후 공기가 우리의 영혼을 받았고 … 하데
스(Hades)가 (우리의) 영원한 집이요 조국이며 가난한 자든 왕이든 모
두를 위한 공동의 장소이다. 우리 인간은 오래 살지 않고 한 시즌만
산다. 그러나 (우리의) 영혼은 불멸하며 영원히 늙지 않고 산다
(포킬리데스 위서 100-108, 112-115).

이 단락의 전반부에 제시된 몸의 부활 신앙과 후반부에 제시된 영
혼 불멸 신앙은 전혀 연관성이 없는 것처럼 보인다. 본문의 전반부
에서 저자는 시신을 파내거나 신체 부위를 훼손함으로써 죽은 자를
건드리지 말라고 경고한다. 왜냐하면, 그러한 행위는 죽은 자의 궁
극적인 운명, 즉 그들의 몸의 부활을 방해하기 때문이다.

죽은 자의 부활에 대한 그러한 문자 그대로의 개념은 현존하는 유
대 문헌에서는 매우 독특하다. 그러한 개념이 또한, 정교하지 못한 점
은 저자가 인간 몸의 부패 과정의 결과를 고려하지 못하기 때문이다.

하지만 본문의 후반부에서 저자는 영혼의 불멸을 확증할 뿐만 아
니라, 부활의 어떤 소망도 부인하는 것처럼 보인다. 또한 그는 의인
의 운명과 악인의 운명을 구분하지도 않는다. 이와 같은 모순은 흔
히 철학적으로 훈련받지 못한 사람이 지닌 내세관에서 비롯된다.

3. 요약과 결론

이 장에서는 초기 유대 문헌에서 부활 소망을 표현하는 다양한 부분을 조사했다. 모든 자료를 철저하게 검토하기보다는 대표적 자료를 살피는 데 초점을 두었다. 충분히 발전된 몸의 부활 신앙이 나타난 때는 마카비 시대였다. 그 신앙은 토라에 대한 불순종 때문이 아니라 정확히 토라에 대한 순종 때문에 처벌을 받은 경건한 유대인들의 고난에 대한 반응으로 나타났다. 하나님의 보상과 처벌에 대한 전통적 이해와는 모순되는 듯한 이러한 특별 상황으로 인해 하나님의 정의에 대한 새로운 평가가 요구되었다.

그 대답은 몸의 부활에 대한 소망에서 찾아졌다. 비록 이생에서는 악행자―이방인 압제자든, 의인의 박해자든, 가난한 자의 착취자든, 단순한 죄인이든―가 득세할 수 있더라도, 하나님은 다가올 생에서 의인에게는 상을 주시고 악인에게는 벌을 주실 것이다.

부활은 그 특정한 기능에서는 차이가 있을지라도 일반적으로는 이러한 종말론적 시나리오의 일부이다. 히브리어 성경에서 몸의 부활 신앙에 대해 가장 확실하게 표현한 구절로 알려진 곳은 다니엘 12:1-3이다. 거기서 부활은 예외적으로 의로운 자들과 예외적으로 악한 자들이 각각 의로움의 입증(vindication)과 형벌을 받을 수단으로 기능한다.

일반 부활(general resurrection)을 기대하는 문헌들(베냐민의 유언, 필로의 위서, 에스라4서, 바룩2서, 시빌의 신탁, 포킬리세스위서)에서 부활은 전형적으로 최후 심판의 전제 조건(prerequisite)으로 제시된다. 또 다른 문헌들(에녹 문헌, 마카비2서, 4Q521, 에스겔위서, 유다의 유언, 솔로몬의 시편, 요세푸스의 바리새파에 대한 설명)에서는 부활 자체가 의로운 삶에 대한 보상이어서 의인의 부활만이 기대된다.

하지만 부활의 실제적인 범위와는 관계없이 그것은 항상 종말에 일어날 공동의 사건으로 추정된다. 아무리 거룩하고 의로운 사람일지라도 일반 부활보다 앞서 한 개인의 부활을 기대하는 본문은 단 한 개도 없다. 또한, 메시아의 부활을 상상하는 본문 역시 단 한 개도 없다.

또한, 사용 가능한 증거에 따르면, A.D. 1세기 유대인의 내세에 대한 지배적 신앙 형태(사두개파와 같은 일부 유대인은 부인했지만)가 된 부활 소망은 결코 획일적이지 않았다. 부활의 육체적 성격은 에녹의 비유, 마카비2서, 4Q521, 에스겔위서, 요세푸스, 에스라4서, 바룩2서, 시빌의 신탁, 포킬리데스위서와 같은 일부 문헌에서만 명확하게 표현된다.

다른 경우에는 회복된 생명의 육체적 특성은 잠에서 깨어남/일어남의 은유에 근거한 추론이나(단 12:2; L.A.B) 단순히 본문에 암시된 가능성일 뿐이다(감시자의 책, 동물 묵시록, 열두 족장의 유언, 솔로몬의 시편). 일부 본문은 심지어 어떤 종류의 몸이 추정되는지 명확히 하지 않고 죽은 자의 영혼 소생에 관해 말한다(에녹서, 주빌레).

사용 가능한 증거에 따르면, 지상의 몸과 부활한 몸 간의 연속성 문제에 관해서도 일정하지 않다. 반직관적으로(counterintuitive) 들릴 수도 있지만, 유대 문헌에 나타난 몸의 부활 개념이 반드시 하나님이 지상의 몸(또는 신체적 유해)을 이용하여 새로운 몸을 만드실 것이라는 개념을 수반하지는 않는다. 지상의 몸과 부활한 몸 사이의 불연속성에 대한 가장 분명한 예는 마카비2서 7장에서 찾을 수 있는데, 거기에는 역설적으로 몸의 부활에 대한 가장 신체적인 개념 중 하나가 포함되어 있다. 그러나 이 본문의 저자는 하나님이 무로부터(ex nihilo) 재창조하실 수 있으므로 실제로는 지상의 몸이 필요하지 않다고 선언한다. 쥬빌레(Jubilees)의 저자는 심지어 의인의 뼈가 땅에 남아있을 것이라고 주장한다.

또한, 유대의 저자들은 또한, 부활한 몸의 특정한 특징의 문제에 대해 일치된 견해를 갖고 있지 않다. 그들은 모두 새로운 몸을 지상의 몸과 비교하여 불멸, 영광, 아름다움과 같은 더욱 우월한 자질을 소유할 것으로 추정하는 듯하다. 그러나 이러한 자질들은 단지 때때로만 설명된다. 더욱 빈번한 경우에 본문은 부활이 일어날 종말 시기에 적합한 어떤 변화(변형)만을 추정할 뿐이다.

하지만 이러한 변화의 범위는 매우 다를 수 있다. 예를 들면 마카비2서 7장에서 순교자의 회복된 몸은 조기에 죽은 그들의 지상의 몸의 정확한 복제품인 것처럼 보인다. 반면에 다니엘 12:3과 바룩2서 51:10은 부활한 의인이 천사와 별처럼 될 것이라고 지적한다. 더욱이 바룩2서의 저자는 이전에 가졌던 동일 형태로 시작해서 천사의 아름다움과 광채로 마무리되는 부활한 몸의 점진적인 변화를 기대한다.

회복된 생명이 어디에 머무는지 대한 질문이 이 문제와 관련된다. 어떤 구절은 부활 이후의 삶이 이 땅에서 이루어질 것을 기대하는 반면(감시자의 책, 4Q521, 에스겔위서, 유다의 유언), 다른 구절은 부활 이후의 삶이 천상의 영역에서 일어날 것으로 기대한다(에녹의 비유, 에녹서, 베냐민의 유언).

예수의 부활에 관한 신약의 이야기를 읽을 때, 부활 소망의 다양한 표현들로 인해 통일성이 부족하다고 혼란을 느낄 필요가 없다.

오히려 그것들은 우리가 신약성서의 다양한 진술을 평가할 수 있는 개연성 있는 해석 틀을 만드는 데 도움을 줄 수 있다.

다수의 연구에서 흔히 볼 수 있는 오류는 기독교의 자료가 예수를 따르는 자들이 그가 죽은 자 가운데서 다시 살아나셨다고 선언했을 때 그들이 의미했던 내용에 대해 비교적 통일된 그림을 제공한다고 가정하는 데 있다. 기독교의 부활 개념 형성에 영향을 끼친 유대 문헌의 다양한 부활 개념과 이미지를 고려할 때, 그러한 통일성은 가능하지 않다. 공동의 종말론적 소망이 역사의 영역 내에서 한 특정한 개인에게 성취되었다는 기독교의 교리를 설명하기 위해 이러한 개념 중 어느 것이 가장 중요한 역할을 했는지는 각각의 특정 본문을 주의 깊게 분석한 후에만 대답될 수 있다. 다음에 이어질 세 장에서는 바로 이 과제를 다룰 것이다.

제2장

예수 부활에 대한 비내러티브 전승
(Non-Narrative Traditions)

예수가 죽은 자 가운데서 다시 살아났다는 선포가 신약성경의 중심 교리라는 것은 부인할 수 없는 사실이다. 사도 바울은 언급한다.

> 그리스도께서 만일 다시 살아나지 못하셨으면 우리가 전파하는 것도 헛것이요 또 너희 믿음도 헛것이며 … 그리스도께서 다시 살아나신 일이 없으면 너희의 믿음도 헛되고 너희가 여전히 죄 가운데 있을 것이요 또한 그리스도 안에서 잠 자는 자도 망하였으리니(고전 15:14, 17-18).

사복음서의 내러티브는 각각 예수의 부활에 관한 이야기로 끝난다. 부활은 첫 성 금요일의 비극적 사건을 역전시킬 뿐만 아니라, 예수의 전 사역에 새로운 빛을 비추어준다. 학자들은 종종 '역사적 예수'(the historical Jesus)와 '신앙의 그리스도'(the Christ of faith), 또는 '부활절 이전의 예수'(the pre-Easter Jesus)와 '부활절 이후의 예수'(the post-Easter Jesus)를 구분한다. 이렇게 구분하는 주된 목적이 예수 연구의 방법론적 명확성을 향상하는 데 있지만, 이러한 구별은 예수라는

인물과 그의 메시지에 대한 새로운 이해가 부활 이후에 생겨났다고
지적하는 신약성경 자체에 그 근거를 두고 있다.

예를 들면 누가복음의 저자는 예수의 제자들이 부활하신 예수가
'그리스도가 고난을 받고 제삼 일에 죽은 자 가운데서 살아날 것'을
'그들의 마음을 열어 성경을 깨닫게 하실'때(눅 24:45-46)까지는 얼
마 전 예루살렘에서 일어났던 사건을 이해할 수 없었음을 강조한다.
이와 유사하게 요한복음의 저자도 "죽은 자 가운데서 살아나신 후에
야 [비로소] 제자들이 … 성경과 예수께서 하신 말씀을 믿었더라"(요
2:22)고 지적한다.

예수 부활의 중요성에도 불구하고 다음과 같은 문제를 분명히 밝
혀야 한다.

예수를 따르는 자들이 예수가 죽은 자 가운데서 다시 살아나셨다
고 선포했을 때 과연 그 의미는 무엇이었나?
그들은 예수가 무덤에서 '바로 그 살과 뼈로' 살아나셨음을, 즉 그
의 시신이 무덤에서 사흘 동안 머문 후에 소생했음을 의미하는가?
아니면 그가 그의 죽은 몸과는 상관없이 영적으로 살아났음을 의
미하는가?
아니면 그 밖의 다른 어떤 것을 의미하는가?

개별 본문을 분석함으로써 이 질문에 답변하기 전에 필자는 먼저
신약성경이 제공하는 증거의 특성을 분명히 해두고 싶다. 이상하게
들릴지도 모르지만, 신약성경에는 예수의 부활을 목격한 어떤 목격
자의 증언(목격담/eyewitness account)도 나오지 않는다. 더욱이 예수의

부활에 대한 어떤 설명도 담고 있지 않다. 신약성경에는 예수의 죽은 몸이 살아있는 몸으로 변화되는 과정을 실제로 목격한 목격자에 의한 기록이나 그 목격자에 관한 기록이 단 한 번도 나오지 않는다.

비록 성공적이진 않지만, 실제 부활에 대한 설명을 제공하려고 하는 유일한 문서는 A.D. 2세기에 나온 신약 위경 베드로복음서(Gospel of Peter)이다. 여기서는 무덤을 지키던 경비병이 두 사람이 하늘에서 내려와 무덤으로 들어간 뒤 잠시 후 세 번째 남자와 함께 밖으로 나오는 것을 보았다고 기술한다(베드로복음서 34-49장). 하지만 이 이야기조차도 무덤에서 무슨 일이 일어났는지 어둠 속에 남겨둔다.

예수의 부활에 대한 어떤 설명도 없다면 우리가 가지고 있는 것은 무엇인가?

신약성경의 증거는 두 개의 주요 본문 그룹으로 구별할 수 있다. 하나는 예수 부활에 대한 비내러티브 전승(non-narrative traditions)이고, 다른 하나는 예수 부활에 대한 내러티브 전승(narrative traditions)이다.

첫 번째 본문 그룹에는 부활에 대해 전승된 공식구적(公式句的) 진술과 예수 현현(부활한 예수의 나타남/Jesus' appearance)의 목격자 사도 바울이 제공하는 부활에 대한 해석이 포함된다.

두 번째 본문 그룹에는 빈 무덤 발견에 대한 내러티브와 부활한 예수의 현현에 대한 내러티브가 포함된다. 이장에서는 예수 부활에 대한 비내러티브 전승에 대해 논의하고, 이어지는 다음 두 장에서는 빈 무덤 발견에 대한 내러티브와 부활한 예수의 현현에 관한 내러티브를 다룰 것이다.

1. 공식구적 진술들(Formulaic Statements)

하나님께서 예수를 죽은 자 가운데서 살리셨다는 선포는 신약성경의 가장 초기 전승 층에서도 자주 발견된다. 초기 기독교 선포의 가장 오래되고 중요한 표현 중 하나로서 간주할 수 있는 이 부활 선포는 다음과 같이 두 가지 기본 형태로 나타난다.

첫째, 하나님을 문장의 주어로 취하는 능동태 표현
둘째, 전형적으로 신적 행위를 암시하는 수동태 표현

1) 첫 번째 형태의 그룹에는 다음과 같은 진술들이 포함된다

하나님께서 그를 사망의 고통에서 풀어 살리셨으니 이는 그가 사망에 매여 있을 수 없었음이라(행 2:24).

너희가 거룩하고 의로운 이를 거부하고 도리어 살인한 사람을 놓아주기를 구하여 생명의 주를 죽였도다. 그러나 하나님이 죽은 자 가운데서 그를 살리셨으니 우리가 이 일에 증인이라(행 3:14-15).

하나님이 그 종을 세워(일으켜 세우시고) 복 주시려고 너희에게 먼저 보내사 너희로 하여금 돌이켜 각각 그 악함을 버리게 하셨느니라(행 3:26).

하나님이 사흘 만에 다시 살리사 나타내시되 …(행 10:40).

우리도 조상들에게 주신 약속을 너희에게 전파하노니 곧 하나님이 예수를 일으키사 우리 자녀들에게 이 약속을 이루게 하셨다 함이라 (행 13:32-33).

의로 여기심을 받을 우리도 위함이니 곧 예수 우리 주를 죽은 자 가운데서 살리신 이를 믿는 자니라(롬 4:24).

예수를 죽은 자 가운데서 살리신 이의 영이 너희 안에 거하시면 그리스도 예수를 죽은 자 가운데서 살리신 이가 너희 안에 거하시는 그의 영으로 말미암아 너희 죽을 몸도 살리시리라(롬 8:11).

네가 만일 네 입으로 예수를 주로 시인하며 또 하나님께서 그를 죽은 자 가운데서 살리신 것을 네 마음에 믿으면 구원을 받으리라(롬 10:9).

사람들에게서 난 것도 아니요. 사람으로 말미암은 것도 아니요 오직 예수 그리스도와 그를 죽은 자 가운데서 살리신 하나님 아버지로 말미암아 사도 된 바울은(갈 1:1).

하나님이 주를 다시 살리셨고 또한 그의 권능으로 우리를 다시 살리시리라(고전 6:14).

주 예수를 다시 살리신 이가 예수와 함께 우리도 다시 살리사 너희와 함께 그 앞에 서게 하실 줄을 아노라(고후 4:14).

그의 능력이 그리스도 안에서 역사하사 죽은 자들 가운데서 다시 살리시고 하늘에서 자기의 오른편에 앉히사(엡 1:20).

너희가 세례로 그리스도와 함께 장사 되고 또 죽은 자들 가운데서 그를 일으키신 하나님의 역사를 믿음으로 말미암아 그 안에서 함께 일으키심을 받았느니라(골 2:12).

또 죽은 자들 가운데서 다시 살리신 그의 아들이 하늘로부터 강림하실 것을 너희가 어떻게 기다리는지를 말하니 이는 장래의 노하심에서 우리를 건지시는 예수시니라(살전 1:10).

너희는 그를 죽은 자 가운데서 살리시고 영광을 주신 하나님을 그리스도로 말미암아 믿는 자니 너희 믿음과 소망이 하나님께 있게 하셨느니라(벧전 1:21).

2) 두 번째 형태 그룹에는 다음과 같은 진술들이 포함된다

그가 죽은 자 가운데서 살아나셨고 …(마 28:7).

그가 살아나셨고 여기 계시지 아니하니라(막 16:6).

죽은 자 가운데서 살아나신 후에야 제자들이 이 말씀 하신 것을 기억하고 (요 2:22).

이것은 예수께서 죽은 자 가운데서 살아나신 후에 세 번째로 제자들에게 나타나신 것이라(요 21:4).

예수는 우리가 범죄한 것 때문에 내줌이 되고 또한 우리를 의롭다 하시기 위하여 살아나셨느니라(롬 4:25).

그러므로 우리가 그의 죽으심과 합하여 세례를 받음으로 그와 함께 장사되었나니 이는 아버지의 영광으로 말미암아 그리스도를 죽은 자 가운데서 살리심과 같이 우리로 또한 새 생명 가운데서 행하게 하려 함이라(롬 6:4).

이는 다른 이 곧 죽은 자 가운데서 살아나신 이에게 가서(롬 7:4).

죽으실 뿐 아니라 다시 살아나신 이는 그리스도 예수시니 그는 하나님 우편에 계신 자요 우리를 위하여 간구하시는 자시니라(롬 8:34).

장사 지낸 바 되셨다가 성경대로 사흘 만에 다시 살아나사(고전 15:4).

그러나 이제 그리스도께서 죽은 자 가운데서 다시 살아나사 … (고전 15:20).

하나님이 예수를 죽은 자 가운데서 살리셨다는 초기 기독교 고백과 가장 가까운 유대교의 고백은 유대인의 '18 기도문'(Amigah, Shemoneh Esreh) 중 두 번째 기도문의 마지막 행에 나온다.

오 주님! 죽은 자를 살리시는 당신은 복되십니다.

A.D. 70년 이전의 것으로 추정되는 이 전례용 기도는 제2성전 시대의 문학이 일관되게 확인해 주는 다음과 같은 내용을 입증해 준다. 우주의 창조주 하나님은 죽은 자에게 생명을 주시는 유일한 분이시다.

하나님이 예수를 죽은 자 가운데서 살리셨다는 기독교의 선언에도 이와 비슷한 유형(taxonomy)이 있다. 그것은 하나님이 궁극적인 생명의 근원이시라는 신앙고백이다. 그러나 그 선언은 그 이상의 의미를 지닌다. 그것은 생명을 회복하시는 하나님의 능력이 한 특정 개인 예수 그리스도를 살리시는 데 나타났다는 고백이기도 하다.

하지만 이러한 고백은 경험에서 나온 직접적인 진술은 아니다. 어느 사람도 하나님께서 예수를 죽은 자 가운데서 살리시는 것을 보지 못했다. 오히려 이 고백은 아마도 예수가 십자가에서 처형당한 후 그의 현현에 근거하여 내렸을 해석학적 결론(hermeneutical conclusion)인데, 그를 따르는 자들은 예수의 현현에 근거하여 십자가에 달린 분이 죽지 않고 다시 살아났다고 확신했다.[1]

---

[1] Dale C. Allision Jr은 이러한 신앙고백 공식구가 예수의 현현을 언급하는 것이 아니고, 또 "'하나님이 예수를 죽은 자 가운데서 살리셨다'라는 문구에는 어떤 인식론적 장치가 없으며 그 자체로는 변증론적 목적에 기여하지 않는다"라고 주장한다 (*Resurrecting Jesus: The Earliest Christian Tradition and its Interpreters* [London: T&T Clark, 2005], 230). 하지만 하나님께서 예수를 죽은 자 가운데서 살리셨다는 고백 이전에 어떤 종류의 경험이 있었음은 틀림없다. 필자의 견해로는 이 고백에 명시되지 않는 전제를 지적하는 달퍼스(Ingolf U. Dalferth)의 견해가 상당히 타당해 보이는데, 그는 예수를 따르는 자들이 한편으로는 예수의 죽음을, 다른 한편으로는 그의 부활 이후의 현현을 목격했다고 주장한다. 예수가 죽었고 그가 살아있는 모습으로 보였다는 이 두 가지 확실성은 해결해야만 했던 인지적(cognitive) 아포리아(aporia, 하나의 명제에 대해 증거와 반증이 동시에 존재하므로 그 진실성을 확립하

이 사건을 묘사하기 위해 사용된 어휘가 유대의 저자들이 종말
에 일어날 죽은 자의 공동 부활을 묘사하기 위해 사용한 어휘와 동
일하다는 사실은 예수의 부활을 단순한 시신의 소생이 아니라 인류
역사의 한 가운데에서 시작된 종말론적인 사건으로 해석했음을 나
타낸다.

예수의 부활과 관련된 일부 공식구적 진술에 또 하나의 고백이 나
타나는데, 그것은 예수가 죽은 자 가운데서 사흘 만에(셋째 날에) 살
아났다는 언급이다. 그 고백의 최초 표현은 고린도전서 15:3-4에
보존된 바울 이전의 신앙고백에서 찾을 수 있다.

> 내가 받은 것을 먼저 너희에게 전하였노니 이는 성경대로 그리스도께서
> 우리 죄를 위하여 죽으시고 장사 지낸 바 되셨다가 성경대로 사흘 만에
> 다시 살아나사(고전 15:3-4).

'사흘'(삼일)이란 모티브는 또한, 마태복음(16:21; 17:23; 20:19)과
누가복음(9:22; 18:33)의 수난 예고뿐만 아니라 누가복음―사도행전
(눅 24:6-7, 46; 행 10:40)의 몇몇 추가 구절에서도 나타난다.

기 어려운 상태[난관]-역주)를 초래했다는 것이다. 이론상으로는 "(1) 예수가 실
제로 죽지 않았다고 말할 수도 있고, (2) 그가 실제로 살아나지 않았다고 말할 수
도 있으며, (3) 죽은 사람과 살아있는 것으로 경험된 사람이 실제로는 동일인물이
아니라고 말할 수도 있을 것이다. 그리스도인들은 그리스도가 하나님에 의해 죽
은 자 가운데서 살아났다고 고백함으로써… 이 세 가지 경우를 거부했다"(Ingolf
U. Dalferth, "The *Resurrection*: The Grammer of Raised"', in *Biblical Concepts and Our
World* [eds D. Z. Phillips and Mario von der Ruhr; Claremont Studies in the Philosophy
of Religion; New York: Palgrave Macmillan, 2004], 204).

마가복음의 수난 예고에는 '사흘 후'라는 변형된 표현이 일관되게 사용된다(막 8:31; 9:31; 10:34). 마태복음에는 사흘(삼일)에 대한 두 가지 추가 언급이 있다. 요나가 물고기 배 속에서 지낸 기간과 인자가 땅속에 있을 기간을 비교한 '밤낮 사흘 동안'(three days and three nights)이란 표현(마 12:40)과 '사흘 후'라는 문구와 바리새인들이 빌라도에게 요청할 때 사용된 '사흘까지"라는 문구의 독특한 결합(마 27:63-64)이 그것이다.

'사흘' 전승의 발전 과정과 의미를 어떻게 설명할 수 있을까?

한 가지 가능성은 예수가 사흘 만에 부활했다는 진술을 그 주간의 첫날(the first day of the week, 개역개정에는 '안식 후 첫날'로 표현됨-역주)에 일어난 빈 무덤 발견과 연관시키는 견해이다(막 16:2; 28:1; 눅 24:1; 요 20:1). 하루 일부를 하루 전체로 간주하는 유대인의 관례를 고려할 때, 사흘(십자가 처형 이후)과 그 주간의 첫날(안식 후 첫날-역주)이라는 두 개의 시간 언급이 서로 일치한다는 사실이 이 해석을 지지해 준다.

하지만 두 전승이 일치한다고 해서 반드시 하나가 다른 하나에서 파생되었다는 의미는 아니다. 빈 무덤 전승이 사흘 모티브의 근거가 되었다는 이 견해의 주된 약점은 전자가 후자에서 일관되게 나타나는 어휘를 제공하지 않는다는 점이다. 다르게 표현하면 이 두 전승은 언어적으로 중복되지 않기 때문에, 그 주간의 첫날이란 표현이 어떻게 [부활 이후] 사흘이란 언급을 생겨나게 했는지 설명하기가 어렵다. 이보다 더 큰 난점은 마가복음에서 일관되게 사용되는 '사흘 후'라는 변형 구문의 발전 과정을 설명하는 데 있다.

또 하나의 가능성은 사흘 모티브를 예수의 현현(appearances)과 관련시키는 견해이다. 이 견해는 앞의 견해보다 훨씬 더 설득력이 빈약하다. 고린도전서 15:5-7에 언급된 예수의 현현에 대한 초기 전승은 '후에'와 '그 후에'와 같은 모호한 시간 언급만이 포함되어 있다. 예루살렘과 갈릴리의 지리적 거리를 고려할 때 예수가 예루살렘에서 현현한 전승만이 그의 사흘 만의 부활 개념과 관련이 있다. 그러나 부활한 그리스도와의 만남을 서술하는 복음서의 내러티브는 시간상으로 이러한 만남을 빈 무덤 발견과 전형적으로 관련시킨다(눅 24:13; 요 20:19, 26).

사흘 모티브에 대한 설명은 유일하게 엠마오로 가는 두 제자 앞에 나타난 누가의 예수 현현 이야기에 포함되어 있다(눅 24:21). 그러나 이 이야기는 사흘에 대한 다양한 언급을 조화시키려는 누가의 의도를 보여 주는 후대의 발전일 가능성이 크다.

사흘 모티브의 출현과 의미를 개연성 있게 설명하기 위해서는 이 부사구가 항상 '일으키다'(살리다/raise) 또는 '일어나다'(살아나다/rise)라는 동사를 수식하고 있다는 점을 고려해야 한다. 흔히 추정되듯이 이 구문이 시간에 대한 언급일 경우 하나님이 예수를 셋째 날에 살리셨다는 선언은 매우 이상한 진술이 될 것이다. 왜냐하면, 이는 예수를 따르는 자들이, 어떤 목격자도 없었으며 초기의 기독교 해석자들이 묘사하기를 거부했던 하나님의 행위에 날짜를 부여하려 했음을 암시하기 때문이다.

어떤 사람도 하나님께서 언제 예수를 죽은 자 가운데서 살리셨는지를 정확하게 알지 못했다면, 부활이 셋째 날에 일어났다는 확신이 그렇게 빠르게 발전된 사실을 어떻게 설명할 수 있을까?

필자의 견해로는 이 질문에 대한 최상의 대답은 사흘 모티브를 시
간적 표현이 아니라 신학적 표현으로 해석하는 데 있다. 이 표현은
하나님의 감추어진 행위를 시간이란 틀 속에 고정하려는 것이 아니
라 오히려 그 신학적 의미를 설명하기 위한 것이다.

사흘이란 슬로건의 의미에 대한 실마리는 사흘 모티브를 사용하는
가장 최초의 구절인 고린도전서 15:4의 바울 이전의 신앙고백에서
찾을 수 있다. 이 본문은 '그리스도가 성경대로 사흘 만에 다시 살
아나셨다'라고 선언한다.[2]

'성경대로'라는 부사적 표현은 '사흘 만에'(셋째 날에)라는 구문
이 성경에서 유래한 것임을 나타낸다. 이 본문에 대한 모든 주석가
가 주장하듯이 문제는 부활이 사흘 만에 일어날 것이라고 분명하게
언급한 성경(구약) 구절이 없다는 점이다.

일부 해석자는 '사흘 만에'라는 구문의 전통적인 의미에서 해결
책을 찾을 수 있다고 보는데, 그 표현이 일반적으로 짧은 기간을 가
리키는 비유적 표현으로서 기능한다는 견해이다(창 1:13; 22:4; 31:22;
34:25; 40:20; 42:18; 출 19:11, 15, 16; 레 7:17, 18; 19:6, 7; 민 7:24; 19:12, 19;
29:20; 수 3:2; 9:17; 사 20:30; 삼상 20:12; 30:1; 삼하 1:2; 왕상 3:18; 12:12; 왕
하 20:5, 8; 대하 10:12; 스 6:15; 에 5:1; 호 6:2; 욘 1:17). 이렇게 이해할 경
우 고린도전서 15:4에 나타난 사흘 모티브는 예수가 죽은 지 얼마 안
되어 죽은 자 가운데서 살아났다는 의미를 지닌다.

다른 해석자들은 해결책을 호세아 6:2의 랍비적 해석에서 찾는다.
본래의 문학적이고 역사적인 문맥에서 호세아 6:2은 이스라엘을 위

---

2 예수가 사흘 만에 살아나셨다는 진술은 세 복음서에 나타난 성경의 증언과 연결
   되기도 한다.

한 하나님의 빠른 개입에 대한 소망을 전달하기 위해 부활 어휘를
사용하지만, 랍비들은 일상적으로 이 성경 본문을 시대의 전환기에
있을 죽은 자의 부활에 대한 예언으로 해석한다. 예를 들어 호세아
6:2-3은 *y. Ber.* 5.2에 인용되어 영원한 생명을 가져오는 죽은 자로부
터의 부활과 영원한 생명을 가져오기 위해 어김없이 내리는 비(rain)
와의 연관성을 지지한다.

　Gen. Rab. 56.1에서 호세아 6:2은 '부활의 셋째 날에'라는 구문과
함께 인용된다. *Esth. Rab.* 9.2에서 호세아 6:2은 '죽은 자도 역시 사
흘 후에 비로소 살아날 것이'라는 주장에 대한 성경적 근거로 인용
된다. *Pirqe R. El. 51* (73b-74a)에 나오는 랍비 가말리엘(Gamaliel)의 말
은 제 삼일에 하나님께서 죽은 자를 살리실 것이라는 진술을 입증
하기 위해 호세아 6:2를 인용한다. 호세아 6:2에 대한 동일한 이해
가 요나단의 탈굼(*Targum of Jonathan*)에도 기록되었는데, 거기서는 '셋
째 날에'라는 표현을 '죽은 자의 부활의 날에'라는 구문으로 대체
시킨다.

　이런저런 관련 본문에서 '셋째 날에'라는 슬로건은 때때로 하나님
이 이스라엘(또는 의로운 자)을 삼일 이상 고통 가운데 두지 않으신다
는 주장을 지지하기 위해 사용되기도 한다(*Esth. Rab.* 9.2; *Gen. Rab.*
91.7; *Midr. Pss.* 22.5). 만일 이 주석 전통이 고린도전서 15:4의 해석적
틀을 제공한다면, 셋째 날에 대한 언급은 구원의 날에 대한 언급으
로 이해될 수 있을 것이다. 그렇다면, 이 구문의 신학적 의미는 의
로운 자를 구원하기 위한 하나님의 개입이 그리스도의 부활이라는

구체적인 구원 사건을 통해 성취된다는 데 있을 수 있다.[3]

그러나 호세아 6:2과 연관된 또 다른 석의 전통도 개연성이 있다. 호세아 6:2에 언급된 '셋째 날'을 죽은 자의 부활의 날로 해석하는 경우는 요나단의 탈굼 뿐만 아니라 여러 랍비 문헌에도 기록되어 있다.

이러한 문서들이 신약성경 이후 시기에 기록되었을지라도 이러한 해석 전통은 이미 A.D. 1세기에 통용되었을 수도 있다. 만일 초기 기독교 해석자들이 호세아 6:2에 대한 이러한 해석을 알고 있었다면, 그들은 사흘 모티브를 사용함으로써 예수의 부활과 함께 죽은 자의 부활이 이미 시작되었다는 핵심적인 확신을 표현했을 수도 있다. 그렇다면, 예수가 사흘 만에 살아나셨다고 선언함으로써 그들은 예수의 부활이 종말 시대의 시작임을 선포했다는 의미가 된다.

사흘 모티브의 이러한 해석에 일반적으로 제기되는 반론은 이 부사구를 죽은 자의 부활에 대한 언급으로 사용하는 랍비 문헌들의 저작 연대가 비교적 후대라는 점이다. 하지만 예수의 부활에 대한 이러한 해석을 뒷받침하는 증거는 신약성경 자체에서 찾을 수 있다. 그러한 단락 중 하나가 마태복음 27:50-53이다.

> 예수께서 다시 크게 소리 지르시고 영혼이 떠나시니라. 이에 성소 휘장이 위로부터 아래까지 찢어져 둘이 되고 땅이 진동하며 바위가 터지고 무덤들이 열리며 자던 성도의 몸이 많이 일어나되 예수의 부활 후에

---

[3] Kahl Lehmann, *Auferweckt am dritten Tag nach der Schrift: Früheste Christologie, Bekenntnisbildung und Schriftauslegung im Lichte von 1 Kor. 15, 3-5* (QD 38; Freiburg: Herder, 1968), 262-80.

그들이 무덤에서 나와서 거룩한 성에 들어가 많은 사람에게 보이니라
(마 27:50-53).

이 독특한 이야기의 기능은 예수의 죽음과 부활 당시에 예루살렘
근처에서 일어난 기이한 사건들을 묘사하기 위함이 아니라, 그 죽음
과 부활의 의미를 해석하는 데 있다. 예수가 십자가에서 죽었을 때,
살아났지만 그의 부활 이후에 무덤에서 나온 부활한 성도들에 관한
이 기이한 이야기는 미래에 기대되는 의인의 부활이 이미 시작되었
음을 입증하려고 한다. 본문은 에스겔 37:12로부터는 무덤이 열리는
이미지를, 이사야 26:19과 다니엘 12:2로부터는 죽은 자가 살아나는
이미지를 사용하여 예수의 부활과 함께 일반 부활(general resurrection)
이 이미 시작되었다는 메시지를 전달한다.

이와 유사한 개념은 로마서 1:3-4에 보존된 초기 기독교 신앙고백
에서도 찾을 수 있다. 거기서는 '육신으로는 다윗의 혈통에서 나셨
고 성결의 영으로는 죽은 자들 가운데서 부활하사 능력으로 하나님
의 아들로 선포되신' '그의(하나님의) 아들에 관한 복음'에 대해 언
급된다. 여기서 '죽은 자들 가운데서 부활하사'로 번역한 영어 성경
NRSV 역은 정확하지 않다.

헬라어 원문에 대한 더 나은 번역은 '죽은 자의 부활 이후로'(since
the resurrection of dead')이다. 이 본문은 본서의 제6장에서 보다 더 길
게 분석될 것이다. 여기서는 다만 예수의 부활을 하나님 앞에서의
그의 지위에 영향을 끼친 단일 사건으로 묘사하지만 그렇더라도 예
수의 부활을 일반 부활(general resurrection)의 시작으로 묘사하고 있다
고 언급하는 것으로 충분하다.

이처럼 사흘 모티브를 죽은 자의 일반 부활에 대한 시작으로 해석하는 견해는 고린도전서 15장에 언급된 바울의 부활 논의를 통해서도 확인된다. 고린도전서 15장에서 바울은 예수의 부활과 죽은 자의 일반 부활이 논리적으로나 신학적으로 분리될 수 없다고 선언한다 (15:12-19). 더 확실한 것은 그리스도가 '잠자는 자들의 첫 열매'라는 승리에 찬 선언이다(15:20). 예수가 죽은 자 가운데서 부활하신 첫 사람이었다는 개념에는 다른 사람의 부활이 뒤따를 것이라는 발상이 수반된다.

예수가 '첫 번째'(firstness)라는 개념은 바울 서신뿐만 아니라 다른 신약 문서들에도 나타난다. 예를 들어 로마서 8:29은 예수를 '많은 형제 중에서 맏아들'로, 골로새서 1:18은 '죽은 자들 가운데서 먼저 나신'이로, 사도행전 26:23은 '죽은 자 가운데서 먼저 다시 살아나신'이로, 요한계시록 1:5는 '죽은 자들 가운데서 먼저 나신'이로 묘사한다. 이러한 구절에서 예수는 일관되게 '먼저 나신 자'(first-born) 또는 단순히 죽은 자 가운데서 '먼저 살아난 자'(the first)로 묘사된다.

그러므로 예수가 사흘 만에 살아났다는 고백은 예수의 부활이 죽은 자의 일반 부활의 시작이라는 개념을 전하고 있다고 결론 내릴 수 있다. 이 개념을 통해 바울과 같은 기독교 해석자들은 하나님에 의한 아직 완성되지 않은 새 시대의 시작과 이미(already) 시작되었지만, 아직(not yet) 완전히 실현되지 않은 하나님의 나라에 대해 말할 수 있게 되었다.

2. 부활에 대한 바울의 이해

우리는 두 가지 이유로 복음서를 다루기 전에 먼저 바울의 부활 이해를 논의하려고 한다.

첫째, 부활 이후 예수 현현(appearances)의 목격자로서 자신의 경험에 대해 기록한 유일한 인물이기 때문이다.

둘째, 바울 서신은 복음서 이전에 기록되었을 뿐만 아니라 기독교 운동 초기에 표현된 예수의 부활 전승을 엿볼 수 있는 바울 이전의 자료를 포함하고 있기 때문이다.

바울 서신에는 예수의 부활에 대한 다양한 언급들로 가득하지만, 고린도전서 15장이야말로 전적으로 이 주제를 다루고 있는 유일한 장이다. 이 자료가 바울이 예수의 부활을 어떻게 이해하며 그것이 다른 이들에게 미치는 중요성을 어떻게 해석하는지 잘 보여 주기 때문에, 다음의 분석은 고린도전서 15장에 나타난 바울의 진술에 초점을 맞출 것이다,

1) 고린도전서 15:3-8

바울은 고린도전서 15장에서 예수의 죽음, 장사, 부활에 관한 최초의 기독교 전승을 인용하고 부활 이후 예수의 현현을 경험한 사람들의 목록을 제공함으로써 논의를 시작한다. 그는 예수의 현현을 경험한 사람들의 목록에 부활하신 그리스도를 만난 자신의 경험도 추가한다.

내가 받은 것을 먼저 너희에게 전하였노니 이는 성경대로 그리스도께서 우리 죄를 위하여 죽으시고 장사 지낸 바 되셨다가 성경대로 사흘 만에 다시 살아나사 게바에게 보이시고 후에 열두 제자에게와 그 후에 오백 여 형제에게 일시에 보이셨나니 그중에 지금까지 대다수는 살아있고 어떤 사람은 잠들었으며 그 후에 야고보에게 보이셨으며 그 후에 모든 사도에게와 맨 나중에 만삭되지 못하여 난 자 같은 내게도 보이셨느니라 (고전 15:3-8).

일반적으로 A.D. 30년대 초반에 나온 것으로 추정되는 바울 이전의 공식구(pre-Pauline formula)의 정확한 내용에 대해서는 논란의 여지가 있다. '내가 받은 것을 먼저 너희에게 전하였노니'라는 도입 부분은 전승 자료의 시작을 분명하게 표시해주지만, 그 끝이 어디까지인지는 여전히 논쟁이 되고 있다.

일반적으로 유일하게 일치하는 지점은 바울이 부활하신 그리스도를 만난 자신의 경험을 언급하는 마지막 문장이 전승의 공식구(公式句)에 추가되었다는 점이다. 바울 이전의 자료가 3-7절 전체를 포함하는지 아니면 그 일부만 포함하는지는 확신할 수 없지만, 적어도 바울이 여기서 보고하고 있는 내용은 최초의 기독교 선포와 일치한다고 가정할 수 있다.

공식구의 전반부에 대해서는 앞 장에서 이미 논의한 바 있다. 바울이 예수의 부활 이후의 모습을 목격한 사람들의 목록을 나열하는 후반부로 넘어가기 전에 이 본문의 해석자들이 흔히 제기하는 한 가지 문제를 짚고 넘어가야 한다.

예수의 죽음, 장사, 부활에 대한 초기 기독교의 고백은 빈 무덤 전
승을 전제하는가?

좀 더 구체적으로 표현하면, 바울은 빈 무덤에 대해 알고 있
었는가?

바울이 알고 있었다고 여기는 사람들은 일반적으로 장사-부활의
순서가 이미 빈 무덤을 전제하고 있다고 주장한다. 이전에 바리새인
이었던 바울과 같은 사람이 예수의 시신이 묻힌 무덤이 비었다는 것
을 믿지 않고서도 예수의 부활에 관해 말한다는 것은 상상할 수 없
을 것이다.

그리스도가 살아나셨다(was raised. 문자적으로는 '일어나셨다'—역주)
는 진술에는 이전에는 누워있던 시신이 살아나 서 있는 자세로 일으
킴을 받았다는 개념이 수반된다. 초기 전승도 바울도 빈 무덤을 명
시적으로 언급할 필요가 없었다. 전체 사건을 순서대로 상술하기
보다는 관련 사건을 열거하는 것이 그들의 목적이었기 때문이다. 빈
무덤이 전제된 것은 분명하다. 단지 그것을 상세하게 진술할 필요가
없었을 뿐이다.[4]

이러한 주장은 확실히 타당하다. 하지만 바울이 빈 무덤을 상상하
지 않고서는 예수의 부활을 선포할 수 없었을 것이라는 말은 무덤이
비어 있음을 알았다는 말과는 다르다. 전자가 바울의 종교적 확신
을 언급한다면, 후자는 그의 (객관적) 지식을 언급한다. 그는 빈 무덤
발견의 전승을 알지 못하고서도 예수의 시신이 이미 무덤에 없었다

---

[4] Wright, *The Resurrection of the Son of God*, 321; Robert H. Gundry, 'Trimming the Debate', in *Jesus' Resurrection: Fact or Figment* (eds. Paul Copan and Ronald K. Tacelli; Downers Grove, IL: InterVarsity Press, 2000), 118.

고 믿었을 수도 있다.

그의 침묵으로부터 어떤 확실한 결론도 끄집어낼 수 없다. 또한, 바울이 빈 무덤 발견의 주요 증인이었던 어떤 여인도 언급하지 않은 상황에서 어떤 최종적 결론을 도출하기는 어렵다. 오히려 그것은 빈 무덤 발견이 기독교 운동 초기에는 널리 알려지지 않았다는 표시일 수도 있다. 하지만 그것은 또한 기독교 메시지의 신뢰성을 강화하기 위해 법적으로 신뢰할 수 없는 여성의 증언을 제거하려는 의식적인 노력의 결과일 수도 있다(Josephus, *Ant*. 4.219; *m. Šebu*. 4.1; *m. Roš Haš*. 1.8).

바울에게 전해진 전승에는 부활하신 그리스도가 나타난 두 사람과 몇몇 그룹으로 구성된 목록이 포함된다. 즉 게바, 열둘, 오백여 형제자매, 야고보, 모든 사도가 그들이다. 게바(베드로) 이후에 나오는 각각의 증인 앞에는 '그 후에'(then)라는 시간 접속사가 나오는 것으로 보아 그 목록이 비교적 연대순으로 나열되어 있음을 알 수 있다.

예수의 현현과 관련하여 베드로의 우선적 위치는 이 전통적인 공식구뿐만 아니라 누가복음 24:34에서도 언급된다. 하지만 놀라운 점은 이러한 두 개의 간결한 진술—그가 '게바에게 보이시고'라는 진술(고전 15:5)과 "주께서 과연 살아나시고 시몬에게 보이셨다"라는 진술(눅 24:34)—이 베드로가 부활하신 예수를 최초로 목격했다는 주장의 유일한 증거라는 점이다. 신약성경에는 이 사건에 대한 간략한 보고는 물론이고 이 사건에 대한 어떤 내러티브도 나오지 않는다.[5]

---

[5] 때때로 베드로에 대한 예수의 최초의 현현이 하나 또는 그 이상의 복음서 내러티브에 반영되어 있다고 주장되기도 한다. 예를 들면, 예수의 메시아 되심에 대한 베드로의 신앙고백과 그를 자신의 교회를 세울 반석으로 인정하는 예수의 진술(마 16:13-19), 기적적인 고기잡이와 첫 제자들의 부르심(눅 5:1-11), 또는 기적적인 고기잡이와 예수의 양을 먹이라는 베드로의 사명위임(요 21:1-19) 등이 그

전승의 목록에 두 번째 개인으로 열거되는 예수의 형제 야고보의
경우도 그와 마찬가지이다. 부활하신 예수가 야고보에게 나타났다
는 기록은 오직 고린도전서 15:7에만 언급되어 있다. 그러나 그마저
도 베드로의 경우처럼 간략한 진술을 통해서만 전달될 뿐이다.

> 그 후에 [그가] 야고보에게 보이셨으며(고전 15:7).

신약성경에는 이 사건에 대한 어떤 보고도 어떤 내러티브도 나오
지 않는다.

전통적 공식구는 예수의 현현을 목격한 세 그룹을 언급하는데, 열
둘(열두 제자), 오백여 형제, 모든 사도가 그들이다. 열둘에 대한 예수
의 현현은 복음서 내러티브의 내용과 일치하는데, 거기서는 열한 사
람, 즉 가룟 유다가 빠진 열 둘에게 나타나신 예수의 현현에 대해 언
급한다(마 28:16-20; 눅 24:36-49; 요 20:19-23[도마가 빠진]; 20:24-29[도마
와 함께]).

그러나 이러한 현현이 일어난 시간과 장소는 다양하다. 마가와 마
태는 갈릴리에서 일어난 예수의 현현에 대해 말하지만, 누가와 요
한은 예루살렘에서 일어난 예수의 현현에 대해 말한다. 이 모든 이
문(variants)은 그 사건이 일어난 실제 장소와는 상관없이 하나의 기
본 사건—열둘/열하나 앞에 나타난 예수의 현현—에서 비롯되었을

러하다. 특히 '누가복음 5장과 요한복음 21장이 베드로에게 나타난 부활 이후 예
수의 첫 번째 현현을 회상하는 이야기의 후예들이라고 주장하는 Allison, *Resur-
recting Jesus*, 254-9를 보라. 하지만 그러한 재구성이 가능하다 할지라도 베드로가
부활한 예수와 단둘이 만난 근본적 기억을 보존하기보다는 왜 전승이 이런 식으
로 발전했는지는 여전히 수수께끼로 남는다.

가능성이 있다. 그러나 특히 이 사건이 갈릴리와 예루살렘 모두에서 일어났다면, 부활하신 예수가 열둘/열하나에 여러 번 나타났을 가능성도 있다.

오백여 형제에게 일어난 예수의 현현은 여기 외에는 신약성경 어디에서도 입증되지 않는다. 이 사건을 누가의 오순절 사건과 연관시키려는 견해는 설득력이 없다. 바울은 이 그룹을 고린도전서를 기록할 당시에도 여전히 살아 있어 문의할 수도 있는, 알려진 개인들로 언급한다. 마지막에 언급된 모든 사도 그룹이 누구를 말하는지 확인하기 어렵다. 이 그룹은 부활하신 예수를 목격한 모든 이들을 포함한, 사도로 알려진 전체 그룹을 언급하는 것으로 보이지만, 그 정체성과 규모는 모호한 채로 남아있다.

많은 학자는 바울에게 전해진 전승에 복음서 내러티브에 언급된 막달라 마리아나 다른 여인들에게 일어난 예수의 현현이 포함되지 않은 점에 의아해한다(마 28:9-10; 요 20:11-18).

첫 번째 설명은 이 전승이 여성의 증언을 평가절하하는 가부장적 편견 때문에 또는 예수의 부활을 처음으로 목격한 베드로의 지위를 보존하기 위해 여인을 포함하지 않았을 수 있다는 견해이다.

두 번째 설명은 특히 앤 그레이엄 브록(Ann Graham Brock)이 제안했는데, 그는 영지주의 문헌에서 반복되는 주제인 베드로와 막달라 마리아 사이의 경쟁이 초기 교회의 최초의 시대에까지 거슬러 올라간다고 주장한다(*Gos. Thom.* 114; *Gos. Mary* 9.16-18; 10.7-17.7; 17.18-22;

Pistis Sophia 1-3장).**⁶**

'~ 에게 보이셨다'라는 동사는 시각적 경험을 가리킬 가능성이 크다. 영어 번역의 능동태형(appeared to)은 헬라어에서 이 동사가 '보다'(to see)라는 동사의 과거 수동태라는 사실을 드러내지 못한다. 이 동사의 문자적 번역은 '~에 의해 보였다'(was seen by)이다.

바울은 고린도전서 9:1에서 같은 동사의 완료 능동태를 사용하여 그가 '예수 우리 주를 보았다'라고 선언한다. 70인 역에서 이 동사의 과거 수동태는 하나님이나 그분이 보낸 사자의 현현(나타나심/appearances)을 묘사하기 위해 빈번히 사용된다(창 12:7; 17:1; 18:1; 26:2; 출 3:2; 삿 6:12; 왕상 3:5; 9:2; 대하 3:1).

이러한 언급들은 일반적으로 나타나심의 시각적 요소를 강조한다. 어떤 경우에는 저명한 사람들에게 일어난 신적 현현이 그들의 권위를 정당화하기 위해 말해졌을 수도 있지만, 그런 기능은 고린도전서 15:3-8에서는 감지될 수 없다. 여기서는 오백여 명의 이름 없는 개인들이 베드로, 야고보, 바울과 함께 언급된다.

또한, 예수의 부활 이후의 현현을 묘사하기 위해 사용된 '보다'라는 동사의 과거 수동태는 시각적 측면은 부각하지만, 가촉성(tangibility)이나 육체성(corporeality)과 같은 다른 특성에 대해서는 아무것도 말해주지 않는다는 점을 강조해야 한다. 예수의 현현이 주관적인 환영(subjective apparitions)이었는지 아니면 정상적 시공간 우주 내에서 일어난 객관적 사건(objective occurrences)이었는지의 문제는 '보이

---

6   Ann Graham Brock, *Mary Magdalene, the First Apostle: The Struggle for Authority* (HTS 51; Cambridge, MA: Harvard University Press, 2003).

셨다'라는 동사의 단순한 용례에 기초해서는 해결할 수 없다.

끝으로 바울 자신의 증언이 나온다. 바울의 증언이 부활하신 예수와의 만남에 대한 유일한 목격담임을 감안할 때 그 중요성은 아무리 높게 평가해도 지나치지 않는다. 하지만 동시에 바울은 다른 사람이 체험한 것 이상의 것을 말하지 않는다.

맨 나중에 만삭되지 못하여 난 자 같은 내게도 보이셨느니라(고전 15:8).

고린도전서 9:1에서도 그는 예수를 만난 자신의 체험을 이와 유사하게 간결하게 언급했다.

내가 … 예수 우리 주를 보지 못하였느냐(고전 9:1).

바울 서신 가운데 그가 여기 외에 이러한 경험을 언급하는 유일한 곳은 갈라디아서 1:15-16이다. 그러나 거기서도 그는 실제 사건에 대해서는 아무 설명도 하지 않고 오히려 그 사건의 의미—이방인에게 복음을 전하라는 하나님의 위임—에 초점을 둔다.

그러나 내 어머니의 태로부터 나를 택정하시고 그의 은혜로 나를 부르신 이가 그의 아들을 이방에 전하기 위하여 그를 내 속에 나타내시기를 기뻐하셨을 때에 내가 곧 혈육과 의논하지 아니하고(갈 1:15-16).

그렇더라도 고린도전서 15:8에 근거하여 두 가지 중요한 결론을 내릴 수 있다.

첫째, 바울은 일련의 예수의 현현이 끝났다고 믿었다. 그는 부활하신 예수가 나타난 마지막 사람이었다.

둘째, 바울은 자신의 체험을 초기 부활 증인들의 체험과 나란히 둔다.

그는 예수가 다른 사람에게 나타난 것과 동일한 방식으로 자신에게 나타났다고 믿었다. 그들과 자신의 차이는 오직 타이밍뿐이었다. 그의 체험은 다른 사람의 체험보다 대략 3년 뒤에 일어났다. 이 때문에 그는 그 체험을 '만삭되지 못하여 난 자와 같은'(as to one untimely born)이라는 역설적 은유로 묘사한다.

만삭되지 못하여(달이 차지 못하여) 태어났다는 은유는 바울이 부활하신 그리스도와 만날 준비가 미처 되어있지 않았다는 점과 이 체험의 놀라운 특성을 가리키는 것일 수 있지만 또한 예수의 현현이 보고되지 않은 지 상당 기간이 지난 후에 그 일이 일어났다는 사실을 언급하는 것일 수도 있다. 그러나 바울은 자신에게 일어난 예수의 현현을 타이밍과 관련해서는 예외로 간주했지만, 그 특성과 관련해서는 그렇지 않았다.

바울의 이러한 자기 경험에 대한 평가를 다른 사람들이 어느 정도로 공감했는지 우리는 알지 못한다. 우리가 아는 것은 예를 들어 적어도 한 사람은 그와 다른 견해를 가졌다는 것이다. 사도행전 9:1-9에서 누가는 부활하신 예수와 바울의 만남에 대해 상세하게 설명한다. 그러나 바울의 비전(vision)에 대한 그의 묘사에는 육체성이 빠져있는데, 이는 예수의 현현에 대한 누가의 내러티브적 특징 중 하나이다(눅 24:13-35; 36-49; 행 10:40-41).

누가에 따르면 바울이 본 것이라고는 그를 둘러 비추는 하늘로부
터 온 빛뿐이었고, 그가 들은 것이라고는 그에게 들려오는 소리뿐이
었다. 누가는 또한, 바울의 동료들이 소리만 듣고 아무도 보지 못했
음을 강조한다(행 9:7).

바울의 경험을 비객관화하는(de-objectivize) 누가의 경향은 바울이
예루살렘에서 유대인들에게 다메섹 체험에 관해 이야기하는 장면에
서도 나타난다(행 22:6-11). 사도행전 9장의 삼인칭 시점의 기록과 유
사하게, 여기서도 바울은 하늘로부터 그를 둘러 비추는 큰 빛을 보았
고 그에게 들려오는 소리를 들었지만, 그의 동료들은 단지 부분적인
경험만 한 것으로 묘사된다. 하지만 그들은 이번에는 단지 빛만 보
았을 뿐 바울에게 말하는 소리는 듣지 못했다(행 22:9).

이러한 차이들은 반복을 피하고 청중의 흥미를 불러일으키려는 일
반적인 수사적 관례를 반영한 결과일 가능성이 크지만, 바울의 경험
을 그의 동료들의 경험과 차별화하려고 하는 누가의 노력은 여전히
남아있다. 또한, 그는 하늘의 빛이나 소리의 언급과 같은 꿈-환상
(dream-vision) 용어를 지속해서 사용한다.

그것은 또한, 사도행전 26:12-19에 나오는 다메섹 사건에 대한
바울의 두 번째 이야기에서도 언급된다. 누가는 그것을 분명히 '하
늘에서 보이신 것(하늘로부터 받은 환상)'으로 부른다(19절). 특히 빛
부분이 강조되는데, '하늘로부터 빛'(행 9:3)에서 '하늘로부터 큰
빛'(행 22:6)을 거쳐 '하늘로부터 해보다 더 밝은 빛'(행 26:13)으로
점층적으로 강화된다. 바울의 체험에 대한 이러한 묘사는 예수의 현
현을 예수의 승천까지의 40일 기간으로 제한하는 누가의 연대기적
틀과 일치한다(행 1:6-11).

바울은 예수의 현현이 정해진 기간에 끝났다는 누가의 확신을 공유하는 것처럼 보이지만, 누가와는 달리 자신에게 일어난 일을 그 규칙의 예외로 여겼다. 바울을 둘러 비친 빛에 대한 누가의 묘사가 바울의 실제 체험을 어느 정도까지 반영하고 있는지 말하기는 어렵다. 바울이 역사적 예수를 만난 적이 없으므로 그가 그를 어떻게 인식할 수 있었는지도 여전히 미결의 문제로 남아있다.

2) 고린도전서 15:12-28

바울은 신자들의 부활에 관한 논의에 고린도전서 15장의 나머지 부분을 할애한다. 하지만 그는 예수의 부활과 '그리스도에게 속한 자'의 부활은 분리될 수 없다고 강조한다(고전 15:23). 어떤 사람도 죽은 자의 일반 부활(general resurrection)을 단언하지 않고서는 그리스도가 다시 살아나셨다고 단언할 수 없다는 것이다. 그는 전승 자료의 인용과 부활하신 그리스도와의 만남 및 교회의 박해자로부터 사도로의 전환에 대한 개인적 증언(고전 15:1-11) 이후 곧바로 이 논의를 전개한다.

그리스도께서 죽은 자 가운데서 다시 살아나셨다 전파되었거늘 너희 중에서 어떤 사람들은 어찌하여 죽은 자 가운데서 부활이 없다 하느냐 만일 죽은 자의 부활이 없으면 그리스도도 다시 살아나지 못하셨으리라. 그리스도께서 만일 다시 살아나지 못하셨으면 우리가 전파하는 것도 헛것이요 또 너희 믿음도 헛것이며 또 우리가 하나님의 거짓 증인으로 발견되리니 우리가 하나님이 그리스도를 다시 살리셨다고 증언하였음이

라. 만일 죽은 자가 다시 살아나는 일이 없으면 하나님이 그리스도를 다시 살리지 아니하셨으리라. 만일 죽은 자가 다시 살아나는 일이 없으면 그리스도도 다시 살아나신 일이 없었을 터이요. 그리스도께서 다시 살아나신 일이 없으면 너희의 믿음도 헛되고 너희가 여전히 죄 가운데 있을 것이요 또한, 그리스도 안에서 잠자는 자도 망하였으리니. 만일 그리스도 안에서 우리가 바라는 것이 다만 이 세상의 삶뿐이면 모든 사람 가운데 우리가 더욱 불쌍한 자이리라(고전 15:12-19).

이 단락에서 바울은 예수 부활의 선포에도 불구하고 죽은 자의 부활을 부인한 고린도 교회의 구성원들을 향해 말한다. 바울이 '죽은 자'(문자적으로는 '시신')를 반복해서 언급하는 것을 보면, 그들이 인간의 시신이 다시 살아날 수 있다는 개념을 거부했음을 알 수 있다. 이 점에 대한 그들의 불신은 그레코-로만 세계의 내세에 대한 일반적인 태도를 반영하는데, 그것은 다음과 같은 플루타르크(Plutarch)의 주장에서 매우 깔끔하게 설명된다.

하늘과 땅을 혼합하는 것은 어리석은 일이다.… 그러므로 우리는 선한 사람의 몸을 영혼과 함께 하늘로 보냄으로써 자연(nature)을 위반해서는 안 된다(*Rom.* 28.6, 8).[7]

---

[7] Martin, *Corinthian Body*, 112-17; Jeffrey R. Asher, *Polarity and Change in 1 Corinthians 15: A Study of Metaphysics, Rhetoric, and Resurrection* (HUT 42; Tübingen: Mohr Siebeck, 2000), 92을 보라.

고린도 인의 입장에 대한 바울의 반박은 유형의 사후 생명(embod-ied afterlife)을 기대할 수 있는 그의 유대인적 유산에 깊은 영향을 받았다. 하지만 12-19절에서 전개되는 바울의 논의는 몸과 영혼의 분리 개념에 대한 반대가 아니라(적어도 표면적으로는 아니다), 예수의 부활과 일반 부활의 분리를 가정하는 개념에 대한 반대이다. 이것은 까다로운 해석적인 문제를 제기한다.

고린도 교인들은 예수의 부활에 대한 선포를 받아들이면서도 어떻게 죽은 자의 일반 부활을 부인할 수 있었을까?

하늘과 땅을 혼합하는 것이 어리석은 일이라고 믿었던 청중에게는 후자만큼이나 전자의 경우에도 이의를 제기하지 않았을 것인가?

많은 주석가는 죽은 자의 일반 부활을 부인했던 자들을 예수의 부활을 포함하여 몸의 부활 개념 전체를 거부한 지성적 엘리트에 속한 자들로 추정한다. 이렇게 이해하게 되면, 고린도 교회의 일부 구성원이 예수 부활에 대한 문자적인 해석과 종말에 일어날 일반 부활에 대한 기대를 모두 거부한 셈이 된다.[8]

하지만 이것이 사실이라면 바울은 왜 고린도 교인들에게 자신이 그들에게 선포한 메시지를 굳게 붙잡으라고 격려하거나(2절), 누가 예수의 부활을 선포하든지 간에 너희가 '(이렇게) 믿었다'(11절)라고 말하고 있는가?

---

[8]   예를 들면, Richard B. Hays는 고린도 교인의 입장을 풍부한 상상력으로 다음과 같이 의역한다. '예수의 부활은 하나님께서 진리를 아는 자들의 삶에서 일하시는 영적 변화에 대한 멋진 은유이다. "부활"은 우리가 지혜와 신령한 은사 안에서 경험하는 성령의 능력을 상징한다. 그러나 소생한 시신의 이미지(아나스타시스 네크론 [anastasis nekrōn])는 단지 유치한 근본주의적 신자들을 위한 것일 뿐이다. 신령한 우리는 모두 그것이 혐오스럽다고 생각한다'(*First Corinthians* [Interpretation; Louisville: John Knox Press, 1997], 260).

일부 고린도 교인들의 주장에 나타난 명백한 모순(즉 예수의 부활은 믿지만 죽은 자의 일반 부활을 거부하는 태도)에 접근하는 한 가지 방법은 당시 하층 계급에 인기 있었던 불멸로 '옮겨진'(translated) 그리스의 슈퍼 영웅들(superheroes)에 관한 다양한 이야기를 고려하는 것이다. 예를 들어 플루타르크는 신화 상의 로마 창시자 로물루스(Romulus)의 갑작스러운 실종(disappearance) 전승을 이야기하며 그것을 그리스인들 사이에 유행했던 아리스테아스(Aristeas), 클레오메데스(Cleomedes), 알크메네(Alcmene)의 육체의 실종과 같은 다른 유사한 우화들(fables)과 비교한다(*Rom.* 27.3-28.6). 그는 다음과 같이 지적함으로써 그의 보고를 끝맺는다.

> 그러한 많은 우화는 희한하게도 신성(divinity)을 신적 특징뿐만 아니라 인간 본성의 필사적(mortal) 특징에도 귀속시키는 작가들에 의해 전해진다(*Rom.* 28.6).

고린도 교회의 일부 구성원이 이러한 통속적 신앙을 공유했다면, 그들은 예수의 부활을 일종의 슈퍼 영웅의 불멸로의 육체적 이동(bodily translation)으로 해석했을 수도 있다. 그러한 교인들에게 예수의 부활을 믿는 것은 받아들일 수 있지만, 이것이 평범한 사람들과 그들의 부패하는 시신에 일어날 수 있다고 믿는 것은 개탄스러운 일이었을 것이다.[9]

---

9   고린도 교인들의 견해에 대한 이러한 재구성을 위해서는 Das Øisten Endsjø, 'Immortal Bodies Before Christ: Bodily Continuity in Ancient Greece and 1 Corinthians', JSNT 30 (2008): 417-36을 보라.

고린도 교회의 '부활을 부인하는 자'에 대한 충분히 만족스러운 설명은 없지만,[10] 바울의 논의는 일부 교인들이 어떤 이유에서든 예수의 부활은 기꺼이 받아들였지만 죽은 지 오래된 죽은 자의 몸이 살아나 새로운 생명을 얻을 것이라는 개념은 거부했음을 보여 준다.

이에 대한 반응으로 바울은 귀류법(reductio ad absurdum, 어떤 명제가 참임을 직접 증명하는 대신, 부정 명제가 참이라고 가정하여 그것의 불합리성을 증명함으로써 원래의 명제가 참인 것을 보여 주는 간접 증명법. 배리법이라고도 함-역주)을 사용하여 죽은 자가 살아난다는 믿음 없이, 즉 일반 부활에 대한 믿음 없이 예수의 부활은 선포될 수 없음을 선언한다.

여기서 바울의 수사적 기교가 돋보이긴 하지만, 그의 추론이 완전히 명백한 것은 아니다. 예를 들면 그는 '만일 죽은 자의 부활이 없으면'이라는 (잘못된) 전제가 왜 '그리스도도 다시 살아나지 못하셨으리라'는 (잘못된) 결론으로 이끄는지 설명하지 않는다(고전 15:13). 하지만 보다 면밀하게 조사해보면, 바울 논지의 근본 원리는 예수의 부활이 역사 안에서 고립된 사건이 아니라 죽은 자의 일반 부활의 첫 사건이라는 데 있음을 보여 준다.

---

10 고린도 교인들이 왜 부활을 거부했는지에 대한 정확한 판단은 논쟁의 쟁점으로 남아있다. 예를 들면, A. J. M. Wedderburn, 'The Problem of the Denial of the *Resurrection* in 1 Corinthians XV', *NovT* 23 (1981): 229-41; Karl A. Plank, '*Resurrection* Theology: The Corinthian Controversy Reexamined', *PRSt* 8 (1981): 41-54); Gerhard Sellin, *Der Streit um die Auferstehung der Toten* (FRLANT 138; Göttingen: Vandenhoeck & Ruprecht, 1986), 17-37; Christopher M. Tuckett, 'The Corinthians Who Say "There Is No *Resurrection* of the Dead" (1 Cor. 15, 12)', in *The Corinthian Correspondence* (ed. R. Bieringer; BELT 125; Leuven: Peeters, 1996), 247-75; Joël Delobel, 'The Corinthians' (Un)Belief in the *Resurrection*', in *Resurrection in the New Testament* (eds. Reimund Bieringer, Veronica Koperski and Bianca Lataire; BELT 165; Leuven: Peeters, 2002), 343-55을 보라.

다음 단락의 첫 구절에 언급된 바울의 선언을 빌어 표현하자면, 예수의 부활은 '잠자는 자들의 첫 열매'(고전 15:20)라는 것이다. 이러한 전제하에서만 12-19절의 논의가 이해가 된다.

바울은 20-28절에서 예수가 죽은 자들의 첫 열매라는 이미지에 대한 성경적 근거를 제시한다. 바울은 곡식 수확의 첫 다발을 봉헌하는 유대인의 관습에서 유래한 첫 열매의 은유를 사용하여 고린도 교인들에게 풍성한 수확(죽은 자의 일반 부활)이 반드시 뒤따를 것을 확신시킨다. 이 은유의 주된 기능은 예수의 부활이 그에게 속한 자들의 미래 부활을 약속하거나 보증하는 역할을 한다는 것을 입증하는 데 있다.

더 나아가 바울은 아담과 그리스도를 병치시킴으로써 이 문제를 상세하게 설명한다. 두 인물을 통해 근본적으로 다른 두 개의 조건, 즉 죽음과 죽은 자의 부활이 인류에게 영향을 끼친다. 강조점은 생명과 죽음 간의 단순한 대조가 아니라 죽은 자의 부활을 통한 죽음의 극복에 주어진다. 따라서 바울은 인간 곤경에 대한 종말론적 반전을 선포하지만 동시에 계속해서 인간 존재의 특징이 되는 유한성도 인정한다.

그는 또한, '아담 안에서'와 '그리스도 안에서'라는 표현을 병치시킴으로써 아담-그리스도 유형론의 통합적 의미도 분명히 표현한다. 전자는 '아담 안에서 모든 사람이 죽기' 때문에(고전 15:22a) 인류 전체를 포함한다. 하지만 후자는 '그리스도에 속한 자'(고전 15:23)만 포함한다. 이 개념은 바울의 바리새인적 세계관에 필수적이었던 의인의 부활을 기대하는 유대인의 전통과 일치한다. 예수 자신을 포함한 모든 사람은 아담으로부터 내려와서 죽어야 하지만, 오직

'그리스도 안에' 있는 자들만이 죽은 자의 일반 부활 때 다시 살아날 것이다.

첫 열매의 은유는 또 다른 목적, 즉 하나의 종말론적 사건을 두 개의 분리된 사건―이미 일어난 그리스도의 부활과 아직 미래에 일어날 성도들의 부활―으로 구분하는 결과를 명확하게 하는 데도 기여한다. 고린도전서 15:23-28에서 바울은 예수의 부활과 함께 작동하기 시작한 미래의 윤곽을 제공한다. 그는 질서정연하게 일어날 세 가지 주요 사건을 확인한다.

첫 번째 사건은 바울이 첫 열매의 은유로 묘사하는 예수의 부활이다.

두 번째 사건은 그리스도에게 속한 자들의 부활인데 그것은 그가 오실 때 일어날 것이다.

세 번째 사건은 마지막인데, 그리스도가 "모든 통치와 모든 권세와 능력을 멸하시고 나라를 아버지 하나님께 바칠"(고전 15:24) 때이다.

26절에서 바울은 "맨 나중에 멸망 받을 원수는 사망이니라"라고 설명한다. 그의 표현에 몇 가지 모호한 점이 있음에도 불구하고 죽음의 멸망은 아마도 그리스도의 파루시아(재림/parousia) 때 일어날 죽은 자의 부활을 언급할 가능성이 크다. 여기서 또다시 바울은 그리스도의 부활을 통한 죽음의 최초의 패배에도 불구하고 계속해서 인간 존재의 특징이 되는 유한성(finitude)을 인정한다. 그러나 그는 그리스도에 속한 자들이 죽은 자 가운데서 살아날 때 이 승리의 완성을 기대한다.

3) 고린도전서 15:35-58

바울은 이 단락을 두 개의 질문으로 시작한다.

"죽은 자들이 어떻게 다시 살아나며 어떤 몸으로 오느냐?"

이 두 질문은 죽은 자의 부활에 관한 것이 분명하지만, 이 지점까지 예수의 부활과 성도의 부활이 불가분의 관계에 있다는 바울의 강렬한 논지를 감안하면, 미래에 있을 부활의 몸에 관한 바울의 모든 언급은 또한 예수의 부활에도 적용된다.

첫 번째 질문에 대한 바울의 대답은 비교적 간결하다.

> 네가 뿌리는 씨가 죽지 않으면 살아나지 못하겠고 또 네가 뿌리는 것은 장래의 형체를 뿌리는 것이 아니요. 다만 밀이나 다른 것의 알맹이뿐이로되 하나님이 그 뜻대로 그에게 형체를 주시되 각 종자에게 그 형체를 주시느니라(고전 15:36-38).

바울은 농사의 비유—씨 뿌림과 씨로부터 성장하는 식물—를 사용하여 생명의 회복이 오직 하나님의 행위를 통해서만 온다고 설명한다. 그는 각종 씨가 특정한 종류의 식물로 자라야 한다고 주장하지도 않고, 인간의 영혼을 지상의 몸과 부활한 몸 사이의 잠재적인 연결고리로 언급하지도 않는다.

36절에서 '살아나다'(come to life)라는 동사의 NRSV 역의 번역은 씨가 새로운 식물로 자라날 고유한 능력을 갖추고 있다는 잘못된 인상을 준다. 신약성경에서 일반적으로 죽은 자를 살게 한다는 의미로 사용되는 헬라어 동사 '살리다'(to make alive)는 신적 행동을 가리키는 [신적] 수동태로 되어있다. 씨가 죽으면 오직 하나님만이 그것을 다시 살릴 수 있다는 것이다.

바울은 또한 지상의 몸과 부활한 몸의 구별을 강조한다. 그는 한편으로는 지상의 몸이 '장래의 형체'(장차 생겨날 몸/the body that is to be)가 아니고, 다른 한편으로는 새로운 몸은 '하나님이 그 뜻대로 … 주시는' 몸이라고 진술함으로써 이러한 구별을 강하게 고수한다. 바울은 '형체'(몸/body)라는 용어를 사용하여 죽음 이전의 존재와 죽음 이후의 존재를 모두 묘사하고 있으므로 유형의 생명(embodied life) 개념이 죽음에 의해 분리된 이 두 단계 사이의 개념적 연결고리의 기능을 한다.

그러나 이 단락에서 바울은 이러한 두 유형의 생명 간의 연속성이 아니라 불연속성에 관심이 있다. 심지어 둘 사이의 연관성을 거의 지워버릴 정도이다. 그의 논지는 새로운 몸을 선택하실 수 있는 하나님의 자유에 너무 초점을 맞추고 있어서 본문에 나타나는 유일한 연속성은 하나님에 의해 보증된 연속성뿐이다.

하지만 바울의 수사적 강조점을 보고, 하나님께서 무로부터(*ex nihilo*), 즉 지상의 몸의 어떠한 관여도 없이 새로운 몸을 창조하실 것이라고 그가 믿었다고 판단하는 것은 잘못된 일일 것이다. 이는 로마의 청중을 위해 기록된 요세푸스의 바리새파에 대한 묘사를 보고, 바리새인이 부활 때 의인의 영혼은 새로운 몸과 결합하지만, 지상의 몸은 여전히 무덤에 남아있다고 믿었다고 판단하는 일이 잘못인 것과 같은 이치이다.

두 번째 질문에 대한 바울의 대답은 39절에서 시작한다. 여기서는 교인들에게 인간의 육체(살/flesh), 동물의 육체, 새의 육체 그리고 물고기의 육체와 같은 다양한 종류의 육체가 있다는 점을 상기시킨다. 이러한 논증은 40-41절에서도 계속된다. 여기서는 먼저 하늘의 몸과 땅의 몸의 차이점에 주의를 환기한 후 그 둘 사이의 비유사성의 한 측면, 즉 다른 영광에 초점을 둔다. 즉 바울의 논의는 하늘과 땅 사이의 양극성(polarity)을 가정하는 일반적인 헬레니즘 우주론을 반영하지만, 그의 강조점은 하늘의 형체(몸)와 땅의 형체(몸) 각 그룹 내의 다양한 범주에 들어간다.

또한, 바울이 지상의 존재를 묘사할 때만 '육체'(살/flesh)의 범주를 사용한다는 점에 주목하는 것이 중요하다(39절). 천상의 존재는 '육체'를 갖지 않고 오직 '형체'(몸)만을 가진다. 이러한 구별은 결코 '육(체)적인 것으로'(fleshly) 묘사되지 않는 부활한 몸(bodies)에 대한 바울의 이해를 위해 필수적이다.

42절에서 바울은 마침내 다양한 종류의 몸에 관한 그의 진술이 죽은 자의 부활에 대한 유비로 작용한다고 설명함으로써 이 단락의 중심 문제로 되돌아간다. 그는 이제 지상의 몸(심어진 것)과 부활한 몸(다시 살아나는 것)의 차이를 설명하기 위해 대조되는 일련의 쌍을 제공한다. 즉 썩을 것과 썩지 아니할 것, 욕된 것과 영광스러운 것, 약한 것과 강한 것, 육의 몸(physical body)과 신령한 몸(spiritual body) 등이 그것이다. 바울은 마지막에 언급된 쌍에 대해서만 타당한 이유를 제공한다.

> 육의 몸이 있은즉 또 영의 몸도 있느니라 (고전 15:44b절).

이러한 단언은 반대편의 존재가 그 상대방의 존재를 요구한다는 가정에 근거한다.

'육의 몸'(physical body)과 '신령한 몸'(spiritual body)이란 표현의 기원과 의미에 대해서는 논란이 많다. 많은 학자는 '혼(soul)에 의해 살아 움직이는 몸'(the body animated by the soul)과 '영(spirit)에 의해 살아 움직이는 몸'(the body animated by the spirit)이라는 표현을 더 선호한다. 왜냐하면, 그 표현이 헬라어 용어의 의미를 더욱 잘 전달하기 때문이다. 그것은 어떤 것이 무엇으로 구성되었는가(what something is *composed of*)가 아니라 그것이 무엇에 의해 살아 움직이는가(what it is *animated by*)를 묘사한다.[11]

혼에 의해 살아 움직이는 몸과 영에 의해 살아 움직이는 몸으로 표현하게 되면, '신령한 몸'에 대한 바울의 개념이 비육체적(non-physical/비물질적[nonmaterial]) 몸을 가리킨다는 현대의 오해도 예방해 준다. 이러한 용어를 설명하기 위해 바울은 성경적 이미지를 사용하여 혼에 의해 살아 움직이는 몸을 예시하는 첫 사람 아담과 영에 의해 살아 움직이는 몸을 예시하는 마지막 아담을 나란히 둔다.

> 기록된바 첫 사람 아담은 생령이 되었다 함과 같이 마지막 아담은 살려 주는 영이 되었나니 그러나 먼저는 신령한 사람이 아니요. 육의 사람이요 그다음에 신령한 사람이니라. 첫 사람은 땅에서 났으니 흙에 속한 자이거니와 둘째 사람은 하늘에서 나셨느니라. 무릇 흙에 속한 자들은 저 흙에 속한 자와 같고 무릇 하늘에 속한 자들은 저 하늘에 속한 이와 같으니 우리가 흙에 속한 자의 형상을 입은 것 같이 또한, 하늘에 속한 이의 형상을 입으리라 (고전 15:45-49).

---

11 Wright, *The Resurrection of the Son of God*, 352.

첫 사람 아담에 대한 바울의 진술은 꽤 단순한 편이다. 그는 창세기 2:7c을 인용하여 시작하는데, 거기서는 하나님이 땅의 흙(dust of ground)으로 사람을 지으시고 그 코에 생기(생명의 숨결/breath of life)를 불어 넣으신 후 어떻게 살아 있는 존재가 되었는지를 설명한다.

NRSV 역에서 '살아 있는 존재'(living being)로 번역된 구문의 문자적 의미는 '살아 있는 혼'(living soul, 개역개정에는 '생령'으로 번역-역주)이다. 헬라어 용어들이 정확하게 번역될 때만이 영어권 독자는 '혼에 의해 살아 움직이는 몸'(the body animated by the soul)이라는 표현과 첫 사람 아담을 '살아 있는 혼'(living soul)으로 표현한 바울의 진술 간에 언어적이고 개념적인 연관성을 인식할 수 있다.

하지만 첫 사람 아담에 대한 바울의 모든 진술은 살아 있는 혼으로서의 그의 정체성을 다루는 것이 아니라, 흙으로 지음 받은 피조물로서의 정체성을 다룬다. 이 짧은 단락에서 자그마치 세 번에 걸쳐 아담은 '흙의 사람'이라 불린다(개역개정에는 '흙에 속한 자'로 번역-역주). 바울이 인간 정체성 중 이러한 측면에 초점을 둔 것은 '혼에 의해 살아 움직이는 몸'이란 표현이 그에게는 주로 몸의 일시적인 특성 즉 필사성(mortality)을 가리킨다는 점을 말해준다.

마지막 아담에 대한 바울의 진술은 좀 더 복잡하다. 바울은 "마지막 아담은 생명을 주는 영(life giving spirit, 개역개정에는 '살려주는 영'으로 번역-역주)이 되었다"고 선언함으로 신령한 몸(spiritual body)에 대한 설명을 시작한다. 45절의 '기록된 바'라는 도입 부분은 이 진술이 앞에 언급된 창세기 2:7c의 경우처럼 성경으로부터 온 것임을 암시하지만, 그러한 구약 인용문은 어디에서도 찾아볼 수 없다.

바울이 암시하는 본문(들)을 재구성하기는 쉽지 않다. "마지막
아담은 생명을 주는 영이 되었다"라는 선언은 일반적으로 창세기
2:7b('[하나님이] 생기를 그 코에 불어 넣으시니')에 근거한 바울의 자유로
운 번역으로 간주한다. 하지만 이러한 설명은 용어상의 문제와 개념
상의 문제를 제기한다.

바울은 왜 '생기'(breath of life)라는 용어를 '생명을 주는 영'으로 바
꾸고 있는가?

더욱이 바울이 마지막 아담을 첫 사람의 생명 없는 몸에 생명을 준
하나님의 숨결과 연관시킨다면, 46절에서 어떻게 다음 구절에서 신
령한 것(아마도 신령한 몸을 가리킬 것이다. 개역개정에는 '신령한 사람'으
로 번역-역주)이 육의 것(아마도 육체적인 몸, 즉 혼에 의해 살아 움직이는
몸을 가리킬 것이다. 개역개정에는 '육의 사람'으로 번역-역주)보다 먼저가
아니라 나중이라고 말할 수 있는가?

만일 창세기 2:7만이 바울 진술의 해석적 틀을 제공한다면, 왜 바
울의 순서(먼저 육의 것, 그다음에 신령한 것)가 창세기의 형태(먼저 신령
한 것, 그다음에 육의 것)를 완전히 뒤바꾸고 있는지 설명하기가 쉽지
는 않다. 몸의 두 가지 형태에 대한 바울의 연대기적 순서 이해가 첫
사람 아담과 마지막 아담(부활하신 예수)이 인간 역사 안에 나타난 순
서를 반영한다는 점은 의심의 여지가 없다.

그러나 바울이 자신의 주장을 뒷받침하기 위해 중요하게 제공하는
석의적 추론을 어떻게 설명할 수 있을까?

바울의 석의 작업은 죽은 자의 부활을 새 창조로 이해하는 유대인
전승의 흐름 내에서 파악할 때만 이해가 된다. 태초(Urzeit)와 종말
(Endzeit)의 상호관계는 유대인의 종말론적 소망의 공통된 신조이지만

죽은 자의 부활을 창세기의 창조 이야기의 관점에서 해석하는 작업은 마카비2서 7:22-23; 14:46, 에스겔 위서, *Gen. Rab.* 14:5에서 가장 현저하게 나타난다. 이러한 본문의 저자들은 정기적으로(명시적으로든 암시적으로든) 에스겔의 마른 뼈 환상을 언급하는데, 그것을 몸의 부활의 문자적인 묘사로 해석한다.

유대 문헌의 이러한 구절들은 고린도전서 15:45b와 관련된다. 왜냐하면, '생명을 주는'이라는 분사가 신약 문헌에서 전형적으로 죽음으로 종결된 생명의 회복을 의미하는 헬라어 동사로부터 파생되었기 때문이다(예컨대, 요 5:21; 롬 4:17; 8:11; 고전 15:21-22; 벧전 3:18). 이러한 점들을 고려할 때, 마지막 아담이 생명을 주는 영이 되었다는 바울의 선언은 창세기 2:7에 언급된 흙에 속한 피조물을 살아 움직이게 한 생기(생명의 숨결)보다는 오히려 에스겔 37:5-14에 언급된 생명의 영에 의한 죽은 자의 부활을 가리킬 가능성이 크다.

NRSV 역 및 다른 영어 번역들이 에스겔 37장의 영(spirit)에 대한 거의 모든 언급을 '숨결'(breath, 5, 6, 8, 9, 10. 개역개정에는 '생기'로 번역-역주)로 번역하는 경향은 죽은 자의 부활을 새 창조로 해석하는 견해를 지지해주긴 하지만, 처음 사람 아담과 마지막 아담에 대한 바울의 논의가 의도하는 최초의 생명 부여와 죽음으로 종결된 생명의 회복 사이의 차이를 모호하게 한다. 바울의 석의 작업은 예수의 부활과 함께 죽은 자의 종말론적 부활이 시작되었다고 추정한다. 마지막 아담으로서 그리스도는 그를 통해 죽은 자들이 다시 살아날 것이기 때문에 생명을 주는 영이 되었다.

이어지는 다음 논의(고전 15:47-49)에서 바울은 계속해서 창세기 1-2장의 이미지를 사용하여 아담과 그리스도의 차이를 분명하게 표

현한다. 여기서 그 두 인물은 '첫 사람'과 '둘째 사람' 또는 '흙에
속한 자'(the man of dust)와 '하늘에 속한 이'(the man of heaven)로 불
린다. 이 부분에서 가장 어려운 문제는 '하늘에 속한 이'라는 표현
의 의미이다.

여기서 '하늘'이라는 용어는 부활하신 그리스도의 몸이 만들어진
'재료'(stuff)를 의미하는가, 아니면 그의 천상의 기원/거주를 의미
하는가 아니면 그 밖의 다른 의미가 있는가?

많은 학자는 두 번째 견해를 선호한다. 왜냐하면, 한편으로는 이
견해가 '모든 원수를 그 발아래에 둘 때까지 반드시 왕 노릇 하셔야'
하는(고전 15:25) 부활하신 그리스도의 현 거처에 대한 바울의 묘사와
일치하기 때문이고, 다른 한편으로는 다음과 같이 빌립보서 3:20-21
에 있는 바울의 언급 때문이다.

> 우리의 시민권은 하늘에 있습니다. 그것으로부터 우리는 구주로 오실
> 주 예수 그리스도를 기다리고 있습니다. 그분은 만물을 복종시킬 수 있
> 는 권능으로 우리의 비천한 몸을 변화시켜서 자기의 영광스러운 몸과
> 같은 모습이 되게 하실 것입니다(빌 3:20-21, 표준새번역 개정판).

여기서 바울의 주요 목적은 다른 곳에서와 마찬가지로 아담과 그
리스도가 다른 사람들에게 끼친 영향을 표현하는 데 있다. 그것은
이 단락의 마지막 구절에서 분명하게 표현되어 있다.

> 우리가 흙에 속한 자의 형상을 입은 것 같이 또한, 하늘에 속한 이의 형
> 상을 입으리라(고전 15:49).

다시 말해서 바울은 우리가 모두 반드시 죽을 몸을 가진 것처럼, 때가 되면 우리 역시 그리스도의 부활한 몸을 본뜬 불멸의 몸을 갖게 될 것이라고 선언한다.

바울은 "혈과 육은 하나님 나라를 이어받을 수 없고 또한, 썩는 것은 썩지 아니하는 것을 유업으로 받지 못하느니라"(고전 15:50)라고 강하게 선언함으로써 35-49절에서 펼쳐진 그의 논의를 마무리한다. 이 진술은 바울이 당시 통용되던 헬레니즘의 우주론과 일반적으로 일치하고 있음을 확인시켜 주지만, 그의 논의는 오히려 몸의 부활이라는 유대인의 내세 개념을 변호하기 위해 땅의 실체와 하늘의 실체를 구별하고 있음을 보여 준다.

51-57절에 나오는 바울의 마지막 진술은 어떤 새로운 논의를 도입하는 것이 아니라 이전의 논의에 나온 몇 가지 요점을 분명히 하고 죽음에 대한 궁극적인 승리를 선언한다.

보라 내가 너희에게 비밀을 말하노니 우리가 다 잠잘 것이 아니요. 마지막 나팔에 순식간에 홀연히 다 변화되리니 나팔 소리가 나매 죽은 자들이 썩지 아니할 것으로 다시 살아나고 우리도 변화되리라. 이 썩을 것이 반드시 썩지 아니할 것을 입겠고 이 죽을 것이 죽지 아니함을 입으리로다. 이 썩을 것이 썩지 아니함을 입고 이 죽을 것이 죽지 아니함을 입을 때에는 사망을 삼키고 이기리라고 기록된 말씀이 이루어지리라. 사망아 너의 승리가 어디 있느냐 사망아 네가 쏘는 것이 어디 있느냐 사망이 쏘는 것은 죄요 죄의 권능은 율법이라. 우리 주 예수 그리스도로 말미암아 우리에게 승리를 주시는 하나님께 감사하노니 (고전 15:51-57).

이 지점까지 해결되지 않은 한 가지 문제는 지상의 몸과 부활한 몸의 관계였다. 바울이 둘 사이의 차이점을 설명하는 데 너무 집중해서 독자들은 이 두 가지 유형의(embodied life) 생명 사이에 어떤 연관성도 없다는 인상을 받았을 수도 있다. 그는 이제 "혈과 육은 하나님 나라를 이어받을 수 없다"(고전 15:50)라는 진술로 남겨질 것이 아니라 불멸의 몸으로 변화될 것이라는데 그의 논지가 있음을 분명히 밝힌다.

그는 종말에 있을 이러한 변화를 경험할 두 그룹을 마음속에 그린다.

첫 번째 그룹: 썩지 아니할 것으로 다시 살아날 죽은 자들
두 번째 그룹: '순식간에'(눈 깜박할 사이에) 변화될 살아있는 자들

바울은 이 변화를 서술하기 위해 '옷 입기'의 이미지를 사용하지만, 이러한 변화의 특성은 덜 명확하다.

예를 들어 바울은 살과 피 같은 인간 몸의 썩을 요소가 썩지 아니할 요소로 변화될 것을 기대하는가 아니면 그것들이 제거되고 썩지 아니할 요소로 대체될 것을 기대하는가?

어느 쪽이든 부활한 몸에 대한 바울의 전반적인 묘사와 일치한다.

그는 이러한 변화의 역학(mechanics)에 관심이 있는 것이 아니라 단지 그러한 변화가 일어날 때, 즉 '이 썩을 것이 썩지 아니함을 입고 이 죽을 것이 죽지 아니함을 입을 때에는'(고전 15:54a) 죽음이 마침내 패배할 것이라는 사실에만 관심이 있다.

3. 요약과 결론

예수의 부활과 관련된 신약성경 최초의 언급들은 간략한 공식구적 진술들(formulaic statements)이다. 그것들은 하나님이 예수를 죽은 자 가운데서 살리셨다고 선포하거나(능동적 표현) 아니면 예수가 죽은 자 가운데서 다시 살아나셨다고 단언한다(신적 행위를 전제하는 신적 수동태). 이러한 선언들은 경험적 진술이 아니다. 오히려 그것들은 생명을 창조하시고 회복하시는 하나님의 능력이 예수를 죽은 자 가운데서 살리실 때 나타났다고 하는 기독교적 확신을 표현하는 믿음의 진술이다.

이러한 초기 공식 문구에는 사흘(셋째 날)에 대한 언급도 포함된다. 하지만 예수가 사흘 만에 살아나셨다는 고백은 연대적 진술이 아니라 신학적 진술이다. 그 진술의 목적은 하나님의 감추어진 행위를 시간의 흐름 속에 두려는 것이 아니라 예수의 부활이 일반 부활의 시작이라는 것을 단언하는 데 있다. 이러한 결론은 '셋째 날에'라는 구문을 통상적으로 시대의 전환기에 일어날 죽은 자의 부활에 대한 언급으로 사용하는 랍비 문헌 및 탈굼 문헌의 호세아 6:2에 대한 해석에 근거한다.

이러한 기본 확신은 바울 서신에서 더욱 상세하게 서술된다. 고린도전서 15장에 나타난 그의 주된 논지는 부활이 두 단계로 진행된다는 것이다. 즉 먼저는 예수의 부활이, 그다음에 성도의 부활이 일어난다는 것이다.

이처럼 하나의 공동의 종말론적 사건을 두 개의 사건—예수가 죽은 자 가운데서 살아나셨을 때 이미 일어난 사건과 그리스도 안에 있는 모든 사람이 살아나게 될 미래의 사건—으로 구분한다는 점이

전통적인 부활 소망에 대한 바울의 주요한 수정이다.

초기 기독교 고백의 공식구는 처음부터 예수의 부활을 죽은 자의 일반 부활의 시작으로 간주했음을 보여 준다. 그러나 이러한 개념을 성경의 기독론적 해석에 근거한 신학적 성찰을 통해 더욱 발전시키고 강화한 사람은 바울이었다.

부활한 몸을 영에 의해 살아 움직이는 몸으로 이해하는 바울의 해석은 그의 바리새인적 유산과 연속선 상에 놓여있지만, 바리새파의 믿음에 대한 1세기 증거가 부족한 상태를 감안할 때 그가 죽기 이전의 몸과 죽은 이후의 몸 사이의 연관성에 대한 그들의 이해를 어느 정도까지 수정했는지 말하기는 어렵다.

그가 그들과 분명하게 공유한 점은 부활이 의인에 대한 하나님의 보상이라는 믿음이었다. 그의 견해로는 의인이란 그리스도에 속한 사람들을 가리키지만 말이다. 그러나 바울의 종말론적 비전은 신자에게 초점을 두고 있지만, 보편적(universal) 차원을 지닌다. 즉 종말에 기대되는 부활은 이미 예수의 부활과 함께 시작된 죽음에 대한 궁극적인 승리를 의미할 것이다.

제3장

빈 무덤 발견에 관한 내러티브

빈 무덤 발견에 대한 기록은 네 개의 복음서 모두에서 찾을 수 있다. 각각의 경우에 빈 무덤 이야기는 예수의 십자가 죽음과 매장 이야기 뒤에 나온다. 최초의 복음서로 알려진 마가복음의 저자는 산헤드린(공회)의 존경받는 일원인 아리마대 요셉이 빌라도로부터 죽은 예수를 장사 지내도록 허락을 받았다고 이야기한다. 그는 예수의 시신을 세마포로 싸서 바위를 깎아 만든 무덤에 넣어두고 돌을 굴려 입구를 막았다.

마가는 또한, 예수의 매장 모습을 여인들이 목격했다고 덧붙이는데, 이는 아마 그 여인들이 무덤이 어디에 있었는지 정확하게 알고 있었음을 지적하기 위함이었을 것이다. 그 여인들은 이틀 후 다시 무덤에 찾아왔고 그것이 비어 있는 것을 발견했다(막 15:42-47). 이 이야기의 기본 윤곽은 다른 복음서에서도 발견되지만, 그것들은 매장의식을 치장하는 경향을 보여 준다.

마태복음은 예수의 시신을 두른 세마포 옷이 깨끗했고, 무덤은 요셉의 소유로 새것이었으며 입구를 막은 돌이 크다고 덧붙였다(마

27:59-61). 누가는 예수의 시신이 매장된 무덤에 어느 사람도 누운 적이 없음을 분명하게 밝힌다(눅 23:53).

공관복음이 모두 예수가 제대로 향료도 바르지도 못한 채 급하게 매장되었다(그것은 여인들이 왜 안식일이 끝난 후 무덤에 왔는지를 설명해준다)고 지적하지만, 요한복음의 저자는 예수의 비밀스러운 두 제자였던 아리마대 요셉과 니고데모가 공동으로 예수를 위해 왕실의 고위관리에 걸맞은 장례를 준비했다고 서술한다. 그들은 몰약과 침향 섞은 것을 백 리트라(약 34킬로그램)쯤 가져왔고 예수의 시신을 향품과 함께 세마포로 쌌으며, 가까운 동산에 있는 아직 아무도 장사한일이 없는 새 무덤에 눕혔다(요 19:38-42).

마태복음, 누가복음, 요한복음에서는 빈 무덤 발견 이야기 다음에 예수의 현현 이야기가 뒤따른다. 그러한 보고를 갑자기 중단하는 마가복음에서조차 무덤 안에 있던 흰 옷을 입은 청년이 여인들에게 갈릴리에서 부활한 예수를 볼 것이라고 공지한다(막 16:7).

이 내러티브의 순서(예수의 장사-빈 무덤 발견-부활 이후 예수의 현현)는 무덤에서 사라졌다가 그 후 무덤 밖에(그것이 예루살렘 부근이든 갈릴리든) 나타났던 몸이 동일한 몸임을 강력하게 암시한다. 하지만 이러한 내러티브의 순서가 없으면 이 빈 무덤 내러티브의 의미는 모호하고 당혹스러운 채로 남아있다. 이러한 모호함과 당혹스러움은 특히 마가복음에 나오는 빈 무덤 발견의 초기 기록에서 분명하게 나타난다.

1. 마가복음

마가는 세 명의 여인들―막달라 마리아, 야고보의 어머니 마리아, 살로메―이 어떻게 안식 후 첫날(on the first day of the week) 무덤에 와서 무덤이 빈 것을 발견하게 되었는지를 보고함으로써 복음서를 끝내는 유일한 저자이다. 예수가 베드로와 다른 제자들에게 어떻게 나타났는지를 보여 주는 어떤 이야기도 없다. 다만 그러한 예수 현현이 공지만 되었을 뿐이다.

예수가 죽은 자 가운데서 살아나셨다는 흰 옷 입은 한 청년의 기쁜 소식에도 불구하고 그 여인들은 몹시 놀라 떨며 무덤에서 도망했다. 또한, 갈릴리에서 다시 만날 것이라고 제자들과 베드로에게 전하라는 예수의 명령에도 불구하고 그 여인들은 무서워서 아무에게 아무 말도 하지 못했다.

16:8에서 여인들의 침묵과 두려움에 대한 언급과 함께 현존하는 마가복음의 본문은 이렇게 갑작스럽게 끝이 난다. 최초의 마가복음 사본들이 예외 없이 이유를 밝히는 절("왜냐하면, 그들이 무서웠기 때문이다")로 끝나고 있다는 사실―그 뒤에 무언가를 추가하지 않고―는 마가복음의 결말 부분을 잃어버렸을 가능성을 감소시킨다.

이 복음서의 현존하는 가장 초기의 신뢰할 만한 사본들에는 없는 이른바 마가복음의 더 긴 결말 부분(16:9-19)은 마가복음의 뜻밖의 결말을 다른 복음서의 현현 내러티브와 조화시키고 보충하고자 하는 후대 필사자의 추가이다.

안식일이 지나매 막달라 마리아와 야고보의 어머니 마리아와 또 살로메가 가서 예수께 바르기 위하여 향품을 사다 두었다가 안식 후 첫날 매우 일찍이 해 돋을 때에 그 무덤으로 가며 서로 말하되 누가 우리를 위하여 무덤 문에서 돌을 굴려 주리요 하더니 눈을 들어본즉 벌써 돌이 굴려져 있는데 그 돌이 심히 크더라. 무덤에 들어가서 흰 옷을 입은 한 청년이 우편에 앉은 것을 보고 놀라매 청년이 이르되 놀라지 말라 너희가 십자가에 못 박히신 나사렛 예수를 찾는구나. 그가 살아나셨고 여기 계시지 아니하니라. 보라 그를 두었던 곳이니라. 가서 그의 제자들과 베드로에게 이르기를 예수께서 너희보다 먼저 갈릴리로 가시나니 전에 너희에게 말씀하신 대로 너희가 거기서 뵈오리라 하라 하는지라. 여자들이 몹시 놀라 떨며 나와 무덤에서 도망하고 무서워하여 아무에게 아무 말도 하지 못하더라(막 16:1-8).

마가복음의 빈 무덤 발견 이야기에서 안식 후 첫째 날 예수를 매장한 장소에 온 여인들은 멀리서 예수의 십자가 처형을 목격한 세 여인과 동일 인물이었다(막 15:40). 그들 중 두 사람—막달라 마리아와 야고보 및 요셉의 어머니 마리아—은 또한, 예수의 매장도 지켜보았다(15:47). 그들이 무덤에 도착했을 때, 도중에 염려했던 돌은 이미 굴려져 있었다. 굴려져 있는 돌의 위치는 시신이 더 이상 거기에 없다는 것을 즉각적으로 암시했다. 하지만 시신이 거기 없다는 설명은 마가복음의 화자(narrator)가 아니라, 여인들이 무덤에 들어갔을 때 보았던 흰옷을 입은 한 청년에 의해 전해진다.

마가가 그를 천사로 소개하지는 않지만, 천상의 메신저로서의 그의 역할을 지적하는 몇 가지 실마리를 제공한다. 유대 문헌에서 천사는 때때로 빛나는 옷을 입은 청년으로 묘사된다(마카비2서 3:26, 33-34; 단 8:15-16; 토비트 5:9; 요세푸스, *Ant.* 5.277, 279). 흰옷을 입은 청년을 보고 놀라는 여인들의 반응은 그들이 그를 천상의 사자로 인식했다는 것을 나타낸다.

가장 중요한 점은 그의 메시지가 두 개의 주요 단언으로 이루어진 신적 계시를 전했다는 것이다.

첫째, 십자가에 못 박히신 나사렛 예수가 살아나셨다.

둘째, 부활하신 예수는 그의 제자들과 베드로보다 먼저 갈릴리로 가서 전에 그들에게 말씀하신 대로 거기서 그들을 만날 것이다.

예수가 죽은 자 가운데서 살아나셨다는 첫 번째 단언은 빈 무덤의 의미를 선포하는 기능을 한다. 그 신적 사자는 부활하신 분을 '십자가에 못 박히신 나사렛 예수'로 밝힘으로써 예수의 십자가형과 예수 부활의 연속성을 확립한다. '그가 살아나셨다'(he has been raised)라는 수동태(신적 수동태-역주)를 사용한 것은 부활이 하나님의 행위임을 암시한다.

그가 '여기 계시지 아니하니라'는 단언은 예수의 시신이 다시 살아났다는 것을 분명히 한다. 하지만 고대에는 몸의 사라짐을 이런 식으로 해석하는 방식은 거의 기대할 수 없었다. 그러한 현상에 대한 당시의 가장 일반적인 설명은 외관상 죽은 것처럼 보이는 사람의 소생, 무덤 강도들에 의한 시신 도난, 다른 무덤으로의 시신 이동이었다.

실제로 이러한 가능성 중 일부는 복음서에서 고려되어 반박되고 있다(제자들의 도난[마 28:11-15]; 무덤 강도들의 도난[요 20:2, 13]; 다른 무덤으로 옮김[요 20:15]). 시신의 사라짐이 신의 개입과 연관되는 경우 그레코―로만 세계에서 가장 가능성 높은 설명은 한 사람을 천상의 영역으로 옮겨놓는 것이었다.

가장 잘 알려진 사례 중 하나는 아프로디시아스의 카리톤(Chariton of Aphrodisias)이 A.D. 1세기에 기록한 소설 카이레아스와 칼리로에 (*Chaereas and Callirhoe*)에서 찾을 수 있다. 카이레아스의 신부 칼리로에 가 죽었을 때, 그녀는 호화롭게 장사 되었다. 밤 동안 무덤 강도들이 죽은 소녀와 함께 묻힌 보물을 훔치려고 무덤 문을 열었다.

그러나 그들이 막 침입했을 때 그녀가 소생했으므로(그녀가 실제로 는 죽지 않기 때문에) 그녀도 함께 데리고 갔다. 다음 날 아침 슬픔에 찬 남편이 그녀의 무덤에 왔을 때 무덤이 열리고 비어 있는 것을 발견했다. 그 순간 그에게 가장 먼저 떠오른 생각은 칼리로에가 소생 했거나 무덤 강도에게 잡혀간 것이 아니라 신들에 의해 끌려갔다는 것이었다.

> 그때 카이레아스는 칼리로에가 비록 죽었지만, 그녀를 다시 한번 보 기 위해 무덤 안으로 들어가려고 결심했다. 그러나 무덤을 자세히 살폈지만, 아무것도 찾을 수 없었다. 다른 많은 사람이 쉽사리 믿지 못하여 그들 따라 들어갔다. 모든 사람이 당황했으며, 안에 들어간 사람 중 한 사람이 이렇게 말했다.
> "장례 예물이 도난당했다. 이것은 무덤 강도들의 소행이다."
> "그러나 시신은 어디에 있는가?"

사람들은 다양한 추측을 하였다. 그러나 카이레아스는 하늘을 쳐다보고 손을 뻗어 이렇게 말했다.

"어느 신이 나의 경쟁자가 되어 그녀를 끌고 가서 그녀의 의지와는 반대로 억지로 그녀를 데리고 있는가?.… 아니면 내가 알지 못한 채로 여신을 아내로 삼았고 그래서 그녀는 우리 인간보다 탁월한 존재였을까?"(Chariton, *Chaer.* 3.3.3-5; Goold, LCL)

물론 이러한 해석도, 또 사라진 시신이 죽은 자 가운데서 다시 살아났다는 개념도 1세기 유대인에게는 익숙하지 않았을 것이다. 그 이유는 유대인의 내세에 대한 대중적인 믿음을 고려할 때 몸의 부활이라는 특이함 때문이 아니라 그것의 개별성 및 타이밍 때문이었다.

죽은 자의 부활은 결코 일상 중에 일어날 수 있는 단독적인 사건으로 상상되지 않았다. 그것은 항상 종말에 일어날 공동의 사건으로 상상되었다. 그러므로 마가의 내러티브에 언급된 여인들과 그의 복음서 독자들 모두에게 빈 무덤 발견은 많은 것을 의미할 수 있었을 것이지만, 그중 가능성이 가장 적은 것이 예수가 죽은 자 가운데서 다시 살아나셨다는 개념이었을 것이다.

이 이야기에 대한 마가의 버전은 다른 어떤 복음서보다 이러한 결론의 비현실성(unlikelihood)을 날카롭게 강조한다. 천상의 사자로부터 예수의 부활에 대한 좋은 소식을 들은 후에도 여인들은 당황하며 무덤을 떠났다.

"왜냐하면, 놀람과 떨림이 그들을 사로잡았기 때문이었다"(8절, 역자 직역).

이러한 점들을 고려해야 함에도 천사의 메시지는 빈 무덤의 모호성을 제거하고 특별한 의미―가능성이 적은 일지만―를 부여한다. 예수는 죽은 자 가운데서 살아나셨기 때문에 그의 시신은 거기에 있지 않다. 그의 몸은 이미 무덤 안에 없고 그것의 밖에 있다.

부활하신 예수가 갈릴리에서 그의 제자들을 만날 것이라는 두 번째 단언에는 부활 이후의 예수 현현에 대한 약속과 이 소식을 제자들에게 전달하라는 명령이 포함된다. 어떤 학자들은 7절의 전반부("가서 그의 제자들과 베드로에게 이르기를 예수께서 너희보다 먼저 갈릴리로 가시나니")를 14:28 예수의 예고("그러나 내가 살아난 후에 너희보다 먼저 갈릴리로 가리라")와 일치시키기 위해 빈 무덤 내러티브의 초기 버전에 마가가 추가한 편집으로 간주한다.[1]

현재의 문맥에서 제자들이 갈릴리에서 부활하신 예수를 볼 것이라는 약속은 예수의 부활에 대한 경험적 증거―그의 부활 이후의 현현―를 가리킨다. 하지만 이러한 증거가 마가복음에서는 구체적으로 나타나지 않는다. 예수의 현현은 단지 예고만 될 뿐 구체적으로 보고되지는 않는다.

하지만 마가의 결말 부분에서 가장 이상한 점은 여인들의 침묵과 관련된 마지막 진술이다. 어떤 학자는 이 진술을 근거로 빈 무덤 전승이 제한적으로만 알려졌다고 주장한다. 또 어떤 학자는 이 진술을 여인들의 증언에 의존한 빈 무덤 보고 보다는 예수의 현현에 근거한 부활 선포를 위한 변증으로 간주한다.

---

1 Rudolf Bultmann, *The History of the Synopic Tradition* (trans. John Marsh; New York: Harper & Row, 1963), 285.

또 어떤 학자는 여인들의 침묵이 단지 일시적이었다고 주장한다. 왜냐하면, 빈 무덤 발견에 대한 소식이 영원히 비밀로 남아있을 수 없었던 것이 분명하기 때문이다. 스펙트럼의 다른 한쪽 끝에는 빈 무덤의 전체 이야기를 마가의 편집으로 돌리는 학자들도 있다.

하지만 마가의 내러티브에서 여인들의 침묵과 직접 연관되는 것은 빈 무덤 선포가 아니라, 예수가 갈릴리에서 그들을 만날 것이라고 제자들에게 전하라는 천사의 명령이다. 그러므로 그들의 침묵은 추정하는 것보다 그 범위가 더 제한적이다. 그것은 어떻게 여러 등장인물이 예수에게 순종하지 못하는지를 반복적으로 보여 주는 마가복음의 주요 주제에도 적합하다. 지상의 사역 동안 말하지 말라는 예수의 명령이 불순종에 부딪힌 것처럼, 빈 무덤 발견 이후 말하라는 천사의 명령도 침묵에 봉착한다.

2. 마태복음

여인들의 빈 무덤 발견에 대한 마태의 버전은 유대인 지도자들의 요청으로 예수의 무덤을 지킨 로마 경비병 이야기와 경비병의 보고를 받은 후 그의 제자들이 예수의 시신을 도둑질해 갔다고 거짓말하도록 그들을 매수하는 유대인 지도자들의 이야기 사이에 나온다.

그 이튿날은 준비일 다음 날이라. 대제사장들과 바리새인들이 함께 빌라도에게 모여 이르되 주여 저 속이던 자가 살아있을 때 말하되 내가 사흘 후에 다시 살아나리라 한 것을 우리가 기억하노니 그러므로 명령하여 그 무덤을 사흘까지 굳게 지키게 하소서. 그의 제자들이 와서 시체를 도둑질하여 가고 백성에게 말하되 그가 죽은 자 가운데서 살아났다 하면 후의 속임이 전보다 더 클까 하나이다 하니 빌라도가 이르되 너희에게 경비병이 있으니 가서 힘대로 굳게 지키라 하거늘 그들이 경비병과 함께 가서 돌을 인봉하고 무덤을 굳게 지키니라(마 27:62-66).

안식일이 다 지나고 안식 후 첫날이 되려는 새벽에 막달라 마리아와 다른 마리아가 무덤을 보려고 갔더니 큰 지진이 나며 주의 천사가 하늘로부터 내려와 돌을 굴려 내고 그 위에 앉았는데 그 형상이 번개 같고 그 옷은 눈같이 희거늘. 지키던 자들이 그를 무서워하여 떨며 죽은 사람과 같이 되었더라. 천사가 여자들에게 말하여 이르되 너희는 무서워하지 말라 십자가에 못 박히신 예수를 너희가 찾는 줄을 내가 아노라. 그가 여기 계시지 않고 그가 말씀하시던 대로 살아나셨느니라. 와서 그가 누우셨던 곳을 보라. 또 빨리 가서 그의 제자들에게 이르되 그가 죽은 자 가운데서 살아나셨고 너희보다 먼저 갈릴리로 가시나니 거기서 너희가 뵈오리라 하라. 보라 내가 너희에게 일렀느니라 하거늘. 그 여자들이 무서움과 큰 기쁨으로 빨리 무덤을 떠나 제자들에게 알리려고 달음질할새 예수께서 그들을 만나 이르시되 평안하냐 하시거늘 여자들이 나아가 그 발을 붙잡고 경배하니 이에 예수께서 이르시되 무서워하지 말라 가서 내 형제들에게 갈릴리로 가라 하라 거기서 나를 보리라 하시니라(마 28:1-10).

여자들이 갈 때 경비병 중 몇이 성에 들어가 모든 된 일을 대제사장들에게 알리니 그들이 장로들과 함께 모여 의논하고 군인들에게 돈을 많이 주며 이르되 너희는 말하기를 그의 제자들이 밤에 와서 우리가 잘 때에 그를 도둑질하여 갔다 하라. 만일 이 말이 총독에게 들리면 우리가 권하여 너희로 근심하지 않게 하리라 하니 군인들이 돈을 받고 가르친 대로 하였으니 이 말이 오늘날까지 유대인 가운데 두루 퍼지니라(마 28:11-15).

많은 학자는 무덤을 지키던 로마 경비병 이야기의 역사성에 이의를 제기한다. 비록 안식일에 모의된 유대인 지도자들과 빌라도 간의 일시적인 협력이 "불가능한 것은 아니다"라는 N. T. 라이트(N. T. Wright)의 제안을 받아들인다 받아들일지라도,[2] 로마 경비병이 십자가에 달린 죄인의 무덤 곁을 지켰을 가능성은 희박하다. 이러한 인상은 다른 복음서 저자들이 무덤 곁의 경비병을 언급하지 않는다는 사실에 의해 확인된다.

또한, 예수의 적대자들이 사흘 후에 살아날 것이라는 그의 예고를 알았을 가능성도 매우 크지 않은데, 마태복음에서는 그러한 예고가 항상 예수의 제자들에게 사적으로(비공개적으로) 전달되기 때문이다(마 16:21; 17:23; 20:19). 더구나 유대의 지도자들이 예수의 부활 선포를 예상했다는 점은 훨씬 더 개연성이 적다.

그러므로 이 경비병 이야기는 예수의 시신을 훔쳐 갔다는 비난에 대응하기 위한 후대의 변증적 발전으로 간주하는 것이 최상이다.[3] 그것은 마태복음이 기록될 즈음에는(일반적으로 A.D. 80-90년 어간으로 추정) 빈 무덤에 대한 소문이 널리 퍼졌음을 암시한다. 아마도 그리

[2] Wright, *The Resurrection of the Son of God*, 637.

[3] Helmut Koester, *Ancient Christian Gospels: Their History and Development* (London/Philadelphia: SCM?Trinity Press International, 1990), 237; W. D. Davies and Dale C. Allison Jr, A *Critical and Exegetical Commentary on the Gospel according to Saint Matthew* (ICC; 3 vols; Edinburgh: T&T Clark, 1988-97), 3:652-3.

스도인들이 예수 부활을 선포하기 위해 빈 무덤 이야기를 이용했을 것이기 때문이다.

이 이야기의 목적은 기독교에 대한 유대인 적대자들이 빈 무덤의 역사성을 반박한 것이 아니라 오히려 다른 해석(제자들이 군인들이 잠들어 있는 동안 예수의 시신을 훔쳐갔다는 소문)을 널리 알렸다는 점을 보여 주는 데 있다.

이 이야기는 이러한 비방에 대한 기독교의 대답을 대표한다. 이런 식으로 마태는 유대인의 불신의 의도적 특성과 다른 사람을 속이는 악의적 의도를 강조한다. 그 이야기는 매우 아이러니하다. 군인들은 유대인 지도자들이 본래 예수의 제자들 계획으로 빌라도에게 제시한 거짓말을 퍼뜨리도록 매수된다(마 27:64).

빈 무덤 발견에 대한 마태의 이야기는 마가복음의 이야기를 따르지만 몇 가지 중요한 점에서 차이가 난다. 마태는 안식 후 첫날 새벽에 막달라 마리아와 다른 마리아 두 여인만 무덤에 왔다고 언급한다. 그 두 여인이 무덤으로 가던 길에 커다란 지진과 천사가 하늘로부터 내려와 무덤 입구를 막은 돌을 굴려 내는 모습을 목격했다고 서술한다.

이 이야기의 내러티브적 논리로 볼 때 그 돌은 부활하신 예수가 무덤 밖으로 나가기보다 오히려 여인들이 무덤 안으로 들어갈 수 있도록(그들이 실제로 들어간 모습이 묘사되지 않을지라도) 굴려진 것이 명백하다.

지진은 종말 시기의 시작을 표시하는 묵시적 모티브이다(마 24:7을 보라). 이러한 인상은 마태복음 27:51-53(여기서도 지진에 대한 언급이 나옴)에 나오는 성도들의 부활 이야기에서도 강화되는데, 그 이야기의 목적은 예수의 부활이 일반 부활의 시작임을 보여 주는 데 있다.

마태복음의 버전은 여인들이 목격한 광경이 천사 현현이었음을 명백하게 보여 준다. 무덤을 지키는 경비병의 언급은 이 이야기를 그 골격이 되는 내러티브와 연결한다. 화자는 천사가 내려온 것과 예수의 무덤이 열리는 것을 여인들뿐만 아니라 로마 경비병도 목격했음을 강조한다.

마가복음의 경우처럼 천사는 빈 무덤의 의미를 한 번이 아니라 두 번이나 해석해 준다. 처음에는 여인들에게 '(그가) 살아나셨느니라'(마 28:6)라고 선언하고 그다음에는 이 선언을 제자들에게 전하라는 메시지 일부로 '그가 죽은 자 가운데서 살아나셨고'(마 28:7) 라고 반복한다. 천사의 메시지는 마가복음에 있는 다음과 같은 케리그마적 선언과 유사하다. 즉 십자가에 못 박히신 나사렛 예수가 살아나셨다.

천사는 제자들에게 언급할 때 베드로를 따로 떼어 언급하지는 않지만, 이 선언은 갈릴리에서 열한 제자에게 일어난 예수의 현현에 대한 마태의 묘사와 부합된다(마 28:16-20). 거기서 베드로는 단지 그 그룹의 한 구성원일 뿐이다. 마가복음의 경우처럼 예수는 이미 마태복음 26:32에서 그가 제자들보다 먼저 갈릴리로 갈 것이라고 예언했다. 그러나 마가복음의 경우와는 달리 여인들에게 전해진 메시지는 예수의 메시지가 아닌 천사의 메시지에 대한 언급으로 끝난다('보라 내가 너희에게 일렀느니라'[마 26:7]). 이것은 예언적 공식구(prophetic formula)와 유사하며 천사가 하나님의 말씀을 전달하고 있다는 개념을 강화한다.

여인들의 반응에 대한 마태의 묘사는 마가의 경우와 매우 다르다.

그는 기쁨의 모티브를 추가했고, 여인들의 침묵에 대한 언급을 제거했으며 여인들이 예수의 제자들에게 천사의 메시지를 알리려고 달려갔다는 기록을 첨부했다. 마태는 또한, 여인들이 무덤을 떠나는 중에 그들에게 일어난 예수의 현현에 대한 간략한 보고를 덧붙였다. 다음 장에서 부활하신 예수의 현현에 대한 복음서의 내러티브를 논의할 것이지만, 여기서 중요한 것은 여인들에게 전한 예수의 메시지("무서워하지 말라 가서 내 형제들에게 갈릴리로 가라 하라 거기서 나를 보리라 하시니라"[마 28:10])가 단순히 무덤에서 천사가 전한 말씀의 반복("무서워하지 말라 … 또 빨리 가서 그의 제자들에게 이르되 그가 죽은 자 가운데서 살아나셨고 너희보다 먼저 갈릴리로 가시나니 거기서 너희가 뵈오리라"[마 28:5a, 7])이라는 점에 주목하는 것이다.

유일한 차이점은 예수가 자기 제자들을 '나의 형제들'이라는 호칭으로 부른 점과 여인들의 부활하신 예수와의 만남에 비추어 더 이상 필요하지 않은 부활의 메시지를 생략했다는 점이다. 이런 식으로 무덤 바깥에서의 예수의 현현은 빈 무덤의 의미를 가장 강력하게 검증해주고 사라진 몸과 부활한 몸, 즉 예수의 사라짐과 예수의 다시 나타남 사이의 직접적인 연관성을 확립해 준다.

하지만 예수에 대한 서로 다른 두 경험의 이러한 내러티브적 연관성조차도 그 둘을 연결하는 사건, 즉 실제적 예수의 부활을 묘사하는 데는 부족하다. 다양한 신약 문헌에 보존된 최초의 공식 문구 진술의 경우처럼, 마태복음에 나타난 예수의 부활 역시 단순히 선포만 될 뿐 묘사되지는 않는다.

3. 누가복음

빈 무덤 발견에 대한 누가의 버전은 여인들의 증언에 대한 남자 제자들의 반응과 베드로의 현장 확인에 대한 설명으로 확장된다.

> 안식 후 첫날 새벽에 이 여자들이 그 준비한 향품을 가지고 무덤에 가서 돌이 무덤에서 굴려 옮겨진 것을 보고 들어가니 주 예수의 시체가 보이지 아니하더라. 이로 인하여 근심할 때에 문득 찬란한 옷을 입은 두 사람이 곁에 섰는지라. 여자들이 두려워 얼굴을 땅에 대니 두 사람이 이르되 어찌하여 살아 있는 자를 죽은 자 가운데서 찾느냐. 여기 계시지 않고 살아나셨느니라. 갈릴리에 계실 때 너희에게 어떻게 말씀하셨는지를 기억하라. 이르시기를 인자가 죄인의 손에 넘겨져 십자가에 못 박히고 제 삼일에 다시 살아나야 하리라 하셨느니라 한 대 그들이 예수의 말씀을 기억하고 무덤에서 돌아가 이 모든 것을 열한 사도와 다른 모든 이에게 알리니 (이 여자들은 막달라 마리아와 요안나와 야고보의 모친 마리아라 또 그들과 함께 한 다른 여자들도 이것을 사도들에게 알리니라) 사도들은 그들의 말이 허탄한 듯이 들려 믿지 아니하나 베드로는 일어나 무덤에 달려가서 구부려 들여다보니 세마포만 보이는지라 그 된 일을 놀랍게 여기며 집으로 돌아가니라(눅 24:1-12).

누가의 이야기에서 안식 후 첫날 이른 새벽에 무덤에 온 여인 중에는 막달라 마리아, 요안나, 야고보의 어머니 마리아 및 다른 여인들이 포함된다. 그들이 무덤에 온 동기는 마가복음의 경우와 유사하다. 즉 예수의 몸에 향료를 바르기 위함이었다.

마가복음의 경우처럼 그들이 예수의 매장 장소에 도착했을 때(눅 24:2) 돌은 이미 굴려 옮겨져 있었다. 그러나 마가복음과는 달리 누가는 여인들이 도착한 후 "주 예수의 시체가 보이지 아니하더라"(눅 24:3)라고 분명히 진술함으로써 무덤의 내부를 먼저 묘사한다.

그런 다음에 비로소 천사 현현에 대해 묘사한다. 하지만 마가복음의 흰옷을 입은 청년 대신에 누가는 '찬란한 옷을 입은 두 사람'(눅 24:4)에 대해 언급한다. 누가가 천사를 전통적인 방식으로 묘사하고 있다는 가정은 여인들의 반응('여자들이 두려워 얼굴을 땅에 대니'[눅 24:5])으로 확인된다. 두려움의 모티브는 누가가 천사 가브리엘이 나타났을 때 스가랴와 마리아의 반응(눅 1:12-13, 29-30)과 주의 천사가 나타났을 때 목자의 반응(눅 2:9-10)을 묘사할 때도 분명하게 나타난다.

이러한 결론은 더 나아가 엠마오 내러티브에서 이 사건의 개요를 다음과 같이 반복해서 말할 때도 확인된다.

> 또한 우리 중에 어떤 여자들이 우리로 놀라게 하였으니 이는 그들이 새벽에 무덤에 갔다가 그의 시체는 보지 못하고 와서 그가 살아나셨다 하는 천사들의 나타남을 보았다 함이라(눅 24:22-23).

누가는 천사의 말을 상당 부분 수정했다.

> 어찌하여 살아 있는 자를 죽은 자 가운데서 찾느냐(눅 24:5).

이런 천사들의 첫 질문이 마가복음 16:6에서 천사가 여인들에게 주는 단언("놀라지 말라 너희가 십자가에 못 박히신 나사렛 예수를 찾는구나")을 대체한다. 누가복음에 나오는 이 수사 의문문은 신학적 진술에 가까운데, 예수의 죽음에 대한 승리를 강조하고 있기 때문이다. "여기 계시지 않고 살아나셨느니라"(막 16:6a)라는 선언의 진정성은 다소간 확실치 않다. 왜냐하면, 누가복음의 다른 확장된 서방 사본에서는 그 본문이 발견되지 않기 때문이다(이런 이유로 '서방 사본의 비삽입 어구'[Western non-interpolation, 서방사본이 써넣지 않는 어구-역주]라는 기술적 용어로 표현). [4] 이 본문은 (A.D. 3세기 초에 기록된 사본으로 추정되는) 파피루스 사본 P[75]와 함께 시내산 사본, 알렉산드리아 사본, 바티칸 사본 같은 주요 사본에도 나오므로 누가의 본래 본문에 속하는 것으로 볼 수 있다. [5]

가장 흥미로운 변화는 누가가 마가복음에서 예수가 부활 후에 제자들에게 나타나실 장소로 지정된 갈릴리를 예수가 자신의 십자가상의 죽음과 부활에 관해 예고(예수의 수난예고-역주)했던 장소로 대체시킨 점이다(눅 9:22, 44; 18:31-33).

이러한 변화는 부활하신 예수의 현현이 갈릴리에서 일어나지 않은 것으로 묘사하는 누가의 이야기와 일치한다. 하지만 천사의 메시지에는 예수의 현현에 대한 어떤 공지도 포함되어 있지 않다는 점에 주목해야 한다. 강조점은 오로지 예수가 죄인들에게 넘겨져야 할 필요성, 그의 십자가상의 죽음, 제 삼일에 다시 살아남, 즉 이 사건들을 통해 성취된 하나님의 계획에 있다.

누가의 빈 무덤 이야기는 사흘(삼일) 모티브를 사용하는 유일한 이야기이지만, 이 모티브는 빈 무덤 발견이 아니라 예수의 수난 예고와

---

4 Brooke F. Westcott and Fenton J. A. Hort, *The New Testament in the Origunal Greek* (2 vols; Cambridge: Macmillan, 1881), 2:183.

5 Bruce M. Metzger, *A Taxtual Commentary on the Greek New Testament* (2nd edn; Stuttgart: Deutsche Bibelgesellschaft/United Bible Societies, 1994), 156-8, 160-6.

연관된다. 예수가 자신의 수난과 부활을 예고했던 현장에 여인들이 함께 있었는지는 명시적으로 언급되어 있지 않지만(눅 9:22, 44; 18:31-33), 막달라 마리아와 요안나를 포함한 일부 갈릴리 출신의 여인들이 예수의 지상 사역 동안 그와 그의 제자들과 함께했다는 누가복음 8:1-3의 진술을 고려하면 그것이 암시된 것이 확실하다.

누가의 편집 작업의 또 다른 독특한 특징은 예수의 부활 메시지를 제자들에게 전해야 할 여인들의 임무를 생략한 점이다. 결과적으로 누가복음에 나오는 여인들에게는 예수가 죽은 자 가운데서 살아나셨다는 좋은 소식을 선포해야 할 책임이 없다. 그들은 이 사건에 대한 예수의 예고를 기억해야 하지만, 이 사건의 성취를 선포하도록 요구받지 않는다(눅 24:6). 일부 학자가 주장하듯이 이러한 편집적 변화를 예수의 부활에 대한 최초의 증인으로서 여인들의 역할을 축소하려는 누가의 의도 때문으로 보기에는 무리가 있다.[6] 하지만 누가의 이야기에서 여인들의 역할이 축소되었다는 점을 부인하기는 어렵다.

그들이 무덤에서 일어난 모든 일을 제자들에게 신속하게 알리지만—그렇게 하라고 요청받지 않았음에도 불구하고—남자들은 그들의 말을 진지하게 받아들이지 않는다. 화자는 남자 제자들이 여인들의 보고를 믿지 않았음을 강조한다. 왜냐하면, 그것을 '허탄한 말'(idle tale/문자적으로 '넌센스'[nonsense])로 여겼기 때문이다.

하지만 동시에 누가의 내러티브는 남자들이 아니라 여인들이 옳았다는 것을 분명히 보여 준다. 하늘의 메시지가 여인들의 빈 무덤

6 Barbara E. Reid, *Choosing the Better Part? Women in the Gospel of Luke* (Collegeville, MN: Liturgical Press, 1996), 200-2; Brock, *Mary Magdalene*, 35, 40, 51, 68.

이해에 결정적 역할을 한 것은 사실이지만, 빈 무덤의 의미를 깨닫게 된 것이 남자들이 아니라 여인들이었다는 사실은 남아있다.

누가는 또한 여인들이 예수의 말씀을 기억했다는 점도 강조하는데, 그것은 그들에게 그렇지 않았으면 모호했을 예수 시신의 실종을 하나님의 전반적인 목적의 틀 안에서 해석하는 데 도움을 준다.

베드로가 빈 무덤을 방문하는 다음 구절(눅 24:12)은 서방 사본의 비삽입 어구(Western non-interpolation)의 또 다른 예이지만, 그것의 진정성은 이 사건을 다시 언급하고 있는 누가복음 24:24에 의해 입증된다.

> 또 우리와 함께 한 자 중에 두어 사람이 무덤에 가 과연 여자들이 말한 바와 같음을 보았으나 예수는 보지 못하였느니라(눅 24:24).

반복된 이 말은 베드로만이 아니라 몇 사람의 남자를 언급하지만, 그렇더라도 누가복음 24:12의 주요 목적을 확인해 준다. 여인들의 증언은 남자들의 증언으로 입증돼야 했다. 또 다른 이유는 '여인들의 이야기와는 별도로 공식적인 부활의 증인'을 두려는 누가의 변증적 의도일 수 있을 것이다.[7]

그러나 베드로의 빈 무덤 방문이 무덤이 비었다는 여인들 보고의 정확성을 확인해 주지만, 그 의미에 관해서는 아직 결론에 이르지 못하고 있다는 점에 유념해야 한다. 그는 세마포만 보았다. 어떤 시신도 없었다. 옷이 있었다는 말은 시신이 도난당했을 가능성을 차

---

7 Edward Lynn Bode, *The First Easter Morning: The Gospel Accounts of the Women's Visit to the Tomb of Jesus* (AnBib 45; Rome: Biblical Institute Press, 1970), 67.

단해주지만(무덤 강도였다면 옷을 입힌 채로 시신을 가져갔을 것이기 때문이다), 시신이 실제로 어디에 있는지에 대한 어떤 대안도 제시해 주지 못했다.

그렇다면 베드로가 '그 된 일을 이상히 여기며 집으로 돌아간' 것도 놀라운 일은 아니다. 이 사건을 해석해 주는 천사나 부활하신 예수와의 만남이 없었다면, 베드로는 단순히 빈 무덤을 본 것만으로 예수가 죽은 자 가운데서 살았다고 확신할 수 없었을 것이다.

4. 요한복음

요한복음의 빈 무덤 발견 이야기는 막달라 마리아를 서술하는 부분이 어느 정도 유사하긴 하지만, 공관복음이 전해주는 이야기와는 상당히 다르다.

안식 후 첫날 일찍이 아직 어두울 때 막달라 마리아가 무덤에 와서 돌이 무덤에서 옮겨진 것을 보고 시몬 베드로와 예수께서 사랑하시던 그 다른 제자에게 달려가서 말하되 사람들이 주님을 무덤에서 가져다가 어디 두었는지 우리가 알지 못하겠다 하니 베드로와 그 다른 제자가 나가서 무덤으로 갈 새 둘이 같이 달음질하더니 그 다른 제자가 베드로보다 더 빨리 달려가서 먼저 무덤에 이르러 구부려 세마포 놓인 것을 보았으나 들어가지는 아니하였더니 시몬 베드로는 따라와서 무덤에 들어가 보니 세마포가 놓였고 또 머리를 썼던 수건은 세마포와 함께 놓이지 않고 딴 곳에 쌌던 대로 놓여 있더라. 그때야 무덤에 먼저 갔던 그 다른 제자도 들어가 보고 믿더라. (그들은 성경에 그가 죽은 자 가운데서 다시 살아나야 하리라 하신 말씀을 아직 알지 못하더라) 이에 두 제자가 자기들의 집으로 돌아 가니라. 마리아는 무덤 밖에 서서 울고 있더니 울면서 구부려 무덤 안을 들여다보니 흰옷 입은 두 천사가 예수의 시체 뉘었던 곳에 하나는 머리 편에 하나는 발 편에 앉았더라. 천사들이 이르되 여자여 어찌하여 우느냐 이르되 사람들이 내 주님을 옮겨다가 어디 두었는지 내가 알지 못함이니이다(요 20:1-13).

공관복음에서 늘 다른 여인들 가운데 먼저 언급되던 막달라 마리아가 요한복음에서는 홀로 등장한다. 하지만 베드로와 애제자(the beloved disciple)에게 전하는 보고는 공동의 진술로 구성된다.

사람들이 주님을 무덤에서 가져다가 어디 두었는지 우리가 알지 못하겠다(요 20:2).

예기치 않은 이 일인칭 복수형의 사용은 몇몇 여인을 언급했던 본래 이야기의 잔재일 것이다. 그러나 그것은 또한, 막달라 마리아가 대표적 역할을 한다는 표시일 수도 있다.

공관복음의 경우처럼 막달라 마리아는 빈 무덤을 발견한 최초의 인물이다. 그녀가 무덤에 온 이유는 설명되지 않는다. 무덤에 도착한 후 그녀는 돌이 무덤에서 옮겨진 것을 보았지만 무덤 안으로 들어가 무덤이 비었는지 확인하지 않았다. 이 지점에서 공관복음의 빈 무덤 이야기와의 유사점은 끝난다.

그녀가 무덤을 처음 방문했을 때는 천사 현현을 경험하지 못했다. 그녀의 행동은 고대에서 빈 무덤을 보았을 때 나타날 수 있는 가장 자연스러운 반응을 보여 준다. 그녀는 두 번이나 반복해서 누군가(아마도 무덤 강도들이) 예수의 시신을 가져갔을 것으로 추정한다(한번은 그녀의 두 번째 무덤 방문 때 만난 천사들에게, 또 한번은 부활하신 예수를 알아보기 전 그에게).

마리아는 이러한 우려의 말을 남긴 후(그 우려는 즉각적으로 반박되지 않는다) 현장에서 사라지고 베드로와 애제자에게 초점이 맞춰진다. 마리아는 남자들이 무덤이 비었다는 것을 경험한 후에야 비로소 다시 나타날 것이다. 남자 제자들이 집으로 돌아갈 때 막달라 마리아는 다시 등장한다(요 20:11). 이때 그녀는 무덤 밖에서 울고 있는 모습으로 서술된다. 화자는 그녀가 언제 어떻게 무덤에 도착했는지 설명하지 않는다. 이러한 내러티브상의 빈틈은 일반적으로 두 개의 독립된 이야기(막달라 마리아에 관한 이야기와 베드로 및 애제자에 관한 이야기)를 하나의 이야기로 편집한 표시로 빈번히 간주한다. 실제로 2-10절이 없다면, 막달라 마리아가 빈 무덤에서 경험한 이야기는 훨씬 더 매끄럽게 전개된다.

그녀가 무덤 밖에서 울고 있고 시신의 행방 때문에 걱정하는 이유는 이미 빈 무덤을 보고 당황했기 때문이었을 것이다. 그녀의 슬픔과 걱정은 천사가 나타나자 갑자기 중단된다. 그녀가 구부려 무덤 안을 들여다보았을 때 두 명의 천사가 시신이 놓여 있던 자리의 양쪽 끝에 앉아 있는 것을 본다. 공관복음 내러티브와 유사점이 분명하지만, 빈 무덤에 대한 천사의 어떤 해석도 언급되지 않는다. 천사가 전해주는 유일한 말은 다음과 같은 질문이다.

여자여 어찌하여 우느냐? (요 20:12)

이에 대한 마리아의 대답은 그녀가 처음에 베드로와 애제자에게 했던 설명의 반복일 뿐이며 유일한 차이점은 일인칭 단수형을 사용하고 있다는 점이다.

사람들이 내 주님을 옮겨다가 어디 두었는지 내가 알지 못함이니이다 (요 20:13).

천사들이 마리아의 빈 무덤에 대한 잘못된 해석에 반응하기 전에 그녀는 거기에 서 있는 부활하신 예수를 본다. 처음에 그녀는 그를 동산지기인 줄 안다. 부활하신 예수와의 드라마틱한 만남은 다음 장에서 더욱 상세하게 조사될 것이다. 다만 여기서 주목해야 할 중요한 점은 요한복음의 저자가 빈 무덤의 해석을 천사 현현으로부터 그리스도 현현으로 이동시키고 있다는 점이다.[8]

무덤 근처에서 여인들에게 일어난 예수의 현현에 대해 보고하고 있는 마태복음의 경우처럼, 요한은 무덤에서 사라진 시신을 무덤 밖에서 부활하신 예수의 나타나심과 관련시킨다. 그러나 마태복음과 달리 요한은 예수의 부활에 대한 천사의 메시지를 언급하지 않으므로 빈 무덤의 의미는 예수가 막달라 마리아에게 나타날 때까지 하나의 신비로 남는다.

---

8 주후 2세기경의 것으로 추정되는 기독교 문서인 *Epistula Apostolorum* 10에서 천사 현현은 전적으로 그리스도 현현으로 대체된다.

요한의 내러티브의 핵심 단락은 빈 무덤에 대한 남자들의 경험에 할애된다. 이 주제를 언급하는 다른 복음서는 누가복음뿐인데, 거기서는 베드로가 여인들의 증언을 확인하기 위해 어떻게 무덤에 들어갔는지 간략하게 묘사되며(눅 24:12), 엠마오로 가는 두 제자의 회상 중 몇몇 남자 제자가 무덤을 방문했다는 언급이 간략하게 서술된다(눅 24:24).

하지만 요한은 이 주제에 무려 아홉 절을 할애한다(요 20:2-10). 베드로와 애제자는 마리아의 보고를 듣자마자 예수의 무덤으로 달려간다. 그들이 그렇게 한 동기가 설명되어 있지는 않지만, 아마 여인들의 증언에 대한 남자의 검증이 그러한 동기 중 하나였을 것이다.

요한의 이야기에 서술된 남자들의 반응이 좀 더 개연성이 있는데 마리아가 예수의 부활에 대한 기쁜 메시지를 가지고 온 것이 아니라, 시신이 실종되었고 그것을 무덤 강도들의 소행으로 추정하는 걱정스러운 메시지를 가지고 왔기 때문이다.

화자는 무덤을 향해 달려가는 베드로와 애제자의 경쟁을 묘사한다. 애제자가 더 빨리 달려가서 무덤에 먼저 도착했지만, 베드로가 좀 더 용기를 내어 먼저 무덤으로 들어갔다. 그는 시신을 쌌던 세마포와 잘 개켜 있는 수건을 보았다. 누가복음 24:12의 경우처럼, 베드로는 무덤 안에서 어떤 천사도 보지 못했다. 화자는 베드로가 시신을 쌌던 세마포를 보고 어떤 결론을 내렸는지 설명하지 않는다. 하지만 애제자가 무덤에 들어갔을 때 '그가 보고 믿더라'라고 지적한다.

애제자가 빈 무덤을 본 후 믿음의 반응을 보였다는 이 묘사는 매우 독특하다. 요한복음 20:8의 내용을 제외하면 복음서 이야기 중에

서 어떤 인물도 빈 무덤을 토대로 믿었다고 묘사되는 기록—천사
현현을 목격한 여인들조차도—은 없다. 하지만 애제자가 무엇을 믿
었는지에 대한 설명은 분명하게 언급되어 있지 않다.

많은 해석자는 어거스틴(Augustine, *Cons.* 3.24.69)이 처음으로 제안
한 견해, 즉 이 구절이 예수의 시신이 이미 무덤에 없었다는 마리아
의 보고에 대한 애제자의 승인을 가리킨다는 견해를 개연성은 있지
만, 설득력이 부족한 것으로 생각한다.

더욱이 그러한 평범한 확인이 문제가 된다면 저자는 왜 애제자를
선택했을까?

베드로 또한, 동일한 결론에 도달하지 않았겠는가?

더 만족할 만한 해결안을 찾아 학자들은 일반적으로 애제자가 예
수가 죽은 자 가운데서 살아났다는 것을 믿게 되었다고 추정한다.
이러한 견해는 요한이 '믿다'(believe)라는 동사를 목적어 없이 절대
적 용법으로 사용하는 모든 경우에는 늘 종교적인 믿음을 가리킨다
는 고찰에 근거해 종종 지지된다.[9]

빈 무덤 발견의 문맥에서 이 종교적 믿음은 오직 예수가 죽은 자
가운데서 다시 살아났다는 믿음뿐이었을 것이다. 이러한 일반적 견
해에 따르면, 그는 거기에 놓여 있는 세마포를 보고 예수의 시신이
도난당한 것이 아니라 어떤 신비적인 방법으로 장례 의복을 빠져나
갔다고 확신했다.

베드로가 똑같은 광경을 보았음에도 불구하고 같은 결론에 도달하
지 못한 이유는 애제자처럼 예수와 공유한 사랑의 유대관계에서 비

---

9 요 1:50; 4:48, 53; 5:44; 6:36, 47, 64; 9:38; 10:25, 26; 11:15, 40; 14:29; 19:35;
20:25, 29을 보라.

롯된 특별한 분별력을 소유하지 못했기 때문으로 받아들여진다.

이러한 해석의 가장 큰 도전은 애제자가 부활 신앙을 가지게 되었다는 견해와 9절에 나오는 설명문("그들은 성경에 그가 죽은 자 가운데서 다시 살아나야 하리라 하신 말씀을 아직 알지 못하더라")이 명백하게 충돌하고 있기 때문이다. 9절은 예수가 죽은 자 가운데서 다시 살아나야 한다는 결론으로 나갈 수 있을 만큼 아직 적절하게 성경을 이해할 수 없는 상황을 묘사한다.

그 본문은 또한, 고려해야 할 어떤 구절을 가리키는 것이 아니라 일반 부활에 앞서 한 개인의 부활을 예상하는 어떤 분명한 성경 본문도 없으므로 화자는 아마도 유대인 성경에 대한 기독교 특유의—즉 그리스도론적(Christological)—해석을 가리키는 것으로 보인다.

그렇다면, 요한복음 20:8은 오직 부활하신 그리스도와의 만남 이후에만 토라와 예언서가 예수의 부활에 대한 지표로 이해될 수 있다는 누가복음 24:25-27, 44-47과 일치한다. 그러한 해석은 제자들이 예수가 살아 있는 것을 보기 전에는 갖지 못했던 다른 사고방식을 필요로 한다.

추가적인 어려움은 8절의 삼인칭 단수 화법("그가 보고 믿더라")에서 9절의 삼인칭 복수 설명("그들은 성경에 그가 죽은 자 가운데서 다시 살아나야 하리라 하신 말씀을 아직 알지 못하더라")으로의 변화에서 비롯된다. 또한 애제자의 믿음이 베드로나 근처에서 울고 서 있는 것으로 묘사되는 막달라 마리아에게 어떤 영향을 끼쳤는지에 대한 어떤 정보도 없다.

본문의 편집사(redaction history)에 관심이 있는 학자들은 8절이 베드로와 또 다른 제자(예수가 사랑했던 사람으로 아직 확인되지 않은)가 누가복음 24:12, 24의 경우처럼 무덤에 왔다가 놀랍게 여기며 떠났다고 하는 옛이야기에 대한 후대의 첨가라는 레이몬드 브라운(Raymond Brown)의 제안에 만족할 수도 있다.[10] 아니면 9절이 후대 편집자의 방주(gloss)라는 루돌프 불트만(Rudolf Bultmann)의 제안에 만족할 수도 있다.[11]

하지만, 요한의 본문을 최종 형태로 이해하려는 사람들을 위한 가장 설득력 있는 해결안 중 하나는 애제자가 올바른 결론에 도달했지만, 이 믿음은 요한복음 20:29에서 예수가 칭찬하는 믿음("예수께서 이르시되 너는 나를 본고로 믿느냐 보지 못하고 믿는 자들을 복되도다")이 아니라 여전히 본 것에 근거한 믿음이었다는 견해이다. 애제자의 믿음은 충분한 이해를 수반하지 않았다. 왜냐하면, 그 역시 베드로처럼 아직 성경과 예수 부활의 필요성을 이해하지 못했기 때문이다.[12]

이러한 해석은 요한복음이 애제자의 처음 믿음을 빈 무덤을 본 것과 결부시킴에도 불구하고, 공관복음의 주요 논지와 다르지 않다는 결론을 지지해 준다. 빈 무덤의 발견은 그 자체로는 믿음을 초래하지 못한다. 부활하신 예수와의 만남만이 예수가 죽은 자 가운데서 살아나셨다는 믿음을 일으킬 수 있다.

10 Raymond E. Brown, *The Gospel according to John* (xiii-xxi) (AB 29A; Garden City, NY: Doubleday, 1970), 1000-2.

11 Rudolf Bultmann, *The Gospel of John : A Commentary* (trans. G. R. Beasley-Murray et al.; Philadelphia: Westminster Press, 1971), 685.

12 Craig S. Keener, *The Gospel of John: A Commentary* (2 vols; Peabody, MA: Hendrickson, 2003), 2: 1184; Craig R. Koester, 'Jesus' *Resurrection*, the Signs, and the Dynamics of Faith in the Gospel of John', in *The Resurrection of Jesus in the Gospel of John* (eds Craig R. Koester and Reimund Bieringer; WUNT 222; Tübingen: Mohr Siebeck, 2008), 69.

5. 빈 무덤 전승의 발전

빈 무덤 발견에 대한 복음서의 내러티브들은 일단의 여인들이 안식 후 첫날(그 주간의 첫날) 새벽 즈음에 예수가 매장된 곳에 와서 빈 무덤을 발견했다고 하는 비교적 안정된 핵심 이야기를 포함하고 있다. 이 여인들의 이름은 다양하지만 막달라 마리아는 모든 복음서에 언급된다. 복음서 저자들은 또한, 여인들이 무덤을 방문하는 동안 천사 현현을 경험했다는 점에서도 모두 일치한다. 하지만 이러한 핵심 이야기를 구체적으로 표현하는 개별 내러티브는 상당한 차이를 보인다.

아래의 도표에는 복음서 이야기들에서 차이가 나는 몇 가지 중요한 요소가 포함된다. 예를 들면, 무덤에 온 여인들의 수와 정체, 무덤의 안과 밖의 시나리오, 천사의 수, 천사의 메시지의 내용, 빈 무덤 경험에 대한 여인들의 반응, 여인들의 증언에 대한 남자들의 반응, 빈 무덤의 경험에 대한 남자들의 반응 등이 그것들이다.

	막 16:1-8	마 28:1-8	눅 24:1-12	요 20:1-13
시간	안식 후 첫날 매우 일찍이 해 돋을 때	안식 후 첫날이 되려는 새벽	안식 후 첫날 (이른) 새벽	안식 후 첫날 일찍이 아직 어두울 때
여인들	막달라 마리아, 야고보의 어머니 마리아, 살로메	막달라 마리아와 다른 마리아	막달라 마리아, 요안나, 야고보의 모친 마리아, 다른 여인들	막달라 마리아
남자들			베드로와 몇몇 제자들	베드로와 애제자
무덤 밖의 시나리오	이미 돌이 굴려져 있었다.	큰 지진이 나며 주의 천사가 하늘로부터 내려와 돌을 굴려 내고 그 위에 앉았다.	돌이 무덤에서 굴려 옮겨져 있었다.	돌이 이미 무덤에서 옮겨져 있었다.

무덤 내부의 시나리오	흰옷을 입은 한 청년이 우편에 앉아 있었다.	천사가 예수의 시신이 있었던 곳을 보라고 초청하지만, 그들이 실제로 무덤으로 들어갔다는 어떤 보고도 없다.	여인들이 무덤으로 들어갔을 때, 찬란한 옷을 입은 두 사람이 나타났다. 베드로는 세마포만 보았다.	베드로와 애제자는 거기에 놓여 있는 세마포와 한 곳에 잘 개켜진 수건을 보았다. 후에 마리아가 무덤에 들어갔을 때 그녀는 흰옷 입은 두 천사를 보았다.
천사(들)의 메시지	놀라지 말라 너희가 십자가에 못 박히신 나사렛 예수를 찾는구나. 그가 살아나셨고 여기 계시지 아니하니라. 보라 그를 두었던 곳이니라. 가서 그의 제자들과 베드로에게 이르기를 예수께서 너희보다 먼저 갈릴리로 가시나니 전에 너희에게 말씀하신 대로 너희가 거기서 뵈오리라 하라.	무서워하지 말라 십자가에 못 박히신 예수를 너희가 찾는 줄을 내가 아노라. 그가 여기 계시지 않고 그가 말씀하신 대로 살아나셨느니라. 와서 그가 누우셨던 곳을 보라. 또 빨리 가서 그의 제자들에게 이르되 그가 죽은 자 가운데서 살아나셨고 너희보다 먼저 갈릴리로 가시나니 거기서 너희가 뵈오리라 하라. 보라 내가 너희에게 일렀느니라.	어찌하여 살아있는 자를 죽은 자 가운데서 찾느냐. 여기 계시지 않고 살아나셨느니라. 갈릴리에 계실 때에 너희에게 어떻게 말씀하셨는지를 기억하라. 이르시기를 인자가 죄인의 손에 넘겨져 십자가에 못 박히고 제삼 일에 다시 살아나야 하리라 하셨느니라.	여자여 어찌하여 우느냐?
등장 인물들의 반응	여인들은 몹시 놀라 떨며 나와 무덤에서 도망하고 무서워하여 아무에게도 아무 말도 하지 못했다.	여인들은 무서움과 큰 기쁨으로 재빨리 무덤을 떠나 제자들에게 알리려고 달려갔다.	여인들은 무덤을 떠나 열한 사도와 나머지 모든 사람에게 모든 것을 말했다. 베드로가 빈 무덤을 본 후에 그 된 일을 놀랍게 여겼다.	마리아는 무덤으로부터 달려가 베드로와 애제자에게 간다. 그녀는 그들에게 시신이 사라졌다고 말했다. 베드로와 애제자가 빈 무덤을 본 후에 그들의 집으로 돌아갔다.

이러한 차이를 어떻게 설명해야 하는가?

실제로 어떤 일이 일어났는지 재현할 방법이 있는가?

18세기까지 인기를 끌었던 전통적 해결안은 복음서의 내러티브 사이에 있는 모든 차이를 제거하고 하나의 합성된 이야기를 만들어내는 것이었다. 예를 들어 어거스틴은 다음의 사건 순서를 하나의 연결된 내러티브의 일부로 제안했다(*Cons.* 3.24.69).

(1) 일단의 여인들이 안식 후 첫날 이른 아침에 무덤에 왔을 때, 큰 지진이 나고 돌이 굴려지며 경비병이 두려워하는 것과 같은 마태복음에서만 기술되는 사건들이 이미 일어났다(마 28:2, 4).

(2) 그 후 함께 온 다른 여자들을 남겨두고 막달라 마리아가 무덤에 접근했다. 그녀가 돌이 굴려져 있는 것을 보고 곧바로 이것을 베드로와 요한(어거스틴은 예수가 사랑한 제자를 요한으로 본다)에게 보고했다(요 20:1-2).

(3) 그 후 베드로와 요한은 무덤으로 들어갔고, 시신이 사라진 것을 확인한 후 집으로 돌아갔다(요 20:3-10).

(4) 그 이후 마리아와 다른 여인들은 천사가 무덤 밖에 있는 돌에 앉아 있는 것을 보았다. 그는 그들에게 부활하신 예수가 갈릴리에서 제자들을 만날 것이라고 말했다(마 28:2-3, 5-8; 막 16:1-8).

(5) 이 말에 마리아는 여전히 울면서 무덤을 들여다보다가 두 천사를 보았다. 그 두 천사는 그녀에게 왜 우느냐고 물었다. 그녀는 시신이 사라졌다는 걱정을 표명함으로써 대답하였다. 천사들은 누가의 천사 현현의 버전에 나온 말로 대답했다(요 20:11-13; 눅 24:4-7).

(6) 곧바로 마리아는 부활하신 예수를 만났는데 처음에는 그를 동산지기로 오해했다(요 20:14-18).

(7) 그 후 마리아는 다른 여인들과 함께 두려움과 떨림으로 무덤을 떠나 아무에게도 아무 말도 하지 않았다(막 16:8).

(8) 여인들이 떠나는 동안 예수는 자신의 살아 있는 모습을 반복적으로 보여줌으로써 그들을 강하게 하고 두려움의 상태에서 벗어나게 하려고 그들에게 두 번째로 나타났다. 그는 갈릴리에서 제자들을 볼 것임을 알리라고 그들에게 재차 위임했다(마 28:9-10).

(9) 끝으로 막달라 마리아는 제자들에게 자신이 주를 보았다고 말했다. 누가복음에 언급된 다른 여인들이 그녀와 함께 있었다. 그들의 말이 다른 제자들에게는 미친 소리처럼 들렸으므로 제자들은 그 여인들의 말을 믿지 않았다(눅 24:9-11).

셋 또는 넷 천사, 몇 번에 걸친 무덤 방문, 열한 제자에 보고하기 전 두 번에 걸쳐 여인에게 일어난 예수의 현현을 포함하는 이러한 합성된 이야기는 일부 그룹에서는 여전히 인기가 있을지라도, 현대의 성경학자에게는 더 이상 받아들여지지 않는다. 인위적 사건 배열은 복음서 내러티브에 근거를 둘지라도 실제로는 어떤 복음서 진술에 의해서도 지지를 받지 못한다. 서로 상이한 사건들을 조화시키려고 노력함으로써 합성된 이야기는 본래의 차이보다 훨씬 더 설명하기 어려운 새로운 내러티브의 차이를 만들어낸다.

200년 이상 지속해 온 비평 학계의 상속자로서 현대의 해석자들은 빈 무덤 전승의 기원에 대한 재구성 작업이 복음서들 간의 문학적 관

계, 사회—역사적 배경, 그들의 신학적 경향을 고려해야 한다는 점
을 의식하고 있다.

학자들은 빈 무덤 전승을 위해 우리가 얼마나 많은 독립적인 자료
를 가졌는지에 대해 의견이 분분하다. 대부분 학자는 마태와 누가가
마가에 의존하고 있음을 인정하며, 그들 사이의 차이를 구전 전승의
영향 아니면 복음서 저자의 신학적 경향 때문으로 여긴다.

많은 학자는 또한, 요한복음의 독자성을 수긍하지만, 이 문제는 여
전히 논란의 여지가 남아있다. 요한복음과 공관복음 이야기의 명백
한 유사점과 관련해서는 특히 그러하다. 실제로 복음서 내러티브 간
의 변화와 차이 중 일부는 복음서 작성 이전부터 진행된 복잡한 구전
전승 과정을 가정할 때만 설명될 수 있다.

많은 학문적 논의는 마가복음에 보존된 빈 무덤 전승의 초기 형태
의 기원에 집중되어왔다. 어떤 해석자들은 이 이야기가 어떤 역사
적 토대도 없으며 마가가 예수의 육체적 부활에 대한 믿음을 강화하
기 위해 만들어내었다고 주장한다.[13] 마가복음 16:1-8이 후대의 전
설(legend)이라는 견해는 일반적으로 고린도전서 15:3-4에 나오는 바
울 이전의 전승이 빈 무덤에 대해 아무런 언급도 하지 않는다는 관
찰 때문에 지지를 받는다.

---

13 Adela Yarbro Collins, 'Apotheosis and *Resurrection*', in *The New Testament and Hellenistic Judaism* (eds. Peder Borgen and Søren Giversen; Peabody, MA: Hendrickson, 1995), 88-100; John Dominic Crossan, 'Empty Tomb and Absent Lord', in *The Passion in Mark: Studies on Mark 14-16* (ed. Werner H. Kelber; Philadelphia: Fortress, 1976), 134-52; Michael Goulder, 'The Baseless Fabric of a Vision', in *Resurrection Reconsidered* (ed. Gavin D'Costa; Oxford: Oneworld, 1996), 57-8.

이는 기독교 초기에는 빈 무덤 발견에 대해 전혀 알지 못했다는 의미로 받아들여진다. 여인들이 '아무에게 아무 말도 하지 못하더라'라는 마가복음 16:8의 진술은 이 이야기가 후대에 형성되었다는 표시로 해석된다. 이렇게 이해하면 마가는 이전에 어느 사람도 이 이야기를 들어본 적이 없었다는 사실을 설명하기 위해 여인들의 침묵에 관한 말을 추가한 셈이 된다.

하지만 많은 학자는 빈 무덤 내러티브를 마가의 창작으로 돌리는 것을 꺼린다. 그들은 바울이 빈 무덤 주제에 대해 침묵하는 것으로부터 어떤 결론도 추론해 낼 수 없다고 올바르게 주장한다. 마가복음에 서술된 여인들의 침묵 언급을 그 이야기의 후대 기원을 정당화하기 위한 문학적 장치로 해석하는 견해는 설득력이 약하다.

빈 무덤의 역사성을 옹호하는 학자들은 일반적으로 모든 사복음서 저자들이 빈 무덤 발견의 증인으로 여인들을 지목하고 있음을 강조한다. 그들이 그 이야기를 조작하려 했었다면, 이러한 발견을 여인들의 공로로 돌리지는 않았으리라는 것이다. 여인들의 증언은 고대 유대교에서 많은 법적 비중을 지니지 못했기 때문이다.

이에 대한 가장 적절한 증거는 요세푸스에게서 오는데, 그는 이렇게 주장한다.

> 여자들의 증언은 그들이 지닌 경솔함과 무모함 때문에 결코 받아들여서는 안 된다(*Ant.* 4.219).

요세푸스가 법정에서의 여인들의 증언에 대해 언급한 것이지만, 그의 진술은 1세기 유대 세계에 널리 퍼져 있었던 여인들의 신뢰성에 대한 일반적 선입견을 반영한다.

예를 들어, 위-필로(Pseudo-Philo)는 그의 개작한 성경 이야기 성서 고대사(*Liber Antiquitatum Biblicarum*)에서 모세의 탄생과 장차 그가 이스라엘 백성의 지도자가 될 것을 예고하고 그것을 그의 부모에게 말하라고 지시받은 미리암의 꿈에 대해 다음과 같이 묘사한다. 그러나 "마리암이 꿈에 대해 말했을 때 그녀의 부모는 그녀의 말을 믿지 않았다"(*L.A.B.* 9.10).

위-필로는 삼손 탄생의 이야기에서도 한 여인의 메시지에 대해 이와 유사한 반응을 기술한다. 마노아의 아내가 그에게 그의 아들의 탄생을 알려 준 주의 천사의 환상에 대해 말했을 때, "마노아는 그의 아내의 말을 믿지 않았다"(*L.A.B.* 42.5).

우리는 신적 계시를 전하는 여성의 증언에 대한 전형적인 남성의 반응을 보여 주는 위-필로의 묘사와 빈 무덤 발견에 대한 여인들의 보고에 대한 예수의 남자 제자들의 반응 간의 유사점을 인정하지 않을 수 없다.

누가는 갈릴리 여인들이 빈 무덤 발견과 천사의 메시지에 대해 말했을 때, "이 말이 어처구니없는 말로 들렸으므로 그들은 여자들의 말을 믿지 않았다"(눅 24:11, 표준새번역 개정판)라고 그의 청중에게 알린다. 요한은 막달라 마리아의 보고에 대한 베드로와 애제자의 반응에 대해 그와 같이 분명하게 논평하지는 않지만, 그들이 곧바로 무덤으로 달려간 것은 아마도 그녀의 증언을 확인하려는 마음 때문이었을 것이다(요 20:2-3). 여인들의 보고를 듣고 베드로가 무덤으로 달려갔다고 전하는 누가의 진술도 그와 동일하게 적용될 수 있다(눅 24:12).

대부분 학자는 남자들의 무덤 방문을 여인들의 빈 무덤 발견에 대한 본래의 이야기에 대한 후대의 첨가로 간주한다. 남자들이 여인들의 증언을 확인한다는 보고는 1세기 후반에 기록된 것으로 추정되는 누가복음과 요한복음에서만 언급되는데, 이는 명백하게 변증적 목적을 지닌다. 하나의 이야기가 변증적 경향이 있다는 것은 역사적인 가능성을 배제하지는 않지만, 그 가능성을 감소시키는 것은 확실하다.

끝으로 우리는 천사 현현, 즉 하나 또는 두 천사가 무덤에서 여인들에게 나타난 사건의 기능을 논의해야 한다. 모든 공관복음 내러티브에서 천사(들)의 주된 임무는 예수의 실종된 사신의 의미를 해석해 주는 데 있다. 마태와 마가는 예수가 갈릴리에서 제자들을 만날 것을 그들에게 알려 주라는 여인들의 위임을 추가하기는 하지만, 해석해 주는 임무가 여전히 우선적이다.

천사 현현의 해석하는 기능의 중요성은 특히 천사들이 이러한 역할을 하지 않는 요한의 이야기를 고려할 때 분명해진다. 그들은 막달라 마리아에게 빈 무덤이 무엇을 의미하는지 말하지 않기 때문이다. 이것이 그녀가 부활하신 예수에게조차도—물론 그녀가 알아보기 전이지만—계속해서 예수의 시신이 사라졌다고 암시하는 이유이다. 요한의 내러티브가 잘 보여 주듯이 천사의 설명이 없다면 빈 무덤은 불가사의하고 혼란스러운 일로 남는다.

이러한 혼란은 부활하신 예수가 막달라 마리아에게 나타나서 그녀가 이분이야말로 죽은 자 가운데서 다시 살아나신 자신의 선생님(Teacher)이라는 사실을 깨달을 때만이 제거된다. 이 이야기에서는 그리스도 현현이 천사 현현을 대체했다.

요한의 내러티브에서 관찰할 수 있듯이, 해석하는 기능이 천사로 부터 부활하신 예수에게로 옮겨짐으로써 천사 현현과 그리스도 현현 의 관계에 대한 질문이 제기된다. 마태복음에서 막달라 마리아와 다른 마리아도 빈 무덤 근처에서 그리스도 현현을 경험하지만, 여기서 는 그리스도 현현과 관련된 해석 기능이 단순히 천사 현현과 연관된 해석 기능을 모방한다.

어떤 학자들이 선호하는 해결안은 본래의 천사 현현이 후에 그리스도 현현을 생겨나게 했다는 견해이다. 이렇게 이해하게 되면, 예수가 죽은 자 가운데서 살아나셨다는 확신을 여인들에게 전해준 천사 현현에 대한 초기 전승이 후에 부활하신 그리스도 현현에 대한 전승으로 발전된 것이다.[14]

또 하나의 견해는 막달라 마리아의 그리스도 현현의 진정성을 인정하고 그것이 후에 천사 현현으로 바뀌었다는 견해이다.[15] 요한복음이 공관복음과는 비교적 독자적임을 고려할 때, 막달라 마리아에게 일어난 예수 현현 전승은 매우 오래된 것일 수 있다. 1세기의 만연된 가부장적 편견을 고려할 때, 그리스도 현현에서 천사 현현으로의 변화가 좀 더 개연성이 있는 것으로 보인다.

이미 앞부분에서 보았듯이 고린도전서 15:3-7에 나오는 전승 자료에는 천사 현현의 증인이든 아니면 그리스도 현현의 증인이든 여인들에 대한 어떤 언급도 포함되어 있지 않다. 이러한 침묵으로부터 어떤 결론도 끄집어낼 수 없지만, 전승 공식 문구에서 여인이 누락된 것은 빈 무덤 근처에서 막달라 마리아 또는 일단의 여인들에게 일어

---

14 Barnabas Lindars, *The Gospel of John* (NCB; Oxford: Oliphants, 1972), 604.

15 Allison, *Resurrecting Jesus*, 249-53.

난 예수의 현현이 대체로 무시되었거나 심지어 의도적으로 생략되었
을 가능성을 증가시킨다.

모든 복음서 내러티브가 예수의 무덤에 있던 여인들을 하나 또는
두 천사의 나타남과 연관시키고 있다는 사실은 부활절 사건(Easter
events)에서 여인들의 중요성을 폄하하기 위해 초기의 그리스도 현현
이 후대에 천사 현현으로 바뀌었다는 추가적 증거로 수용될 수 있을
것이다.[16]

6. 요약과 결론

많은 교회에서 부활절 예배 중에 읽는 유일한 본문은 복음서 중 하
나에서 가져온 빈 무덤 발견에 관한 이야기이다. 이는 그 이야기만으
로도 예수의 부활 메시지를 충분히 전달한다는 인상을 준다. 그러나
복음서에 나온 증거는 그러한 결론을 지지하지 않는다. 각각의 복음서
저자는 시신이 없는 무덤을 발견한 사건이 그 자체로는 모호한 경험이
었음을 강조한다. 빈 무덤 이야기가 예수의 부활 이후의 현현 이야기
에 대한 전편(prequel)으로 기능할 때만 이러한 모호함은 사라진다.

이 과정의 시작은 마가복음에서 볼 수 있지만, 마가가 단지 기대하
는 것을 다른 복음서 저자들은 충분히 서술해 준다. 부활하신 그리
스도와의 만남에 관한 이야기를 빈 무덤 발견에 관한 이야기에 덧붙
임으로써 마태, 누가, 요한은 무덤에서 사라진 몸이 무덤 밖에 나타

---

[16] '무덤가에서 천사(또는 천사들)를 보는 여인들의 이야기는 아마도 그들이 예수
를 보는 이야기의 변형일 것이다'라는 Allison의 견해 참조(ibid., 253).

난 몸과 같다는 점을 내러티브로 입증했다.

모든 사복음서는 빈 무덤이 일단의 여인들에 의해 발견되었다는 점에서 일치한다. 막달라 마리아라는 이름은 모든 목록에 나타나지만 다른 여인들의 이름은 다양하다. 요한복음에서 막달라 마리아는 홀로 나타나지만, 아마도 거기서 그녀는 여인들의 대표역할을 담당하는 것으로 보인다. 여인들이 시신이 사라진 것을 발견했다고 하는 이 초기 전승은 누가복음과 요한복음에서 여인들의 증언을 남자들이 검증한다는 이야기로 보충된다. 남자들의 무덤 방문 전승에 대한 일차적 목적은 변증적인 관점에서 여인들의 보고가 신뢰할 만하다는 점을 확인해 주는 데 있다.

모든 사복음서는 여인들의 빈 무덤 발견을 천사 현현과 연결한다. 무덤에서 나타난 천사(들)의 주요 기능은 사라진 시신 때문에 생겨난 모호함을 제거하고 부활의 메시지를 전달하는 데 있다. 오직 요한복음의 경우에만 빈 무덤에 대한 의미가 천사 현현이 아니라 그리스도 현현을 통해 설명된다.

더욱이 마태복음에는 천사 현현이 그리스도 현현과 나란히 일어난다. 고대에 만연했던 가부장적 선입견에 비추어볼 때, 여인들에게 일어난 본래의 그리스도 현현이 나중에 천사 현현으로 바뀌었을 가능성이 그 역의 경우(본래의 천사 현현이 나중에 그리스도 현현으로 바뀌었을 가능성)보다 더 높다.

그러한 모든 재구성은 추측으로 남아있지만, 빈 무덤 발견으로 인해 생긴 모호함(ambiguity)은 그렇지 않다. 이러한 모호함은 천사 현현과 관련이 없는 무덤 방문 이야기에서 가장 잘 나타난다. 해석해 주는 천사가 없으면 사라진 시신의 발견은 단지 의문(눅 24:12, 24)이나 추측(요 20:3, 13)만 일으킬 뿐이다.

그러나 예수 부활 이후의 현현에 관한 이야기가 동반되지 않는다면, 빈 무덤의 의미에 대한 천사의 해석이 포함된 이야기조차도 예수가 죽은 자 가운데서 다시 살아나셨다는 확신을 주지 못한다. 마가복음의 결말 부분은 이러한 결론을 가장 생생하게 보여 준다.

여자들이 몹시 놀라 떨며 나와 무덤에서 도망하고 무서워하여 아무에게 아무 말도 하지 못하더라(막 16:8).

제4장

부활하신 예수의 현현에 대한 내러티브

부활 이후의 예수 현현(Jesus' post-resurrection appearances)에 관한 이야기는 마태복음, 누가복음, 요한복음 세 복음서에서 발견된다. 이 복음서의 저자들은 적어도 일정한 패턴을 따르는 두 번 이상의 현현을 묘사한다.

첫 번째 현현의 수령자가 항상 특정한 개인들(마태복음에서는 막달라 마리아와 다른 여인들, 누가복음에서는 글로바와 그의 동료, 요한복음에서는 막달라 마리아)인 반면, **두 번째 현현의** 수령자는 보통 예수의 제자들이다. 마태와 누가는 한 그룹의 그리스도 현현만 묘사하지만, 요한은 부활하신 예수에 대한 세 번의 집단적인 현현 경험을 서술한다.

하지만 사도행전 1:3에서 누가는 예수가 승천하기 전 40일 동안 그의 제자들에게 여러 차례 계속해서 나타났다고 서술함으로써 누가복음의 보고를 확대한다.

복음서에서 예수의 현현에 대한 내러티브는 빈 무덤 발견 이야기 뒤에 나타난다. 이러한 내러티브의 순서는 서술적일 뿐만 아니라 변증적이기도 하다. 그것은 이러한 현현이 무덤 근처에서 일어났

든, 예루살렘에서 일어났든, 갈릴리에서 일어났든 상관없이 무덤에
서 사라진 시신이 무덤 바깥에 나타난 것과 동일한 몸임을 입증하려
고 한다. 하지만 그렇게 형성된 내러티브 배열에는 어떤 복음서 저
자도 제거하려고 하지 않았던 커다란 틈이 포함되는데, 그것은 어떻
게 예수의 죽은 몸이 실제로 살아있는 몸으로 변화되었는가 하는 문
제이다.

예수의 부활은 초기 기독교 해석자들이 아무런 설명도 하지 않는
하나님의 감추어진 행위였다. 이 설명할 수 없는 사건이 복음서에
서술된 사건들의 추정된 전편(prequel)으로 기능한다. 여인들이 무덤
에 도착했을 때 몸은 이미 사라졌지만, 이 일이 언제 어떻게 일어났
는지는 어둠 속에 남아있다. 서술된 사건들에는 또 하나의 틈이 포
함되는데, 특히 부활한 예수가 현현할 때 그가 어디에 있었는가 하는
문제이다.

이 문제에 대한 유일한 설명은 요한복음 20:17에서만 찾을 수
있다. 거기서 예수는 막달라 마리아에게 자신이 아버지께로 올라
간다고 설명했다. 다른 경우에는 유사한 설명이 전혀 없다. 예를 들
면, 복음서 저자들은 예수가 하늘에서 나타났는지 아니면 어떤 알려
지지 않은 지상에서 나타났는지 결코 명확하게 밝히지 않는다.

빈 무덤 내러티브와는 달리 예수 부활 이후의 현현에 관한 이야기
들은 상당히 다양하다는 점이 특징이다. 이 장에서는 예수의 현현
장소와 시기, 부활하신 예수를 알아보는 등장 인물의 능력, 예수의
부활한 몸에 대한 묘사와 같은 그 독특한 특징을 파악하기 위해 예수
의 현현에 대한 복음서의 이야기들을 검토할 것이다.

1. 마태복음

마태는 부활하신 예수의 현현을 두 번에 걸쳐 서술하는데 한 번은 예루살렘에서 다른 한 번은 갈릴리에서 일어난다. 예수는 처음에 막달라 마리아와 다른 마아가 천사의 메시지를 제자들에게 전하려고 달려갈 때 빈 무덤 근처에서 그들에게 나타난다.

> 예수께서 그들을 만나 이르시되 평안하냐 하시거늘 여자들이 나아가 그 발을 붙잡고 경배하니 이에 예수께서 이르시되 무서워하지 말라 가서 내 형제들에게 갈릴리로 가라 하라 거기서 나를 보리라 하시니라
> (마 28:9-10).

이 만남에 대한 마태의 서술은 꽤 간략하지만, 그런데도 몇 가지 관찰이 가능하다. 마리아와 동료 여인들은 예수를 알아보는 데 별 어려움이 없었던 것으로 보인다. 본문이 부활한 몸에 대한 어떤 설명도 제공하지 않지만, 여인들이 예수의 발을 붙잡을 수 있었다는 사실은 그의 몸이 만질 수 있는 실체였다는 점을 암시해 준다. 그들이 "그에게 경배했다"는 진술은 부활하신 예수를 향한 새롭고도 경건한 태도를 드러내 준다. 예수가 제자들을 '형제'로 부르는 것이 새롭지만, 그의 메시지는 단지 자신을 만날 갈릴리로 가도록 제자들에게 전하라는 천사의 메시지의 반복에 불과하다.

여인들의 예수 무덤 방문에 대한 복음서 이야기들을 고찰한 고전적인 연구에서 에드워드 린 보데(Edward Lynn Bode)는 이 이야기의 역사성을 부인하는 몇 가지 이유를 제시한다.

첫째, 그러한 현현은 천사의 효용성을 무효화시키는 것처럼 보인다는 것이다.

단순히 예수가 그 메시지를 반복한다면 왜 천사를 귀찮게 하는가?

둘째, 첫 번째 현현이 공식적인 증인이 아니라 여인들에게 일어난 것이 이상하게 보인다는 것이다.

셋째, 의심받을 것이 뻔한 여인들에게 일어난 예수의 현현 보고가 무슨 가치가 있을까?[1]

하지만 정확히 이러한 이유로 이 이야기의 역사성을 받아들일 수 있다.

왜 누군가가 천사의 메시지에 명백한 중복을 끼워 넣거나 법적으로 신뢰할 수 없는 여자들의 증언을 언급하겠는가?

제임스 D. G. 던(James D. G. Dunn)은 다음과 같이 올바르게 지적했다.

> 유일한 분명한 대답은 초기 교회의 공동 기억 내에 첫 번째 증인들이 여인들이었다는 지속적인 보고가 있었다. 혹 만족스럽지 않았을지라도 마태는 그 보고를 무시할 수 없었을 것이다.[2]

마태의 내러티브에 묘사된 부활하신 예수의 두 번째 현현은 갈릴리에서 예수의 제자들에게 일어났다.

---

1 Bode, *The First Easter Morning*, 56.

2 James D. G. Dunn, *Jesus Remembered* (vol. 1 of *Christianity in the Making*; Grand Rapids, MI: Eerdmans, 2003), 843.

열한 제자가 갈릴리에 가서 예수께서 지시하신 산에 이르러 예수를 뵈옵고 경배하나 아직도 의심하는 사람들이 있더라 예수께서 나아와 말씀하여 이르시되 하늘과 땅의 모든 권세를 내게 주셨으니 그러므로 너희는 가서 모든 민족을 제자로 삼아 아버지와 아들과 성령의 이름으로 세례를 베풀고 내가 너희에게 분부한 모든 것을 가르쳐 지키게 하라 볼지어다 내가 세상 끝날까지 너희와 항상 함께 있으리라 하시니라

(마 28:16-20).

여인들에 대한 예수의 현현 이야기와 마찬가지로 열한 제자에 대한 그의 현현 이야기의 특징은 간결하다는 점이다. 마태는 그 일이 예수가 제자들에게 지시한 산에서 일어났다고 지적한다. 그러한 언급이 여인들에게 전해준 천사의 메시지에는 빠져있지만 말이다. 산이 마태복음에서는 중요한 역할을 하기 때문에(마 4:8; 5:1; 8:1; 14:23; 15:29; 17:1; 24:3), 28:16의 산에 대한 언급은 신적 계시의 장소로서 그 의미를 강조한다.

현현 시기에 대해서는 아무런 언급도 없지만. 예루살렘과 갈릴리 간의 지리적 거리를 감안할 때 어느 정도 시간이 경과 했음을 알 수 있다. 사건은 세 개의 간결한 진술로 서술된다.

첫째, 제자들이 예수를 보았다.

예수의 현현이 지닌 시각적 특성을 강조한다.

둘째, 그들은 그에게 경배했다.

부활하신 예수가 예배의 대상임을 설명하는데, 이는 제자들의 반응을 예수의 현현에 대한 여인들의 반응과 연관시킨다.

셋째, 그들 중 일부는 의심했다.

의심의 요소를 도입하지만, 그에 대한 원인은 설명되지 않는다. 부활하신 예수의 현현에 대한 제자들의 유사한 반응을 묘사하고 있는 누가복음 및 요한복음과는 달리(눅 24:41-43; 요 20:24-29), 마태복음 28:17에 언급된 의심은 해결되지 않은 채로 남아있다.

마태는 예수의 부활한 몸에 대한 어떤 설명도 제공하지 않으며 예수 현현의 기원, 즉 그가 하늘에서 나타난 것인지 아니면 지상에서 나타난 것인지에 대해서도 아무런 암시도 없다. 본문에서 가장 많은 분량은 제자들에게 주시는 예수의 말씀에 할애되는데 그의 우주적 권위, 모든 민족을 제자 삼으라는 위임, 그가 항상 그들과 함께 있을 것이라는 약속이 포함된다.

2. 누가복음

마태의 경우처럼, 누가도 두 번에 걸친 부활하신 예수의 현현을 서술한다.

첫 번째 현현은 예루살렘에서 엠마오라 불리는 근처 마을로 가는 두 제자에게 일어난다.

두 번째 현현은 예루살렘에서 열한 제자에게 일어난다.

세 번째 현현은 엠마오로 가는 두 제자에게 일어난 이야기의 끝부분에 베드로가 경험한 예수의 현현 언급이 간략하게 나온다

(눅 24:34). 그러나 누가가 이 사건을 엠마오의 현현 전에 두려
했는지 아니면 후에 두려워 했는지는 분명하지 않다.

엠마오로 가는 두 제자에게 일어난 예수 현현에 대한 누가의 이야
기는 부활하신 예수를 알아보지 못하는 제자들의 무능력과 그들의
집 식탁에 모였을 때 결국 그들이 예수를 알아보게 한 그의 말씀과
행위에 관해 서술하는 매우 드라마틱한 내러티브이다.

> 그 날에 그들 중 둘이 예루살렘에서 이십오리 되는 엠마오라 하는 마을
> 로 가면서 이 모든 된 일을 서로 이야기하더라. 그들이 서로 이야기하며
> 문의할 때에 예수께서 가까이 이르러 그들과 동행하시나 그들의 눈이
> 가리어져서 그인 줄 알아보지 못하거늘 예수께서 이르시되 너희가 길
> 가면서 서로 주고받고 하는 이야기가 무엇이냐 하시니 두 사람이 슬픈
> 빛을 띠고 머물러서더라. 그 한 사람인 글로바라 하는 자가 대답하여 이
> 르되 당신이 예루살렘에 체류하면서도 요즘 거기서 된 일을 혼자만 알
> 지 못하느냐 이르시되 무슨 일이냐 이르되 나사렛 예수의 일이니 그는
> 하나님과 모든 백성 앞에서 말과 일에 능하신 선지자이거늘 우리 대제
> 사장들과 관리들이 사형 판결에 넘겨 주어 십자가에 못 박았느니라. 우
> 리는 이 사람이 이스라엘을 속량할 자라고 바랐노라. 이뿐 아니라 이 일
> 이 일어난 지가 사흘째요 또한, 우리 중에 어떤 여자들이 우리로 놀라게
> 하였으니 이는 그들이 새벽에 무덤에 갔다가 그의 시체는 보지 못하고
> 와서 그가 살아나셨다 하는 천사들의 나타남을 보았다 함이라. 또 우리
> 와 함께 한 자 중에 두어 사람이 무덤에 가 과연 여자들이 말한 바와 같
> 음을 보았으나 예수는 보지 못하였느니라 하거늘 이르시되 미련하고 선

지자들이 말한 모든 것을 마음에 더디 믿는 자들이여 그리스도가 이런 고난을 받고 자기의 영광에 들어가야 할 것이 아니냐 하시고 이에 모세와 모든 선지자의 글로 시작하여 모든 성경에 쓴 바 자기에 관한 것을 자세히 설명하시니라. 그들이 가는 마을에 가까이 가매 예수는 더 가려 하는 것 같이 하시니 그들이 강권하여 이르되 우리와 함께 유하사이다 때가 저물어가고 날이 이미 기울었나이다 하니 이에 그들과 함께 유하러 들어가시니라. 그들과 함께 음식 잡수실 때에 떡을 가지사 축사하시고 떼어 그들에게 주시니 그들의 눈이 밝아져 그인 줄 알아보더니 예수는 그들에게 보이지 아니하시는지라. 그들이 서로 말하되 길에서 우리에게 말씀하시고 우리에게 성경을 풀어 주실 때에 우리 속에서 마음이 뜨겁지 아니하더냐 하고 곧 그 때로 일어나 예루살렘에 돌아가 보니 열한 제자 및 그들과 함께 한 자들이 모여 있어 말하기를 주께서 과연 살아나시고 시몬에게 보이셨다 하는지라. 두 사람도 길에서 된 일과 예수께서 떡을 떼심으로 자기들에게 알려지신 것을 말하더라(눅 24:13-35).

이 단락의 첫 문구('그 날에')를 통해 여기에 서술된 사건이 여인들이 빈 무덤을 발견했던 날과 같은 날에 일어났음을 알 수 있다. 두 제자 중 한 제자만이 글로바란 이름으로 소개되고 나머지 한 제자는 이름이 언급되지 않는다.

예수는 엠마오로 가는 두 사람이 지난 며칠 동안 예루살렘에서 일어났던 사건에 관해 이야기할 때 그들과 동행하게 된 것으로 서술된다. 누가는 그들이 왜 예수를 알아볼 수 없었는지 어떤 설명도 하지 않는다. 그러나 수동태를 사용한 것을 보면('그들의 눈이 가리어져 그인 줄 알아보지 못하거늘'), 그들의 영적 눈가림이 신적 행위의 결과

였음을 보여 준다.

하지만 이야기가 진행되면서 그들이 예수를 알아볼 수 없었던 이유 중 하나가 예수의 사명과 목적에 대한 잘못된 인식 때문이었음이 분명해진다. 그들은 아무것도 알지 못하는 것처럼 보이는 낯선 이에게 며칠 전에 예루살렘에서 일어났던 비극적 사건에 대한 개요를 다음과 같이 그들의 사라진 소망에 대한 날카로운 표현으로 끝냈다.

우리는 이 사람이 이스라엘을 속량할 자라고 바랐노라(눅 23:21).

부활하신 예수를 인식하는 첫 단계는 유대 성경에 대한 기독론적 해석이었다('[그가] 모든 성경에 쓴바 자기에 관한 것을 자세히 설명하시니라'[27절]). 그러나 그들이 집에 들어가 음식을 나누기 위해 식탁에 앉기 전에는 예수를 완전히 알아보지 못했다. 예수가 '떡을 가지사 축사하시고 떼어 그들에게 주실' 때(30절) 마침내 그를 알아보았다. 하지만 그 순간에 예수는 그들에게서 사라졌다(31절).

다수의 누가적인 특징과 모티브를 고려하여 많은 학자는 이 이야기를 누가의 구성(Luke's composition)으로 간주한다. 하지만 그 이야기의 역사성 문제는 그렇게 해서 해결되지 않는다. 그가 그 이야기를 전승 자료에서 찾은 것이 아니라면, 무명의 두 제자에게 일어난 예수의 첫 번째 현현을 포함한 이유를 설명하기 어렵다. 그러므로 입증할 수는 없지만, 누가복음 24:13-15가 역사적 기억을 보존하고 있다고 추정할 수 있다. 아마도 누가는 그 기억을 토대로 다양한 세부적 주제를 통해 자신의 신학적 관심을 표현하는 드라마틱한 이야기를 구성했을 것이다.

그의 세부적 주제 중 하나는 빈 무덤 발견에 대한 여인들의 보고와 예수가 살아났다는 천사의 메시지가 예수의 남자 제자들을 확신시킬 수 없었다는 점을 반복하는 데 있다. 왜냐하면, 그들 또한 무덤이 비었다는 점을 확인했음에도 그를 보지 못했기 때문이다(24절). 이러한 작은 세부적 주제 또한 부활하신 예수의 현현이 없는 빈 무덤은 혼란스러운 경험으로 남는다는 앞 장의 결론을 확인시켜 준다.

또 하나의 세부적 주제는 아마 부활절 이후의 관점으로부터만 가능한 성경 본문에 대한 새로운 이해이다. 실제로 부활하신 예수는 과거의 예언을 마음에 더디 믿는 것에 대해 제자들을 책망했지만, 그들은 예수가 그들에게 성경을 열어주기 전까지는 그것을 믿을 수 없었다.

끝으로 떡을 뗄 때 부활하신 예수를 알아볼 수 있었다는 주제는 오병이어의 기적(눅 9:16)과 마지막 만찬(눅 22:19) 같은 예수의 지상 사역 동안에 있었던 여러 만찬을 기억하는 역할을 하며, 부활 이후의 공동체가 경험할 미래의 만찬(행 2:42, 46; 20:7)을 예상하게 한다.

누가복음에서 서술되는 예수의 두 번째 현현은 글로바와 그의 동료가 다른 제자들에게 자기들의 경험을 보고하자마자 일어난다. 따라서 이 사건이 여전히 안식 후 첫날(그 주간의 첫날)에 일어난 일이었음을 보여 준다. 예수가 베드로에게 홀로 나타나신 사건은 엠마오로부터 온 두 제자와 예루살렘에 머문 그룹이 대화를 나누는 과정에 간략하게 언급된다. 그러나 그 시기와 장소는 구체적으로 언급되지 않는다.

이 말을 할 때 예수께서 친히 그들 가운데 서서 이르시되 너희에게 평강이 있을지어다 하시니 그들이 놀라고 무서워하여 그 보는 것을 영으로 생각하는지라 예수께서 이르시되 어찌하여 두려워하며 어찌하여 마음에 의심이 일어나느냐. 내 손과 발을 보고 나인 줄 알라. 또 나를 만져 보라 영은 살과 뼈가 없으되 너희 보는 바와 같이 나는 있느니라 이 말씀을 하시고 손과 발을 보이시나 그들이 너무 기쁘므로 아직도 믿지 못하고 놀랍게 여길 때에 이르시되 여기 무슨 먹을 것이 있느냐 하시니 이에 구운 생선 한 토막을 드리니 받으사 그 앞에서 잡수시더라 또 이르시되 내가 너희와 함께 있을 때에 너희에게 말한 바 곧 모세의 율법과 선지자의 글과 시편에 나를 가리켜 기록된 모든 것이 이루어져야 하리라 한 말이 이것이라 하시고 이에 그들의 마음을 열어 성경을 깨닫게 하시고 또 이르시되 이같이 그리스도가 고난을 받고 제삼일에 죽은 자 가운데서 살아날 것과 또 그의 이름으로 죄 사함을 받게 하는 회개가 예루살렘에서 시작하여 모든 족속에게 전파될 것이 기록되었으니 너희는 이 모든 일의 증인이라. 볼지어다 내가 내 아버지께서 약속하신 것을 너희에게 보내리니 너희는 위로부터 능력으로 입혀질 때까지 이 성에 머물라 하시니라 (눅 24:36-49).

일반적으로 예수가 나타났던 그룹은 단지 열한 제자에게만 해당한다고 추정된다. 그러한 결론은 이 이야기만 놓고 보면 타당해 보인다. 하지만 전후 문맥을 고려할 때, 예수가 그들에게 나타나기 전에 '이 말을' 하고 있던 사람들(눅 24:36)은 33절에 따르면 엠마오에서 온 두 제자와 더불어 '열한 제자 및 그들과 함께 한 자들'이었다. 이 그룹에 일어난 예수의 현현은 엠마오 내러티브에서 식탁에서 사라진 그의 모습과 유사하다. 그가 글로바와 그의 동료에게서 갑자기 사라진 것처럼 예루살렘에 있는 제자들 앞에 갑자기 모습을 드러냈다.

하지만 누가는 예수가 살과 뼈로 구성된 실제 인간이었음을 입증하기 위해 매우 노력한다. 화자는 먼저 예수를 본 제자들의 반응을 서술하는데, 그들은 놀라고 무서워하여 유령을 보는 줄로 생각했다는 것이다. 그다음에 부활하신 예수는 이러한 우려에 반응하여 제자들에게 그의 손과 발을 보고 또 만져 보아 자신을 확인하라고 요구한다. 그는 또한, "영(유령)은 살과 뼈가 없으되 너희 보는 바와 같이 나는 있느니라"(요 24:39)라고 지적하며 그들에게 자신의 손과 발을 보여 준다.

또한, 그들이 아직 완전히 확신하지 못하므로 그는 음식을 달라고 요청한 후 그들 앞에서 구운 생선 한 토막을 먹었다. 부활하신 예수가 음식을 먹을 수 있었다는 누가의 진술은 또한 사도행전 10:40-41의 부활 개요에도 나타난다.

> 하나님께서 그를 사흘날에 살리시고, 나타나 보이게 하셨습니다. 그를 모든 사람에게 나타나게 하신 것이 아니라, 하나님께서 미리 택하여 주신 증인인 우리에게 나타나게 하셨습니다. 그가 죽은 사람들 가운데서 살아나신 뒤에, 우리는 그와 함께 먹기도 하고 마시기도 하였습니다
> (행10:40-41, 표준새번역).

누가가 서술하는 예수의 현현 이야기의 두 번째 주요 주제는 성경에 대한 기독론적 해석의 필요성이다. 이러한 해석학적 입장은 또한 엠마오 내러티브에서도 강조되었다. 25-27절의 경우처럼 44-47절에 예수는 그 성경 본문이 메시아를 가리킨다는 확신으로 읽을 때만이 적절하게 이해될 수 있다고 설명한다.

누가는 이러한 과정을 성경을 이해하기 위해 제자들의 마음을 여는

과정으로 서술한다. 모든 기독교의 해석자처럼 그 역시 예수를 메시아로 간주하기 때문에 메시아적 해석을 성경의 기독론적 해석과 동일시한다. 이것이 바로 부활하신 예수가 "모세의 율법과 선지자의 글과 시편에 나를 가리켜 기록된 모든 것이 이루어져야 하리라"(눅 24:44)고 말할 수 있었던 이유이다.

이 진술은 일반적으로 유대인 성경 전체를 가리키는 것으로 이해되지만 '나를 가리켜 기록된 모든 것'(everything about me)이란 구문은 메시아를 가리키는 구절들만 해당한다는 점을 지적한다. 비록 이러한 구절들이 무엇인지 언급되어 있지는 않지만 말이다.

이 이야기에 나오는 세 번째 주요 주제는 그들이 위로부터 능력으로 입혀질 때까지 그 성에 머물라(눅 24:49)는 예수의 위임 명령이다. 예수는 그들에게 이 임무를 주기 전에, 메시아의 고난과 부활의 필요성에 대한 성경의 증언은 예루살렘을 시작으로 모든 족속에게 회개와 죄 용서를 전파해야 할 의무도 포함한다고 그들에게 설명한다. 제자들에게 하나님의 능력을 기다리라고 지시함으로써 예수는 세상에 대한 하나님의 구원 목적에 그들을 포함한다.

3. 요한복음

요한은 네 번에 걸친 예수의 현현에 관해 서술한다. 처음 세 번의 현현은 예루살렘에서 일어나고 마지막 네 번째 현현은 갈릴리에서 일어난다. 첫 번째 현현만이 개인 경험으로 서술된다. 나머지 세 번의 현현은 예수의 제자들의 집단적 경험으로 표현되지만, 수혜자의 수는 항상 다르다. 두 번째 현현은 열 제자(가룟 유다와 도마가 빠진 열둘)에게, 세 번째 현현은 열한 제자 모두에게, 그리고 네 번째 현현은 일곱 제자에게 일어난다.

요한의 내러티브에서 부활하신 예수에 대한 첫 번째 현현의 수혜자는 막달라 마리아이다. 요한이 이 사건을 연대순으로 배열하고 있다는 것은 의심의 여지가 없다. 그는 예수의 현현 사건을 빈 무덤의 발견 및 마리아의 무덤 안에서의 천사 현현과 연결한다. 마리아와 부활하신 예수와의 만남은 어떤 계시의 내용도 담고 있지 않은 짧은 천사와의 대화 뒤에 일어난다. 두 천사는 단지 그녀가 슬퍼하는 원인에 대해서만 묻고 그녀는 누군가 예수의 시신을 가져갔다는 처음 생각(요 20:2)을 반복함으로써 반응한다.

> 이 말을 하고 뒤로 돌이켜 예수께서 서 계신 것을 보았으나 예수이신 줄은 알지 못하더라. 예수께서 이르시되 여자여 어찌하여 울며 누구를 찾느냐 하시니 마리아는 그가 동산지기인 줄 알고 이르되 주여 당신이 옮겼거든 어디 두었는지 내게 이르소서 그리하면 내가 가져가리이다. 예수께서 마리아야 하시거늘 마리아가 돌이켜 히브리말로 랍오니 하니 (이는 선생님이라는 말이라) 예수께서 이르시되 나를 붙들지 말라 내가 아직 아버지께로 올라가지 아니하였노라. 너는 내 형제들에게 가서 이르되 내가 내 아버지 곧 너희 아버지, 내 하나님 곧 너희 하나님께로 올라간다 하라 하시니 막달라 마리아가 가서 제자들에게 내가 주를 보았다 하고 또 주께서 자기에게 이렇게 말씀하셨다 이르니라(요 20:14-18).

이 심금을 울리는 이야기의 전반부는 마리아가 처음에는 예수를 알아보지 못하다가 예수가 그녀의 이름을 부르자 그의 정체를 갑작스럽게 알아보는 내용을 서술한다. 이 드라마틱한 모티브의 내러티브는 누가복음 24:13-35에 나오는 엠마오 내러티브와 유사하다. 여기서도 문제는 마리아가 예수의 정체를 잘못 알아본 데서 생겨난다. 두 제자가 예수를 낯선 사람으로 간주한 엠마오 내러티브의 경우처럼, 마리아는 그를 동산지기라고 생각한다.

더욱이 예수가 누구인지 알아본 것도 친숙한 행위(떡을 떼는)나 친숙한 말씀(마리아의 이름을 부르는 발음 소리)을 통해 촉발된다. 하지만 엠마오 내러티브와는 달리 화자는 마리아가 예수를 알아보지 못하는 이유를—신학적으로나 일상적으로나—전혀 설명하지 않는다. 따라서 우리는 그녀가 예수를 알아보지 못한 이유가 객관적 이유인지 아니면 주관적 이유인지 알지 못한다.

이 이야기의 후반부는 예수의 말씀과 제자들에 대한 마리아의 보고로 구성된다. 마리아가 그를 알아보자마자 예수는 다음과 같은 명령으로 반응한다.

나를 붙들지 말라 내가 아직 아버지께로 올라가지 아니하였노라
(요 20:17).

이 구절을 '나를 만지지 마라. 내가 아직 아버지께로 올라가지 않았기 때문이다'라고 번역하는 킹 제임스 버전(KJV)은 불가능한 것은 아니지만 여전히 오해의 소지가 있다.

헬라어 본문은 부정어가 있는 현재 명령형을 사용하고 있는데, 이 것은 전형적으로 이미 진행 중인 행동을 금지하는 것을 말한다. 또 한, 킹 제임스 버전 식으로 해석하면, 예수가 왜 마리아에게는 자신 을 만지지 말라고 하고 뒤에 가서 도마에게 자기 몸을 만지라고 하는 지(요 20:27) 설명하기가 불가능하다. 누가의 경우처럼 요한도 예수의 부활한 몸의 실재성(tangibility)을 가정한다. 그러나 마리아에게 그의 몸을 붙들지 말라는 예수의 요청은 설명하기가 쉽지 않다.

가장 개연성이 있는 제안 중 하나는 레이몬드 E. 브라운(Raymond E. Brown)에 의해 제공된다. 브라운은 마리아가 예수에게 매달리는 것을 그의 육체적 존재(the bodily presence)에 대한 집착으로 해석하는 데, 그것은 영구적인 것이 아니라 성령의 지속적인 존재(the enduring presence of the Spirit)로 대체될 것이다.[3]

그러나 분명해 보이는 것은 요한의 내러티브에서 예수의 승천이 마 리아에 대한 그의 현현 이후에, 그리고 제자들에 대한 그의 현현 이전 에 일어난다는 점이다. 하지만 이러한 내러티브 순서로부터 마리아 에게 일어난 예수의 현현이 그의 제자들에게 일어난 현현과 다른 특 성을 가졌다고 추론하는 것은 잘못일 것이다. 요한은 부활과 승천 사 이의 시간상의 차이가 신학적 의미가 있다고 암시하지 않는다. 그에 게 예수의 부활과 승천은 하나의 통일된 사건의 양 측면이다.

이러한 시간표는 승천이 예수의 부활 현현 시기를 종결하는 누가-행전(Luke-Acts)과는 다르다(눅 24:50-53; 행 1:1-11). 예수의 부활과 승천 에 대한 요한의 결합은 이 두 사건을 연관시키는 신약의 다른 언급들

---

3   Brown, *The Gospel according to John* (xiii-xxi), 1012, 1014.

과 일치한다. 예를 들면 다음과 같은 성경구절들이다.

죽으실 뿐 아니라 다시 살아나신 이는 그리스도 예수시니 그는 하나님
우편에 계신 자요 우리를 위하여 간구하시는 자시니라(롬 8:34).

사람의 모양으로 나타나사 자기를 낮추시고 죽기까지 복종하셨으니 곧
십자가에 죽으심이라. 이러므로 하나님이 그를 지극히 높여 모든 이름
위에 뛰어난 이름을 주사(빌 2:8-9).

그 물은 지금 여러분을 구원하는 세례를 미리 보여 준 것입니다. 세례
는 육체의 더러움을 씻어 내는 것이 아니라, 예수 그리스도의 부활을 힘
입어서 선한 양심이 하나님께 응답하는 것입니다. 그리스도께서는 하늘
로 올라가셔서 하나님의 오른쪽에 계시니, 천사들과 권세들과 능력들이
그에게 복종하고 있습니다(벧전 3:21-22, [표준새번역 개정판]).

부활하신 예수는 마리아에게 그의 '형제들'(그의 제자를 가리키는 새
로운 용어)에게 가서 그의 임박한 승천의 메시지를 전하라는 위임을
준다. 그러나 마리아는 제자들에게 그것을 보고하기 전에 부활하신
예수를 만났다는 증언("내가 주를 보았다"[요 20:25])을 덧붙인다. 요
한에게 이것은 부활하신 예수를 만난 마리아와 제자들의 경험에는
어떤 차이도 없다는 점을 보여 준다.
　요한은 부활하신 예수가 제자 그룹에 첫 번째로 나타난 때가 예수
의 무덤이 빈 채로 발견되고 그가 막달라 마리아에게 나타났던 날과
동일한 날의 저녁이었다고 서술한다.

이날 곧 안식 후 첫날 저녁때에 제자들이 유대인들을 두려워하여 모인 곳의 문들을 닫았더니 예수께서 오사 가운데 서서 이르시되 너희에게 평강이 있을지어다. 이 말씀을 하시고 손과 옆구리를 보이시니 제자들이 주를 보고 기뻐하더라. 예수께서 또 이르시되 너희에게 평강이 있을지어다 아버지께서 나를 보내신 것 같이 나도 너희를 보내노라. 이 말씀을 하시고 그들을 향하사 숨을 내쉬며 이르시되 성령을 받으라. 너희가 누구의 죄든지 사하면 사하여 질 것이요 누구의 죄든지 그대로 두면 그대로 있으리라 하시니라(요 20:19-23).

이 단락에는 몇 명의 제자가 있었는지 나타나지 않지만, 24절을 통해 도마가 그들과 함께 있지 않았다는 것이 분명하게 밝혀진다. 화자는 예수가 잠긴 문을 통과해서 들어왔는지 명확하게 언급하고 있지는 않지만, 문이 잠긴 방에 불쑥 나타난 것을 보면 그렇게 들어왔음을 암시한다. 견고한 물체를 통과할 수 있는 예수의 능력은 부활한 몸의 초육체적(trans-physical) 특성을 가리키지만, 바로 그다음 장면에는 예수가 그의 제자들에게 손과 옆구리를 보여 줌으로써 그 몸의 육체성을 확립하려고 한다.

이러한 예수의 신체 부분들이 어떤 의미가 있는지는 다음 에피소드에 나오는 도마와의 대화 속에서 분명해진다(요 20:25). 예수의 손에는 못 자국이 있었고 옆구리에는 십자가에서 죽었을 때 찔린 상처가 있었다(요 19:31-37).

이러한 신원 확인 표시는 십자가에 달리신 분이 부활하신 분임을 입증하는 목적을 지닌다. 이러한 개념은 바룩2서(2 Bar. 49:1-51:6)에 나오는 부활한 몸에 관한 서술과 유사하다. 거기서는 죽은 자가 서로를 알아보기 위해 죽기 전에 가졌던 형태로 살아날 것이라는 개념을 촉진한다.

하지만 이것이 요한복음과 바룩2서 사이에 있는 유일한 유사점이다. 요한은 신원이 확인되자 예수의 부활한 몸이 변화하기 시작했다고 암시하지 않는다. 정확히 정반대이다. 일주일 후에 도마와 다른 제자들에게 나타났던 부활하신 예수는 빈 무덤을 발견했던 날 그들에게 나타났던 몸과 동일한 십자가 처형의 표지를 지녔다.

제자들에게 일어난 예수의 첫 번째 현현에 대한 요한의 서술에는 그들이 그를 알아보는 데 어려움이 있었다는 명확한 진술은 없다. 그런데도 이 개념은 진술된 사건 순서에 넌지시 암시되어 있다.

먼저 예수는 제자들 가운데 서서 "너희에게 평강이 있을지어다"라고 인사했다. 그런 다음 그들에게 손과 옆구리를 보여 주었다. 이러한 행위 이후에야 비로소 화자는 "제자들이 주를 보고 기뻐하더라"(요 20:20)라고 보고한다. 그 안에 다음과 같은 인과관계가 암시되어 있다. 그들은 부활하신 예수가 십자가 처형의 표시를 통해 자신의 정체를 확인시켜 준 후에야 비로소 기뻐할 수 있었다는 것이다.

이 단락의 후반부는 제자들에 대한 예수의 위임 명령에 할애된다. 그 명령에는 파송 공식 문구, 성령 받음, 죄 용서의 능력이 포함된다. 요한의 연대는 예수가 부활한 지 50일이 지난 후 성령이 강림하는 누가의 연대와 다르다(행 2:1-4). 요한의 연대기와 누가의 연대기를 조화시키려는 시도는 가능하지도 않고 필요하지도 않다. 두 복음서의 저자는 신학적 관심이 다르기 때문이다.

하지만 두 저자는 성령 받음이 예수의 승천 후에 일어나며 성령의 선물이 제자들을 세상으로 파송하는 일과 관련된다는 데는 일치한다. 요한복음에서 제자들은 예수의 임무를 계속하기 위해 보냄을 받으며("아버지께서 나를 보내신 것같이 나도 너희를 보내노라"[요 20:21]), 그들은 즉각적으로 그렇게 할 수 있는 성령의 능력을 받는다.

제자들에게 일어난 예수의 두 번째 현현에 앞서 이전의 현현을 목격했던 제자들과 그 자리에 없었던 도마 사이에 간략한 대화가 오고 간다.

> 열두 제자 중의 하나로서 디두모라 불리는 도마는 예수께서 오셨을 때에 함께 있지 아니한지라. 다른 제자들이 그에게 이르되 우리가 주를 보았노라 하니 도마가 이르되 내가 그의 손의 못 자국을 보며 내 손가락을 그 못 자국에 넣으며 내 손을 그 옆구리에 넣어 보지 않고는 믿지 아니하겠노라 하니라. 여드레를 지나서 제자들이 다시 집 안에 있을 때에 도마도 함께 있고 문들이 닫혔는데 예수께서 오사 가운데 서서 이르시되 너희에게 평강이 있을지어다 하시고 도마에게 이르시되 네 손가락을 이리 내밀어 내 손을 보고 네 손을 내밀어 내 옆구리에 넣어 보라. 그리하여 믿음 없는 자가 되지 말고 믿는 자가 되라. 도마가 대답하여 이르되 나의 주님이시오 나의 하나님이시니이다. 예수께서 이르시되 너는 나를 본 고로 믿느냐 보지 못하고 믿는 자들은 복되도다 하시니라(요 20:24-29).

이 기억에 남는 인상적인 이야기는 도마를 예수의 십자가 처형의 흔적을 만져 보아 정체를 확인하기 전까지는 부활하신 예수가 지상의 예수와 같은 인물인지 믿기를 거절한 제자로 묘사한다. 한 주 후에 예수가 제자들에게 두 번째로 나타났을 때 그는 도마에게 요청대로 하라고 허락했다. 하지만 화자는 도마가 실제로 예수의 손과 옆구리를 만져 보았는지는 언급하지 않고, 곧바로 도마가 예수의 정체를 인정하는 내용으로 넘어간다.

'의심하는 도마'로 알려진 이 제자는 실증적 경험(empirical verification)을 통해서만 믿을 수 있는 인물을 상징한다. 도마의 보편적 의미는 '보지 못하고 믿는 자들은 복되도다'(요 20:29)라는 예수의 영원한 선언을 통해 강화된다. 하지만 동시에 도마는 예수의 정체성에 대해 가장 심오한 고백을 하는 인물을 상징하기도 한다.

> 나의 주님이시요 나의 하나님이시니이다(요 20:28).

요한의 내러티브에서 도마보다 더 고등한 기독론적 고백(higer Christological acclamation)을 제공하는 등장인물은 없다. 또한, 예수는 도마의 실증적 검증의 필요성을 무시하는 것이 아니라 단지 이것이 최고 수준의 신앙이 아님을 분명히 할 뿐이다.

> 보는 것이 곧 믿는 것은 아닐지라도, 보지 않고는, 즉 누군가는 보지 않고는 믿지 않는다.[4]

대부분 학자는 요한복음 21장을 후대의 추가로 간주한다. 이것이 21장의 제자들에게 일어난 예수의 세 번째 현현 이야기가 이전의 두 현현과 긴장 상태를 유지하는 이유이다. 20장에 서술된 예수의 현현이 예루살렘에서 일어난 것과는 달리 21장에서의 현현은 갈릴리에서

---

4 D. Moody Smith, *John* (ANTC; Nashville: Abingdon, 1999), 384.

일어난다. 그 이야기는 베드로를 따라 물고기를 잡으러 갈릴리로 떠
난 일곱 제자에 관한 서술로 시작한다.

베드로와 그의 동료 제자 중 일부가 이전 직업으로 되돌아갔음
을 암시하는 이 결정(요한이 그들 모두 직업상 어부였는지는 자세히 설명하
지 않지만)은 이전 장에서 서술된 부활하신 주님과 만남을 고려할 때
매우 당황스러운 것이 사실이다. 그러나 우리가 이것을 후에 요한
의 내러티브에 첨부된 독립된 이야기로 간주한다면 그들의 결정은
그다지 당황스럽지 않다.

> 그 후에 예수께서 디베랴 호수에서 또 제자들에게 자기를 나타내셨으니
> 나타내신 일은 이러하니라. 시몬 베드로와 디두모라 하는 도마와 갈릴리
> 가나 사람 나다나엘과 세베대의 아들들과 또 다른 제자 둘이 함께 있더
> 니 시몬 베드로가 나는 물고기 잡으러 가노라 하니 그들이 우리도 함께
> 가겠다 하고 나가서 배에 올랐으나 그 날 밤에 아무 것도 잡지 못하였더
> 니 날이 새어갈 때에 예수께서 바닷가에 서셨으나 제자들이 예수이신 줄
> 알지 못하는지라. 예수께서 이르시되 얘들아 너희에게 고기가 있느냐 대
> 답하되 없나이다. 이르시되 그물을 배 오른편에 던지라 그리하면 잡으
> 리라 하시니 이에 던졌더니 물고기가 많아 그물을 들 수 없더라. 예수께
> 서 사랑하시는 그 제자가 베드로에게 이르되 주님이시라 하니 시몬 베드
> 로가 벗고 있다가 주님이라 하는 말을 듣고 겉옷을 두른 후에 바다로 뛰
> 어 내리더라. 다른 제자들은 육지에서 거리가 불과 한 오십 칸쯤 되므로
> 작은 배를 타고 물고기 든 그물을 끌고 와서 육지에 올라보니 숯불이 있
> 는데 그 위에 생선이 놓였고 떡도 있더라. 예수께서 이르시되 지금 잡은
> 생선을 좀 가져오라 하시니 시몬 베드로가 올라가서 그물을 육지에 끌어

올리니 가득히 찬 큰 물고기가 백 쉰 세 마리라 이같이 많으나 그물이 찢어지지 아니하였더라. 예수께서 이르시되 와서 조반을 먹으라 하시니 제자들이 주님이신 줄 아는 고로 당신이 누구냐 감히 묻는 자가 없더라. 예수께서 가셔서 떡을 가져다가 그들에게 주시고 생선도 그와 같이 하시니라. 이것은 예수께서 죽은 자 가운데서 살아나신 후에 세 번째로 제자들에게 나타나신 것이라(요 21:1-14).

갈릴리 바다라고도 알려진(요 6:1) 디베랴 호숫가에서 일어난 예수의 현현 이야기에는 많은 현현 내러티브들의 특징이 되는 모티브, 즉 부활하신 예수를 알아보지 못하는 등장인물의 모습이 포함된다. 화자는 왜 이러한 현상이 일어났는지 설명하지 않는다. 그는 단순히 "제자들이 예수이신 줄 알지 못하는지라"(요 21:4)고만 말한다.

예수를 알아보기 전에 예수는 제자들에게 그물을 배 오른편에 던지라고 조언했다. 그들이 그렇게 하자 엄청난 양의 물고기를 잡는 기적이 일어났다. 애제자가 가장 먼저 예수를 알아보았지만, 베드로와 다른 제자들은 애제자가 예수의 정체를 구두로 선언한 후에야 비로소 알아볼 수 있었던 것으로 보인다.

제자들이 호숫가로 왔을 때 예수는 그들에게 아침을 제공했다. 화자가 부활하신 예수가 제자들을 위해 마련한 식사에 실제로 참여했다고 보고하지는 않지만, 모든 장면에는 견고한 대상을 통과하는 것이나 갑자기 사라지는 것과 같은 예수의 초-육체성(trans-physicality)을 지적하는 것은 아무것도 없다.

이 이야기를 21장에 첨부한 편집자의 손길은 14절에서 이것이 예수께서 죽은 자 가운데서 살아나신 후에 세 번째로 제자들에게 나타나신 것이라는 메모를 덧붙였다. 이 이야기를 이전의 내러티브와 결합하려는 목적을 가진 이 메모는 막달라 마리아에게 일어난 예수의 현현을 무시하고 따라서 고린도전서 15:5-7에 보존된 전승 자료에서 입증되는 남성 증언에 대한 유사한 선호를 드러낸다.

이 이야기와 베드로 복음서(*Gospel of Peter*)의 결말 부분 사이의 유사점이 자주 주목되어 왔다. 이 문서에는 막달라 마리아와 동료 여인들에게 일어난 천사 현현에 이어 무교절(Feast of Unleavened Bread)이 끝난 후 제자들이 어떻게 집으로 돌아갔는지에 대한 설명이 뒤따른다.

> 그러나 주님의 열두 제자인 우리는 눈물을 흘리며 비탄에 잠겨 있었다. 그리고 그때까지 일어난 일을 슬퍼하면서 각자 자기 집으로 돌아갔다. 그러나 나 시몬 베드로와 나의 형제 안드레는 그물을 들고 바다로 나갔다. 우리와 함께 알패오의 아들 레위가 있었다
> (베드로 복음서 59-60).[5]

현존하는 본문은 이 지점에서 끝나지만, 뒤따르는 내용은 베드로와 그의 동료 제자들에게 일어난 예수의 현현을 서술했을 것이다. 베드로 복음서가 A.D. 2세기경에 기록된 것으로 추정되고 그 문서가 공관복음 전승에 의존하고 있음을 감안할 때, 이 특정한 이야기가 독립된 구전 전승으로부터 유래했을 가능성이 배제되지 않는다.

하지만 베드로 복음서의 문학적인 문맥에서 볼 때 갈릴리의 이전 직업으로 돌아가는 슬퍼하는 제자들에 관한 이야기가, 예루살렘에

5 Bart D. Eheman and Zlatko Pleše의 번역, *The Apocryphal Gospels: Texts and Translations* (Oxford: Oxford University Press, 2011), 387.

서 부활하신 예수의 두 번에 걸친 현현을 목격했음에도 불구하고 디베랴 호수로 물고기를 잡으러 나간 일곱 제자에 관한 요한의 이야기보다 더 개연성이 있어 보인다.

4. 예수의 현현 전승의 발전

마태복음, 누가복음, 요한복음에서만 서술되는 예수의 현현은 너무나 다양해서 그것들의 공통된 특성을 효과적으로 비교하거나 연대적 관계를 재구성하는 작업은 거의 불가능에 가깝다. 더욱이 우리가 복음서 이야기들을 고린도전서 15:5-7에 보존된 전승 자료와 비교할 때 양자 간의 유일한 공통 요소는 부활하신 예수가 열한 제자 그룹에 나타났다는 점뿐이다(아래의 도표에서 굵은 글씨로 표시).

고전 15:5-8	마태복음	누가 - 행전	요한복음
1. 베드로 2. **열두 제자들** (가룟 유다가 포함 되지 않기 때문에 실제로는 열한 제자) 3. 500여 형제 자매 4. 야고보 5. 모든 사도 6. 바울	1. 막달라 마리아와 다른 마리아 2. **열한 제자들**	1. 글로바와 다른 제자 2. 베드로(서술되지 는 않음) 3. **열한 제자들**	1. 막달라 마리아 2. 열 제자 3. **열한 제자들** 4. 일곱 제자

각각의 복음서가 열한 제자에게 일어난 예수의 현현을 언급하거나(마가복음) 서술하지만(마태복음, 누가복음, 요한복음) 예수의 현현 장소가 다르다. 마가복음 16:7이 갈릴리에서의 예수의 현현을 언급하고 마태복음 28:16-20이 그 사건을 구체적으로 서술하고 있지만, 누가복

음 24:36-49과 요한복음 20:19-29는 예수가 먼저 예루살렘에서 제자
들에게 나타났다고 서술한다.

그러나 요한의 상황은 좀 더 복잡한데, 그가 예루살렘에서 일어난
두 번에 걸친 그리스도 현현, 즉 열 제자 그룹에 일어난 첫 번째 현현
(요 20:19-23)과 열 한 제자 그룹에 일어난 두 번째 현현(요 20:24-29)을
서술하고 있기 때문이다. 하지만 두 번째 예수 현현의 주된 초점은 열
한 제자가 아니라 도마에 놓여 있다. 요한은 또한, 제자 그룹에 나타
난 세 번째 그리스도 현현을 덧붙이지만(요 21:1-14), 이 사건은 갈릴
리에서 단지 일곱 제자에게만 일어난다.

또한, 이러한 현현의 시기가 다르다. 마가와 마태는 어떤 연대적
인 지적도 제공하지 않지만, 예루살렘과 갈릴리 간의 거리를 감안하
면(보통 도보로는 나흘이 걸리는 것으로 추정) 어느 정도의 시간 경과가
전제된다. 누가와 요한은 예루살렘에서의 예수의 현현이 빈 무덤 발
견 당일, 즉 안식 후 첫날에 일어난 것으로 서술한다. 요한은 예루살
렘에서 제자들에게 일어난 두 번째 현현을 첫 번째 현현으로부터 일
주일 후에 일어난 것으로 산정한다. 갈릴리에서 일어난 그리스도 현
현에는 '그 후에'(after these things) 이 사건이 일어났다는 언급 외에
어떤 특정한 시간도 지정되지 않는다(요 21:1).

예수 현현 이야기들의 이러한 차이들을 어떻게 평가해야 하는가?
이러한 차이들은 동일한 전승에 대한 여러 버전(multiple versions)
을 나타내는가 아니면 다양한 사건들에 대한 기억에서 유래하는
것인가?

고린도전서 15:5에 나오는 열둘에 대한 예수 현현의 초기 언급에
는 어떤 장소와 연대도 지정되어 있지 않기 때문에 별로 도움이 되

지 못한다. 신약성경의 모든 내러티브들을 일련의 예수 현현들로 통합하려는 재구성 작업―먼저 예루살렘에서 일어난 첫 번째 현현(눅 24:36-49; 요 20:19-29), 그 후 갈릴리에서 일어난 또 하나의 현현(마 28:16-20; 막 16:7; 요 21:1-14), 그 후 제자들의 예루살렘 귀환 후 추가적인 현현들(행 1:3-9)―은 결국 개별 이야기들에 대한 비판적인 평가보다는 증거에 더 많은 폭력을 행사할 뿐이다.

이러한 통합 작업에 주된 역할을 하는 요한의 연대기는 편집적 손길을 드러내는 명백한 문학적 모순 때문만이 아니라 또한, 요한이 서술하는 사건 순서가 개연성이 부족하므로 문제가 있다.

예루살렘에서 부활하신 예수를 만나서 (이 사건에 대한 누가의 버전을 고려한다면) 성령의 능력을 받을 때까지 거기서 기다리라는 위임 명령을 받았던 제자들이 왜 갈릴리로 돌아가 이전에 하던 일을 재개하겠는가?

더욱이 예루살렘에서 일어난 이전의 현현이 그들을 예루살렘에 머물게 하지 못했다면 어떻게 갈릴리의 현현이 예루살렘으로 돌아가도록 그들을 설득했을까?

더욱 건설적인 방법은 복음서 내러티브에서 제공된 지리적이고 연대적인 진술을 각 저자의 신학적 관심에 비추어 평가하는 것이다. 예를 들면, 누가가 모든 그리스도 현현의 장소를 예루살렘에 제한한 것은 분명 예루살렘을 기독교 운동의 중심지로 서술하려는 그의 의도와 연관된다(눅 24:47; 행 1:8). 요한이 갈릴리에서 일어난 예수의 현현을 배제하지 않지만, 예루살렘에서 일어난 예수 현현에 우선순위를 둔다는 점 역시 그의 신학적인 동기로 이해할 수 있다.

예컨대 요한이 첫 번째 예수 현현의 장소를 유대 지방으로 지정함으로써 유대인에 대한 그의 부정적 묘사를 뒷받침할 수 있고(요 20:19)

성령 받음을 예수의 승천과 연결할 수 있다(요 20:17, 22). 그러므로 누가와 요한의 시간표를 이차적인 것으로 간주할 충분한 이유가 있다.

갈릴리 현현이 연대적으로 앞선다는 견해는 부활 이후의 사건에 대한 마가와 마태 버전의 지지를 받을 뿐만 아니라 역사적 개연성도 더욱더 크다. 예수의 십자가 처형과 그들에게 미칠 파급효과에 대한 두려움을 고려하면 제자들의 낙심과 고향으로의 신속한 귀환이 더욱 현실적으로 보인다.

예수가 갈릴리에서 처음으로 그들에게 나타나 복음을 전하라는 위임 명령을 주었다고 볼 때, 그들이 왜 예루살렘으로 돌아가기로 했는지를 더욱더 잘 이해할 수 있다. 갈릴리 현현이 역사적으로 우선시된다는 견해는 또한, 예루살렘을 중심으로 한 초기 기독교 운동이 예수의 현현들을 갈릴리로 옮겨야 할 만한 설득력 있는 이유가 없었다는 가정에 의해서도 지지된다.

오히려 그러한 현현 사건을 예루살렘으로 옮기기가 훨씬 더 쉽지 않았겠는가?

앞에서 언급한 예수의 현현 순서의 개연성에 대한 평가는 부활하신 예수가 제자들에게 한 번 이상 나타났으며, 적어도 이러한 현현 중 한 번은 갈릴리에서, 한 번은 예루살렘에서 일어났다는 전제에 근거한다. 하지만 이러한 가정이 증거에 의해 보증되는 유일한 결론이 아닐 수도 있다. 오직 요한만이 세 번에 걸친 집단적인 그리스도 현현에 관해 서술한다.

마태와 누가는 단지 한 번의 현현만 진술하며, 마가의 천사도 한 번의 현현만 예고한다. 더욱이 마태복음 28:16-20, 누가복음 24:36-49, 요한복음 20:19-23에 보고된 그리스도 현현은 다양한 장소의 차이에도 불구하고(마태에는 갈릴리, 누가와 요한에는 예루살렘) 유사한 구조적 요소를 가지고 있다.

이 세 복음서 저자들은 예수의 현현, 부활하신 예수를 만난 제자들의 반응, 예수의 위임 명령, 도움의 약속(영원히 함께하겠다는 예수의 약속[마태], 위로부터 오는 미래의 능력[누가], 또는 즉각적인 성령 받음[요한]의 형태로) 등을 보고한다.

	마 28:16-20	눅 24:36-49	요 20:19-23
예수의 현현	28:17a	24:36	20:19-20a
제자들의 반응	28:17b	24:37-41	20:20b
예수의 위임 명령	28:18-20a	24:44-48	20:21, 23
도움의 약속	28:20b	24:49	20:22

이러한 공통 패턴은 복음서의 그리스도 현현들이 예수가 열둘에 나타났다는 초기 고백(고전 15:5)으로 거슬러 올라가는 핵심 전승(a core tradition)의 변이들(variations)임을 나타낼 수도 있다.[6] 하지만 이러한 결론은 예수의 제자들이 여러 번에 걸친 그리스도 현현을 경험했을 가능성을 배제하지 않는다. 그렇다면, 장소 및 다른 특정한 요소들의 차이는 아마 이러한 경험들에 대한 기억에서 발전된 다양한 전승들의 결과일 것이다.

고린도전서 15:5에 열거된 그리스도 현현의 증인들 가운데 수위(primacy)를 확립하는 베드로에 대한 예수의 현현은 오직 누가복음 24:34에서만 진술되며, 신약성경에는 이 일이 실제로 어떻게 일어났는지에 대한 어떤 이야기도 포함되어 있지 않다. 하지만 일부 학자들은 디베랴 호숫가에서 베드로와 그의 동료 제자들에게 일어난

---

6 Brown, *The Gospel according to John* (xiii-xxi), 972; Allison, *Resurrecting Jesus*, 245.

예수의 현현 이야기(요 21:1-14) 배후에 더 이상 회복할 수는 없지만 보다 오래된 베드로에 대한 그리스도의 현현 이야기가 놓여 있다고 주장한다.[7] 예수를 세 번 부인한 베드로의 복권 역할을 하는 예수와 베드로의 대화(21:15-19)가 이러한 가설을 강화한다.

이렇게 이해하게 되면, 물고기를 잡는 기적에 대한 누가복음 5:1-11의 병행 이야기는 동일한 전승의 변이로 볼 수 있다, 누가는 그것을 부활절 이전 시기로 옮겨놓았다. 왜냐하면, 그의 예루살렘 중심의 신학적 구조가 갈릴리에서 일어난 베드로의 그리스도 현현을 허용하지 않았기 때문이다.

이러한 가설의 개연성에도 불구하고, 왜 베드로와 부활하신 그리스도와의 만남에 관한 이야기가 남아있지 않는지는 여전히 곤혹스러운 일이다. 고린도전서 15:5-7에 보존된 바울 이전의 증인 목록에 나타난 그의 수위권에 비추어보면 특히 그렇다.

베드로의 그리스도 현현에 관한 독특한 이야기가 없다는 점은 요한복음 20:14-18에 나타난 막달라 마리아의 그리스도 현현에 관한 특정한 이야기가 보존된 경우를 고려하면 훨씬 더 혼란스러운 일이다. 동일한 전승의 변이는 마태복음 28:8-10에 나오는 막달라 마리아와 다른 마리아에게 일어난 예수의 현현에 대한 짧은 이야기일 가능성이 있다.

두 복음서 저자는 막달라 마리아를 그리스도 현현의 첫 번째 증인으로 서술한다. 마태와 요한은 막달라 마리아가 실제로 부활하신 예수를 본 첫 번째 인물이었다는 공동의 기억에 근거한 보도에 친숙했

---

7 Brown, *The Gospel according to John* (xiii-xxi), 1085-95; Allison, *Resurrecting Jesus*, 254-9.

기 때문에 이 이야기들을 포함한 것으로 보인다. 우리가 이미 앞장에서 살펴본 것처럼, 부활절 사건에서 마리아의 중요성을 폄하하기 위해 본래 그녀의 그리스도 현현이 후대에 천사 현현으로 옮겨졌다고 상상할 수도 있다.

예수의 현현에 대한 다른 보고들은 단편적 특성을 보이므로 그것들의 발전에 대한 어떤 개연성 있는 재구성 작업도 쉽지 않다. 엠마오 내러티브는 놀랄만한 문학적 탁월함에도 글로바와 그의 동료의 정체, 엠마오의 위치와 같은 역사적 증거가 너무 빈약하다. 고린도전서 15:7에 언급된 야고보에 대한 예수의 현현은 정경 복음서에는 어떤 흔적도 남아있지 않다.

끝으로 바울의 부활하신 예수와의 만남이 있지만, 그는 자신의 경험에 대해 매우 적게 이야기한다(고전 9:1; 15:8; 갈 1:15-16).[8] 이 사건의 내러티브 버전은 사도행전 9:1-9; 22:6-11; 26:12-19에서 찾을 수 있지만, 누가에게 바울의 경험은 예수의 승천 전에 일어났던 제자들의 부활 경험과 동일한 특성을 갖지 못했다.

5. 요약과 결론

예수의 현현 이야기의 특징인 다양성에도 불구하고 거의 모든 현현 이야기에는 부활하신 예수를 알아보지 못하는 등장 인물의 모습이 포함된다. 엠마오 내러티브(눅 24:13-35), 예수를 유령으로 추정하

---

8 본서의 제2장 2. 단락을 보라.

는 제자들(눅 24:36-43), 예수를 정원지기로 생각하는 막달라 마리아
(요 20:14-18), 예수의 십자가 처형의 표시를 요청하는 도마(요 20:24-
29) 등 같은 경우에는 애초 예수를 알아보지 못하는 모습이 구성(plot)
의 중심 특징이 되기도 한다.

어떤 경우에는 이 모티브가 사건 순서에 의해 암시된 간략한 메모나
추론으로 나타나기도 한다. 예를 들어, 마태복음 28:17은 제자들이 예
수를 보고 경배했으나 "아직도 의심하는 사람들이 있더라"라고 언급
한다. 요한복음 20:20에서 화자는 처음에 예수가 손과 옆구리를 제자
들에게 보여 주었다고 설명하고 그다음에 "제자들이 주를 보고 기뻐
하더라"라고 덧붙인다. 요한복음 21:4에서 화자는 예수가 디베랴 호
숫가에 나타났을 때 "제자들이 예수이신 줄 알지 못하는지라"라고 언
급한다.

이러한 모티브가 빈번하게 나오는 점을 고려할 때, 복음서 저자 중
누구도 그리스도 현현의 수혜자들이 왜 즉각적으로 예수를 알아볼
수 없었는지 그 이유를 설명하지 않은 것은 일면 놀라운 일이다. 그
들은 단순히 신적 섭리(눅 24:16), 예수의 목적에 대한 제자들의 좌절
된 희망(눅 24:21), 선지자의 말을 더디 믿는 마음(눅 24:25-26, 45), 또
는 예수의 시신이 옮겨졌다는 마리아의 잘못된 추정(요 20:13) 등과
같은 정황 증거(circumstantial evidence)를 제시할 뿐이다.

그들은 처음에 혼동을 일으킨 예수의 모습이 어떻게 달라졌는지
분명하게 밝히지 않는다. 이러한 종류의 유일한 설명은 후대의 필사
자가 첨가한 마가복음 16:12에 나타난다.

그 후에 그들 중 두 사람이 걸어서 시골로 갈 때 예수께서 다른 모양 (form)으로 그들에게 나타나시니(막 16:12).

복음서 저자들 자신이 예수가 '다른 모양'으로 나타났다고 추정 했는지는 훨씬 덜 확실하다. 사실 그들의 문학적이고 신학적인 목적은 오히려 그 반대, 즉 지상의 예수와 부활하신 예수 사이의 동일성을 확립하려는 것으로 보인다.

각 이야기의 강조점은 십자가에 달린 분과 부활하신 분 사이의 연속성에 두어진다. 예수를 잘못 인식한 기능 중 하나는 부활하신 예수가 십자가에서 죽고 매장된 분과 같은 분임을 입증함으로써 그 해답을 찾는 서술적 복잡성(narrative complication)을 창출하는 것이다. 바울이 지상의 몸(혼에 의해 살아 움직이는 몸)과 부활하신 몸(영에 의해 살아 움직이는 몸) 사이의 불연속성을 강조하는 반면, 복음서 저자들은 지상의 예수와 부활하신 예수 사이의 연속성(심지어 동일성)을 확립하려고 한다.

거의 모든 복음서 내러티브의 특징이 되는 예수의 부활한 몸의 육체성에 대한 강조 역시 동일한 목적에 기여한다. 누가는 특히 부활하신 예수가 지상의 예수와 동일한 특징을 소유했다는 것을 입증하는데 관심이 있다. 그의 손과 발은 만질 수 있다(눅 24:39a). 그의 몸은 살과 뼈를 가지고 있다(눅 24:39b). 그는 음식을 먹을 수 있다(눅 24:41-43; 행 10:41).

이와 유사한 관심을 요한의 예수 현현 내러티브에서도 찾을 수 있다. 예수의 부활하신 몸은 붙들 수 있다(요 20:17). 그것은 보고 만질 수 있는 십자가 처형의 표지를 지녔다(요 20:20, 25, 27). 예수의 부활하신 몸은 음식을 먹을 수 있는 것으로 추정된다(요 21:12-13). 심지어 비교적 이러한 주제에 침묵하는 마태조차도 예수가 여인들에게 나타났을 때 그녀들이 예수의 발을 붙잡았다고 언급한다(마 28:9).

부활하신 예수의 육체성에 대한 강조는 "혈과 육은 하나님의 나라를 이어받을 수 없고"(고전 15:50)라는 바울의 진술과 모순되는 것처럼 보인다. 양자 간의 차이를 과장할 필요는 없지만 그렇다고 경시해서도 안 된다.

바울과 복음서 저자들은 부활한 몸에 대한 그들의 개념을 다른 유대교 전통의 흐름에서 얻은 것으로 보인다. 신령한 몸에 대한 바울의 묘사는 새 창조로서의 부활의 개념을 지닌다. 그는 그 개념을 에스겔 37장과 다른 관련된 구절에서 가져온 성경적 이미지를 통해 더욱 상세히 설명한다. 그는 또한 부활한 몸에 우월한 자질을 부여하는 전승을 사용한다.

예수의 몸의 육체성에 대한 복음서 저자들의 강조는 마카비2서 7장과 같은 부활한 몸의 유형적 특성(corporeal character)을 강조하는 전통에 더 가깝다. 예수를 불의의 무고한 희생자로 그리는 누가의 서술(눅 23:4, 14-15, 41, 47) 또한 마카비2서에서 부활 개념의 신학적 토대를 제공하는 토라를 위한 부당한 고난의 개념과 유사하다.

19세기 이후로 많은 해석자는 예수의 부활한 몸의 육체성에 대한 누가와 요한의 강조가 반영지주의적 논쟁(anti-docetic polemic)의 일부였다고 주장해왔다.[9]

9 Daniel Schenkel, *A Sketch of the Character of Jesus: A Biblical Essay* (London: Longmans, Green, 1869), 318; Morton Scott Enslin, *Christian Beginnings* (New York: Harper & Brothers, 1938), 411-2; Charles H. Talbert, *Luke and the Gnostic: An Examination of Lucan Purpose* (Nashville: Abingdon, 1966), 31-2.

이러한 견해를 뒷받침하는 주된 증거는 이그나티우스의 서머나인
들에 보내는 편지(Ignatius' letter to the Smyrnaeans)인데, 이것은 보통 누
가복음과 요한복음이 기록된 지 불과 몇십 년 안 되는 A.D. 2세기
초에 기록된 것으로 추정된다.

> 그(예수)는 이 모든 일을 우리를 위해, 우리를 구원하시기 위해 당하셨
> 습니다. 그는 진정으로 부활하신 것처럼 진정으로 고난받으셨습니다.
> 믿지 않는 어떤 이들은 예수가 외관상으로만 수난을 당했다고 말합
> 니다(외관상으로만 존재하는 이들은 그들입니다!). 실제로 그들의 운명은
> 자기들이 생각하는 대로 될 것입니다. 그들은 육체로부터 분리되어 귀
> 신처럼 될 것입니다.
> 나는 예수가 부활한 후에도 육체로 있었다는 것을 알고 또 믿습
> 니다. 그는 베드로 및 그와 함께 있던 제자들에게 왔을 때, 그들에게
> '나를 붙잡으라. 나를 만져 육체로부터 분리된 귀신이 아님을 보라'
> 고 말했습니다. 그러자 곧 그들은 그를 만져보고 믿었습니다. 그의
> 육체와 피와 밀접하게 연합되었기 때문입니다. 이러한 이유로 그들
> 은 또한 죽음도 경멸했습니다. 실제로 그들은 죽음보다 더 위대하다
> 는 것을 증명했습니다. 그는 부활한 후에도 육체로 구성된 사람처럼
> 그들과 함께 먹고 마셨습니다, 비록 영적으로는 그가 아버지와 연합
> 되었을지라도 말입니다(Ignatius, *Smyrn.* 2.1-3,3).[10]

---

10 Michael W. Holmes의 번역, *The Apostolic Fathers: Greek Text and English Transla-tions* (3rd edn; Grand Rapids, MI: Baker Academic, 2007), 251.

그의 적대자들에 대한 이그나티우스의 설명은 그의 서신의 논쟁적 배경을 재구성하기에 충분한 정보를 제공하지만, 누가와 요한이 예수에 대한 영지주의의 신념과 싸우고 있었다는 주장은 확정적으로 입증할 수 없다. 누가와 요한은 예수의 부활한 몸의 육체적 특성뿐만 아니라 이러한 복음서의 이른바 반—영지주의적 경향을 약화하는 초—육체적 특성도 강조한다. 예를 들면, 그들은 부활하신 예수가 갑자기 나타날 수도(눅 24:36; 요 20:14), 사라질 수도(눅 24:31), 닫힌 문을 통과할 수도(요 20:19, 26) 있었다고 서술한다.

그러나 누가와 요한의 반영지주의적인 논지는 추측으로 남아있지만, 이 두 복음서의 예수 현현 내러티브는 고린도전서 15장에 나오는 바울의 신령한 몸에 대한 묘사보다 이그나티우스의 숙고와 더 유사해 보인다. 그러므로 예수의 부활한 몸의 육체성에 대한 동기를 어떻게 재구성하든 상관없이, 이러한 육체성은 아마도 초기의 발전이라기보다는 오히려 후대의 발전이라고 결론 내리는 것이 타당하다.

이 장과 앞의 두 장에서 검토한 신약성경의 증거는 빈 무덤 발견에 대한 초기의 내러티브 전승이 예수의 현현 없이 전달되는 반면(막 16:1-8), 예수의 현현에 대한 초기의 비내러티브적 전승은 빈 무덤 발견을 언급하지 않음을(고전 15:3-8) 보여 준다. 빈 무덤 발견에 대한 내러티브와 예수의 현현에 대한 내러티브를 모두 포함하고 있는 세 복음서—마태, 누가, 요한—는 일반적으로 A.D. 1세기 말엽에 기록된 것으로 추정된다. 이러한 문학적 증거는 빈 무덤 발견에 대한 전승과 예수의 현현에 대한 전승이 서로 독립적으로 발전되었음을 암시한다.

문학적 증거는 이러한 두 개의 독립된 전승이 아마도 변증의 목적
으로, 즉 예수가 죽은 자 가운데서 육체적으로 살아났다는 것을 입
증하기 위해 후대에 결합하였음을 암시한다.[11] 그런데도 본문 데이터
에서 나온—인정하건대 추측에 근거한—이러한 추론은 부활 신앙
이 어떻게 발전했는지 설명하지 못한다.

보다 구체적으로 말하면, 예컨대 왜 예수를 따르는 자들은 예수가
하늘로 옮겨졌다고 말하지 않고, 죽은 자 가운데서 살아났다고
결론을 내렸는가?
여러 증인이 예수가 살아있는 것을 보았다고 주장한 것은 의심의
여지가 없지만 이처럼 '보았다'는 행위의 특성은 무엇이었나?
그것은 객관적인 경험이었나 아니면 단순한 환영(apparitions)
이었나?
예수의 부활에 대한 믿음을 불러일으킨 사건들을 어느 정도까지
재구성할 수 있을까?

이것이 다음 장에서 다루려고 하는 역사적 문제이다.

---

11 Daniel A. Smith, *Revisiting the Empty Tomb: The Early History of Easter* (Minneapolis:
   Fortress, 2010), 2-8.

제5장

예수의 부활과 역사

예수의 부활이 과연 역사적 사건인가의 문제는 아마도 현대 성서학계에서 가장 많이 논쟁이 되는 문제 중 하나일 것이다. 이 주제의 논쟁적 특성은 계몽주의 이후(post-Enlightenment)의 한 현상이다. 18세기 이전의 기독교 학자들은 단순히 성경 이야기가 역사적으로 정확하다고 가정했다. 하지만 근대화가 시작되면서 과거의 많은 가정이 더 이상 이성적 탐구라는 테스트를 통과할 수 없었다. 결과적으로 예수 부활의 역사적 특성은 많은 논란을 일으키는 문제가 되었다.

한쪽에는 열정적으로 예수 부활의 역사성을 옹호하는 해석자들이 있다. 그들은 이것이 기독교의 진리를 입증하는 가장 효과적인 방법이라고 확신하기 때문이다. 다른 한쪽에는 예수 부활의 역사성을 부인하고 부활 신앙이 출현하게 된 온갖 종류의 자연적 설명을 제안하는 해석자들이 있다.

첫 번째 그룹에 속하는 학자들은 대부분 기독교 변증가들(Christian apologists)로 구성되었으며 일반적으로 두 번째 그룹에 속하는 학자들, 이른바 회의론자(sceptic)들이 그들의 자연주의 세계관을 성경의

증인들에 덧붙임으로써 하나님을 논의 시작부터 배제했다고 비난
한다. 반면에 회의론자들은 그들의 기독교 신앙이 역사적 결론에 영
향을 끼치게 한다고 기독교 변증가들을 비난한다.

첫 번째 그룹에 속하는 학자들은 대부분 기독교 변증가들(Christian
apologists)로 구성되었으며 일반적으로 두 번째 그룹에 속하는 학자
들, 이른바 회의론자(sceptic)들이 자연주의적인 세계관을 성경의 증
인들에 덧붙임으로써 하나님을 논의 시작부터 배제했다고 비난
한다. 반면에 회의론자들은 그들의 기독교 신앙이 역사적 결론에 영
향을 끼치게 한다고 기독교 변증가들을 비난한다.

두 입장 간의 논쟁은 각 진영의 가장 저명한 대표 학자들 간의 다양
한 공개 토론을 통해 주목을 받았다. 이러한 논쟁 중 많은 경우는 유
튜브(YouTube)나,[1] 출간된 저작물을 통해 살펴볼 수 있다.[2] 이러한 출

---

[1] 유튜브(YouTube) 데이터베이스(database)에는 하버마스(Gary Habermas)와 플루
(Antony Flew)의 논쟁(https://www.youtube.com/watch?v=BVb3Xvny8-k), 크레이그
(William Lane Craig)와 스퐁(John Shelby Spong)의 논쟁(https://www.youtube.com/
watch?v=zsXzu4tcOTI), 크레이그와 어만(Bart Ehrman)의 논쟁(https://www.you-
tube.com/watch?v=vRTUrvTTRAQ), 크로산(John Dominic Crossan)과 보그(Marcus
Borg) 대 화이트(James White)와 레니한(Jim Renihan)의 논쟁(https://www.youtube.
com/watch?v=waiM136MeuU)이 포함되어 있다.

[2] Gary R. Habermas and Antony G. N. Flew, *Did Jesus Rise from the Dead?: The Resurrec-
tion Debate* (ed. Terry L. Miethe; San Francisco: Harper & Row, 1987); William Lane
Craig, John Dominic Crossan and William F. Buckely, Jr, *Will the Real Jesus Please
Stand Up?: A Debate between William Lane Craig and John Dominic Crossan* (ed. Paul
Copan; Grand Rapids, MI: Baker, 1998); William Lane Craig and Gerd Lüdemann,
*Jesus' Resurrection: Fact or Figment? A Debate Between William Lane Creaig and Gerd
Lüdemann* (eds Paul Copan and Ronald K. Tacelli; Downers Grove, IL: InterVarsity
Press, 2000); John Dominic Crossan and N. T. Wright, *The Resurrection of Jesus: John
Domonic Crossan and N. T. Wright in Dialogue* (ed. Robert B. Stewart; Minneapolis:
Fortress, 2006). 또한, Wright, *The Resurrection of the Son of God*의 논의에 대해 할애
된 *Journal for the Study of the Historical Jesus*의 3권 2호(2005)와 Allison. *Resurrecting
Jesus*의 논의에 대해 할애하고 있는 *Philosophia Christi*의 10권 2호(2008)도 보라.

간물은 대개 참여자의 견해뿐만 아니라 편집자의 요청에 따라 제안된 주장의 장점을 평가하거나 논의된 쟁점을 추가로 밝힌 몇몇 응답자의 견해도 포함한다. 이 주제에 관한 문헌은 엄청나게 많다. 과거 삼십 년 동안 출간된 저작물에는 윌리엄 래인 크레이그(William Lane Craig),[3] 존 도미닉 크로산(John Dominic Crossan),[4] 저드 뤼데만(Gerd Lüdemann),[5] N. T. 라이트(N. T. Wright),[6] 달 C. 엘리슨(Dale C. Allison),[7] 마이클 R. 리코나(Michael R. Licona)[8]의 책들이 포함된다.

예수 부활의 역사성에 대한 복잡한 찬반 논쟁이 비전문가들에게는 상당히 당황스러울 수 있다. 하지만 주된 어려움은 엄청난 양의 출판물이나 제시된 주장들의 정교한 수준 때문에 생기는 것이 아니다. 오히려 역사적 연구의 과제가 무엇이며 한 사람의 믿음이 사용 가능한 증거 평가에 어느 정도 영향을 끼칠 수 있는지에 대한 합의가 부족하므로 생겨난다.

---

[3] William Lane Craig, *Assessing the New Testament Evidence for the Historicity of the Resurrection of Jesus* (SBEC 16; Lewiston, NY: Edwin Mellen, 1989); idem, *The Historical Argument for the Resurrection of Jesus* (TSR 23; Lewiston: Edwin Mellen, 1985).

[4] John Dominic Crossan, *The Historical Jesus: The Life of a Mediterranean Jewish Peasant* (San Francisco: HarperSanFrancisco, 1991); idem, *The Birth of Christianity: Discovering What Happened in the Years Immediately after the Execution of Jesus* (San Francisco: HarperSanFrancisco, 1998).

[5] Gerd Lüdemann, *The Resurrection of Jesus: History, Experience, Theology* (trans. John Bowden; London: SCM Press, 1994); idem, *The Resurrection of Christ: A Historical Inquiry* (Amherst, NY: Prometheus, 2004).

[6] Wright, *The Resurrection of the Son of God*.

[7] Allison, *Resurrecting Jesus*.

[8] Michael R. Licona, *The Resurrection of Jesus: A New Historiographical Approach* (Downers Grove, IL: IVP Academic, 2010).

결과적으로 '역사적'(historical)이란 형용사는 다양한 사람들에게 다양한 의미가 있을 수 있다. 어떤 사람에게는 '역사적'이란 용어가 자연 활동이든 신적 행위든 상관없이 하나의 사건이 시공간에서 일어났다는 것을 의미할 수 있지만, 다른 사람에게는 오로지—한 사람의 종교적 믿음과는 무관한—경험적 증거(empirical evidence)에 근거한 역사적 논증으로 입증될 수 있는 사건에만 적용될 수 있다.

그러므로 먼저 역사적 탐구의 본질에 대한 질문을 다룬 후에 부활의 역사성에 대한 증거를 검토하고자 한다. 부활의 역사성에 대한 증거는 두 종류의 자료들과 관련된다. **하나는** 빈 무덤의 역사성과 연관된 자료들이고, **다른 하나는** 부활 이후의 예수 현현의 객관적 특성과 관련된 자료들이다. 이러한 두 종류의 자료들은 일반적으로 관련은 있지만 서로 다른 두 가지 형태의 역사적 판단이다.

첫째, 부활 신앙의 출현에 대한 재구성
둘째, 부활의 역사성 입증에 대한 기본적인 증거

1. 역사적 탐구의 본질

현대의 역사 이해는 기본적으로 에른스트 트뢸치(Ernst Troeltsch)에 의해 제안된 역사적 연구의 세 가지 기본 원리에 의해 형성되었다.

첫 번째 원리는 비평의 원칙(principle of criticism)이다.
모든 역사적 판단은 수정(revision)될 수 있다. 따라서 역사적 판단

은 오로지 더 높거나 더 낮은 개연성(probability)만을 얻을 수 있다.

두 번째 원리는 유비의 원칙(principle of analogy)이다.

역사적 판단은 현재와 과거의 사건에서 얻게 되는 보통의 관습적인 경험들 사이에 본질적인 유사성이 있음을 전제한다.

세 번째 원리는 모든 역사적 현상들의 상호 연관성의 원칙(principle of interconnectedness)이다.

역사가는 늘 조사 중인 사건의 신적인 원인보다는 오히려 자연적 원인을 찾는다.[9]

모든 역사적 판단의 잠정적 특성(tentative character)을 강조하는 비평의 원칙은 역사적 추론을 통해 얻은 어떤 결론도 과거에 대한 절대적 확실성을 제공할 수 없음을 의미한다. 과거 사건에 대한 기록은 '사실'(facts)을 제공하는 것이 아니라, 단지 과거에 대한 누군가의 해석만을 제공할 뿐이다. 더욱이 현존하는 증거는 대부분 빈약하거나 단편적이다.

이러한 증거의 단편적 특성은 예수 부활에 대한 사용 가능한 증거를 고려할 때 더욱더 분명해진다. 우리가 가진 자료들은 부활 사건을 역사적으로 재구성하기에 충분치 않은 단편적 기억만을 담고 있다. 그것들은 고대 저자들의 세계관을 반영할 뿐만 아니라 부활절 경험(Easter experience)에 대한 비범한 성격(extraordinary nature)도 표현하고자 한다.

---

9 Ernst Troeltsch, 'Historical and Dogmatic Method in Theology', in *Religion in History* (trans. James Luther Adams and Walter F. Bense; Minneapolis: Frrtress, 1991), 11-32.

바울은 예수 현현의 목격담을 제공하는 유일한 인물이다. 그러나 아쉽게도 그는 이 경험에 대해 거의 말하지 않는다. 바울의 부활하신 예수와의 만남에 대한 누가의 내러티브(행 9:1-9)는 그 사건을 현장에 있던 사람들이 부분적으로만 접할 수 있었던 환상적 경험(visionary experience)으로 축소한다. 빈 무덤 발견과 예수의 현현을 서술하는 복음서 내러티브는 모두 삼인칭 시점의 이야기들이며 몇십 년에 걸친 구전 전승, 윤색(embellishment), 복음서 저자의 사회·역사적 상황 및 신학적 경향을 반영한다.

빈 무덤 발견의 내러티브들이 비교적 안정된 줄거리(storyline)를 특징으로 하지만, 예수 현현의 내러티브들은 너무나 다양해서 그것들의 공통점과 연대적 발전 과정을 재구성하기가 매우 어렵다. 현존하는 증거의 단편적이고 잠정적인 특성을 고려하면, 예수의 부활과 관련된 사건들의 역사성에 대한 모든 결론은 잠정적일 뿐만 아니라 매우 제한적일 수밖에 없다. 그러므로 역사적 작업에 대한 엘리슨(Allison)의 다음과 같은 평가는 타당하다.

> 어떤 일이 일어났다는 것은 그것이 일어났다는 것을 보여줄 수 있는 우리의 능력을 수반하지 않으며, 어떤 일이 일어나지 않았다는 것은 그것이 일어나지 않았다는 것을 보여줄 수 있는 우리의 능력을 수반하지 않는다.[10]

---

[10] Allison, *Resurrecting Jesus*, 338. 그러므로 때때로 예수 부활의 역사성을 입증하려는 학자들에 의해 과시되는 자신감을 보면 매우 당황스럽다. 최근의 한 예로 N. T. 라이트(N. T. Wright)의 다음과 같은 주장을 제시할 수 있다. '우리는 다음과 같은 확실한 역사적 결론에 도달한다. 무덤은 비었으며, 다양한 "만남"(meetings)이 예수와 그를 따르는 자들 사이에서 일어났을 뿐만 아니라, 적어

유비의 원칙은 일반적으로 부활의 역사성 문제를 다룰 때 가장 큰 어려움을 초래하는 것으로 여겨진다. 왜냐하면, 부활은 인류 역사에서 어떤 유비도 갖고 있지 않기 때문이다. 예수 부활의 역사성을 입증하려고 하는 사람들은 전형적으로 모든 역사적 사건은 반복될 수 없으므로 독특하다고 주장한다. 하지만 예수 부활의 독특성은 모든 역사적 사건의 특징이 되는 그러한 독특성이 아니라 유일무이한(par excellence) 독특성이다.

예수의 부활은 과거와 현재를 통틀어 인류 역사의 모든 사건과는 근본적으로 다르다. 부활 사건의 난점은 그것의 기적적인 특성이 아니라 종말론적 특성에 놓여 있다. 예수가 죽은 자 가운데서 살아났다는 말은 단지 죽은 시신이 소생했다는 말이 아니라 자연의 법칙과는 반대로 오직 상상으로만 가능한 새로운 종류의 생명 또는 바울의 표현에 따르면 '장차 생겨날 몸'(고전 15:37)으로 변화되었다는 말이다.

최근의 논의는 예수의 시신이 무덤에서 육체적으로 나왔다는 점을 입증할 수 있는지의 문제에 너무 많은 초점을 둔다. 하지만 그것은 우리가 가진 유일한 문제가 단지 죽은 사람은 다시 살아날 수 없다는 엄격한 자연법칙뿐이라는 잘못된 인상을 준다. 하지만 바울에 따르면, 부활한 몸은 썩지 않고, 영광스러우며, 강하고, 영에 의해 살아 움직이는 몸이다(고전 15:42-44).

도 하나의 경우에는 예수와 그를 따르지 않았던 사람들 사이에도 일어났다(바울의 경우, 또는 야고보의 경우도 가능하다). 나는 이러한 결론이 A.D. 14년의 아우구스투스(Augustus)의 죽음이나 A.D. 70년의 예루살렘 멸망과 같이 역사적으로 매우 개연성이 높은 동일 범주에 속하는 것으로 간주한다'(*The Resurrection of the Son of God*, 710).

이러한 속성들은 부활하신 예수를 만난 바울의 경험에서 유래했다고 해도, 인간의 감각으로는 지각할 수도 인식할 수도 없으므로 관찰에 근거한 것이 아니었다. 바울은 이러한 속성들을 각각 썩을 것, 욕된 것, 약한 것, 혼에 의해 살아 움직이는 보통의 인간 몸의 속성들과 대조한다.

이와 마찬가지로 복음서 저자들도 예수의 부활한 몸의 만질 수 있는 육체적 특성을 강조하지만, 이 몸이 예기치 않게 나타나거나 사라질 수 있으며 닫힌 문을 통과할 수도 있다고 지적한다(눅 24:31, 36; 요 20:19, 26).

이러한 속성 중 어느 것도 우리의 현재 경험에서 그 유비를 찾을 수 없다. 부활한 몸의 이러한 속성을 상상하고 서술할 수 있는 정신적이고 언어적 능력을 갖추고 있다 할지라도 그것들을 경험적으로(empirically) 입증할 수 있는 어떤 수단도 없다.

역사적 유비를 예수의 부활에 적용할 가능성에 대해 논의하면서 코클리(Sarah Coakley)는 예수의 부활을 가장 강력한 의미에서의 독특한 사건(즉 설명조차 할 수 없을 정도로 완전히 이해하기 어려운 사건들)과 현재 경험에서 유례를 찾을 수 없지만, 역사적 상상력의 도움으로 재구성할 수 있는 사건으로 구별한다. 만질 수는 있지만 견고한 물질을 통과할 수 있는 예수의 부활한 몸은 사람의 상상력의 도움으로 생각해 낼 수 있지만, "그것이 현재 받아들여진 과학법칙(다르게 보일 때까지는 자연 그 자체의 규칙성을 나타내기 위해 가정되는)을 위반한다"는 의미에서는 독특하다.[11]

---

11 Sarah Coakley, 'Is the *Resurrection* a "Historical" Event? Some Muddles and Mysteries', in *The Resurrection of Jesus Christ* (ed. Paul Avis; London: Darton, Longman

현대의 논의에서는 불변의 법칙에 따라 지배되는 폐쇄적 시스템의 대안으로서 열린 우주(open universe)라는 개념을 통해 이러한 이의의 무게를 줄이려는 시도가 있다. 예를 들어 테드 페터스(Ted Peters)는 다음과 같이 주장한다.

성경에 서술된 이스라엘의 하나님이 존재한다면, 우리가 알게 된 자연의 법칙은 최종적인 법칙이 아니다. 그것은 궁극적인 법칙도 아니다. 자연의 법칙은 창조주가 여기에 두신 창조물에 속한다. 창조주가 그 법칙을 바꾸기로 한 사건에서 우리는 놀라운 일을 기대할 수 있다.[12]

하지만 열린 우주라는 개념은 보통의 인간 경험에서 어떤 유비도 찾아볼 수 없는, 예수 부활의 독특성에 대한 문제를 완화하지 못한다. 자연의 법칙에 대한 우리 지식의 불완전성을 감안할 때, 부활을 선험적으로(a priori) 배제할 수는 없지만, 예컨대 예수의 부활한 몸이 썩지 않았다는 점을 입증할 수는 없다. 예수의 현현에 대한 진실한 보고들이 아무리 많더라도, 또 그러한 보고들이 아무리 초기의 것이라도 그것들이 생명을 초월하는 종말론적 현실(eschatological reality)을 서술하고 있다는 사실은 남아 있다.

모든 역사적 현상의 상호 관련의 법칙 또한 논란의 여지가 있는데, 그 법칙의 적용이 그 현상에 대한 기적적인 설명보다는 자연적 설명

& Todd, 1993), 90.

12　Ted Peters, 'The Future of the *Resurrection*', in *The Resurrection of Jesus: John Dominic Crossan and N. T. Wright in Dialogue* (ed. Robert B. Stewart; Minneapolis: Fortress, 2006), 166.

을 선호하는 역사가의 입장을 요구하기 때문이다. 부활에 대한 변증가들은 자주 이 원칙을 부활에 대한 유신론적 설명이 처음부터 배제되는 이유를 보여 주는 대표적인 예로 받아들인다. 예를 들어 볼프하르트 판넨베르그(Wolfhart Pannenberg)는 다음과 같이 주장한다.

> 역사적 사실로 발생한 예수의 육체적 부활에 대한 부정적인 판단은 성경적 부활 전승에 대한 역사 비평적 연구의 결과가 아니라, 그러한 연구에 우선하는 하나의 가정(postulate)이다.[13]

하지만 역사적 노력이 하나님과 세상에 대한 누군가의 신앙에 의해 영향을 받는다면, 증거를 평가하는 기준은 매우 주관적이 된다. 이것이 바로 트뢸취(Troeltsch)가 피하려고 했던 점이다.

> 교의적 변증론이 역사적이고 사회적인 세력의 세속적인 평가에 호소하기 위해 기독교의 '역사적' 특성을 강조할 때 … 이것은 순전히 반계몽주의(obscurantism)이다.… 오늘날 온갖 종류의 것들이 '역사적인' 것으로, '사실'로 분류되고 있는데, 그것들은 전혀 그러한 종류의 것이 아니며, 그것들이 본질상 기적적인 것들이고 오직 믿음으로만 이해될 수 있다는 이유로 그렇게 분류해서는 안 된다.[14]

---

13 Wolfhart Pannenberg, 'History and the Reality of the *Resurrection*', in *Resurrection Reconsidered* (ed. Gavin D'Costa; Oxford: Oneworld, 1996), 64

14 Troeltsch, 'Historical and Dogmatic Method in Theology', 21.

기독교 역사가가 지닌 믿음의 확신이 역사적 증거에 대한 평가에 영향을 끼칠지라도 이러한 선입견이 그들의 세계관 및 믿음과 관계없이 그 분야의 모든 참여자가 공유할 수 있는 건전한 역사적 판단을 대체해서는 안 된다. 이것은 실제적인 의미에서 기존의 자연법칙을 중단하고 보통 인간의 몸과 전혀 다른 몸을 창조할 수 있는 하나님의 능력에 대한 믿음이 사용 가능한 증거를 평가하는 요인이 될 수 없음을 의미한다. 왜냐하면, 믿음은 모든 사람이 공유하는 것도 아니며 보통 인간의 감각으로 입증될 수 있는 것도 아니기 때문이다.

역사가들은 역사적 사건에 대한 하나님의 관여(개입)를 입증할 수도 반증할 수도 없다. 그렇게 하는 것은 범주의 오류(category mistake, 서로 다른 범주에 속하는 것을 같은 범주의 것으로 혼동하는 데서 생기는 오류-역주)일 것이다.

다음에 이어지는 논의는 이러한 역사적 노력의 이해에 근거하여 진행된다. 우리는 빈 무덤의 역사성에 대한 찬반 주장으로 시작할 것이다.

2. 빈 무덤의 역사성

빈 무덤의 역사성에 대한 일반적 논의는 다음의 여섯 가지 테제로 요약할 수 있다.

(1) 고린도전서 15:3-4의 죽음-장사-부활의 순서는 빈 무덤에 대해 알고 있음을 암시한다.

(2) 빈 무덤에 대한 마가의 이야기는 윤색되지 않고(unembellished) 성경 인용도 없는데, 이는 그것이 초기 형태임을 드러낸다.

(3) 여인들의 증언은 유대교에서는 법적 효력이 거의 없었는데, 이는 그 이야기들이 사실이며 지어낸 것이 아님을 암시한다.

(4) 무덤이 비어있지 않았다면 예루살렘에서 부활을 선포하는 일이 불가능했을 것이다.

(5) 마태복음 28:12-15에 언급된 가장 초기의 유대인 논쟁은 무덤이 비었다는 점을 반박하는 것이 아니라, 단지 그 일에 대한 대안적 해석을 제공한다.

(6) 예수의 묘지가 숭배되고 있지 않다는 점은 무덤이 비었다는 추정을 지지한다.[15]

반면에 빈 무덤의 역사성을 반대하는 일반적인 논의에서는 다음과 같은 두 가지 주장이 포함된다.

(1) 마가의 보고는 초기 교회가 빈 무덤에 대해 왜 알지 못했는지를 설명하기 위해 후대에 지어진 이야기이다.

(2) 십자가에서 처형된 희생자를 매장하지 않고 그대로 매달아두거나 공동 무덤에 버리는 로마의 널리 퍼진 관례를 고려할 때, 예

---

15 Wolfhart Pannenberg, *Jesus – God and Man* (trans. Lewis L. Wilkins and Daune A. Priebe; Philadelphia: Westminster Press, 1968), 88-106; William Lane Craig, 'Did Jesus Rise from the Dead?', in *Jesus under Fire: Modern Scholarship Reinvents the Historical Jesus* (eds Michael J. Wilkins and J. P. Moreland; Grand Rapids, MI: Zondervan, 1995), 146-52; Wright, *The Resurrection of the son of God*, 599-608.

수의 무덤은 알려지지 않았다.[16]

이 단락의 나머지 부분에서는 이러한 각각의 주장에 대한 장점과 약점을 평가할 것이다.[17]

1) 바울의 빈 무덤에 대한 사전 지식

고린도전서 15:3-4에 나오는 바울 이전의 공식구는 빈 무덤을 명시적으로 언급하지 않지만, 일부 해석자는 예수의 부활 언급이 그의 매장 언급 뒤에 나온다는 점을 들어 빈 무덤에 대한 사전 지식이 암시되어 있다고 주장한다. 그들은 이전에 바리새인이었던 바울이 무덤이 비었다는 사실을 믿지 않고 예수가 죽은 자 가운데서 살아났다고 선포할 수는 없었을 것이라고 주장한다.

---

[16] 빈 무덤의 발견을 해명하려고 하는 다른 제안들이 있다. 예를 들면, 아리마대 요셉이 시신을 처음 누였던 무덤에서 옮겨 얕은 무덤에 적절하게 매장했다는 견해, 또는 여인들이 무덤을 잘못 찾아갔다는 제안 등이다. 여인들이 찾아간 빈 무덤에 대한 그러한 설명들이 불가능한 것은 아니지만 신약성경의 증거를 완전히 무시해야만 가능하다. 빈 무덤의 역사성에 대한 반론에 대해서는 Jeffery J. Lowder, 'Historical Evidence and the Empty Tomb Story: A Reply to William Lane Craig', in *The Empty Tomb: Jesus Beyond the Grave* (eds. Robert M. Price and Jeffery J. Lowder; Amherst, NY: Prometheus, 2005), 261-306; John Shelby Spong, *Resurrection: Myth or Reality? A Bishop's Search for the Origins of Christianity* (San Francisco: HarperSanFrancisco, 1994), 225; Crossan, *The Historical Jesus*, 391-4; Adela Yarbro Collins, 'The Empty Tomb in the Gospel According to Mark', in *Hermes and Athena: Biblical Exegesis and Philosophical Theology* (eds. E. Stump and T. P. Flint; UNDSPR 7; Notre Dame, IN: University of Notre Dame Press, 1993), 107-37; Goulder, 'The Baseless Fabric of a Vision', 56; Kirsopp Lake, *The Historical Evidence for the Resurrection of Jesus Christ* (London: Williams & Norgate, 1907), 241-52를 보라.

[17] 이러한 주장들에 대한 포괄적인 평가에 대해서는 Allison, *Resurrecting Jesus*, 311-31을 보라.

이 주장은 확고한 결론에 이를 수 없는 사안이므로 비중이 크지 않다. 사실 바울과 바울 이전의 공식구를 작성한 초기 그리스도인들이 무덤이 비었음을 믿었다고 추정할 수는 있다. 하지만 그들이 실제로 무덤이 빈 것을 알았거나 그에 대해 들었는지 입증하기는 불가능하다. 또한, 복음서 내러티브에 따르면 빈 무덤을 발견한 최초의 증인이었던 여인들이 언급되지 않은 이유가 가부장적 편견 때문이었는지 아니면 그 사건을 몰랐기 때문이었는지를 확인하기도 어렵다.

바울이 고린도전서 15장에서 언급한 내용 중 많은 부분이 죽은 자의 일반 부활에 관한 믿음에서 유래하기 때문에 무덤이 비었다는 추정 역시 같은 믿음에서 유래했을 수도 있다. 바울이 빈 무덤 주제에 대해 침묵하고 있으므로 우리는 단순히 그가 빈 무덤 발견에 대해 알고 있었는지 아닌지를 알지 못한다고 인정할 수밖에 없다.

2) 빈 무덤 내러티브의 단순한 특성

어떤 학자들은 마가복음 16:1-8에 서술된 빈 무덤 발견에 대한 최초 이야기의 단순함을 그 이야기의 초기 형태의 증거로 해석한다. 이 이야기에는 어떤 전설적인 윤색(embellishments)이나 성경 암시, 종말론적 소망에 대한 언급이 없는데, 이러한 단순한 특성이 빈 무덤 발견에 대한 마가 전승의 초기 연대를 지지하고 그것의 역사적 신뢰성을 강화하는 추가증거로 받아들여진다.

마가복음 16:1-8은 확실히 이러한 특성을 보인다. 이 이야기는 매우 단순하며 실제로 후대의 복음서들에서 찾을 수 있는 변증적 관심(apologetic interests)이 없다. 하지만 이러한 단순함을 너무 과장해서는 안 된다. 마가의 내러티브에는 천사 현현이 포함되어 있는데, 그것은 후대 윤색 작업(embellishment)의 결과이거나 앞장에서 제안했듯이 본래의 그리스도 현현을 천사 현현으로 변형한 결과일 수도 있다.

마찬가지로 성경 암시의 부재 역시 이 이야기의 역사적 신뢰성에 대한 표시로 받아들일 수 없다. 왜냐하면, 그러한 암시가 있다면 역사적 신뢰성이 감소를 수반할 것이며, 이는 예를 들어 마가의 수난 이야기의 부당한 결론이 될 것이기 때문이다. 더욱이 고린도전서 15:3-4에 나오는 전승 자료는 처음부터 예수의 부활이 (구약) 성경과 관련되었음을 보여 준다.

로마서 1:3-4에 나오는 또 다른 바울 이전의 공식구는 예수의 부활을 일반 부활의 시작으로 보는 이해가 이 사건의 초기 해석의 하나라는 점을 보여 준다. 그러므로 마가복음 16:1-8에 이러한 특징들이 없다고 해서 그 이야기의 초기 연대와 전승적인 특성을 입증하지는 않는다.

3) 여인들에 의한 빈 무덤 발견

여인들의 빈 무덤 발견은 아마도 그것의 역사성을 지지하는 가장 잘 알려진 논지일 것이다. 만일 초기 그리스도인들이 빈 무덤 이야기를 지어내었다면, 여인들을 사라진 시신의 발견자로 서술하지는 않았을 것이다.

1세기 유대 세계에서 여인의 증언은 거의 효력이 없었기 때문이다. 사복음서 모두 일단의 여인들이 빈 무덤을 발견했다고 일관되게 서술하고 있으므로 이 보고는 사실임이 틀림없다. 이 이야기가 초래할 수 있는 잠재적 당혹감이 그것의 역사성을 강화한다.

이러한 이야기가 당혹감을 줄 수 있었을 것이라는 점은 3세기에 기록된 『오리겐의캘수스 논박』(*contra Celsum*)에서 분명하게 확인할 수 있다. 거기서는 이방인 켈수스가 그리스도인 적대자들이 '반쯤은 제정신이 아닌 여인'(half-frantic woman)의 증언에 의존한다고 조롱한다(Origen, *Cels*. 2.59).

이 논지는 상당히 설득력이 있다. "여자들의 증언은 그들이 지닌 경솔함과 무모함 때문에 결코 받아들여서는 안 된다"(*Ant*. 4.219)라는 요세푸스의 주장이 이 논지를 보강해준다. 또 여인들의 보고를 들은 남자들의 반응을 서술하고 있는 누가의 내러티브도 마찬가지이다.

사도들은 그들의 말이 허탄한 듯이 들려 믿지 아니하나(눅 24:11).

누가복음 24:12과 요한복음 20:3-10에 서술된 여인들의 증언을 남자들이 검증하는 이야기는 후대의 발전 과정을 보여 주는데, 그것은 사라진 시신에 대한 여인들의 증언 이야기가 주는 불편한 느낌을 드러낸다. 여인들에 대한 고대의 편견이 빈 무덤 발견 이야기의 역사적 신뢰성을 보여 주는 가장 설득력 있는 근거가 된다는 점은 분명 아이러니한 일이다.

4) 빈 무덤과 예루살렘에서의 부활 선포

예수의 무덤이 비어있지 않았다면 예루살렘에서 예수의 부활을 선포하는 일이 사실상 불가능했을 것이라는 주장이 종종 제기된다. 기독교의 출현에 대한 이러한 재구성에 따르면, 예수의 시신이 여전히 무덤에 있었다면 유대인 당국이 그것을 손쉽게 확인하여 기독교 선포의 신빙성에 흠집을 내었으리라는 것이다. 이 논지를 일관되게 강조하는 볼프하르트 판넨베르크(Wolfhart Pannenberg)는 다음과 같이 묻는다.

> 예루살렘에 있는 예수의 제자들이 시신이 묻혀있는 무덤을 보는 것만으로도 끊임없이 반박당할 수 있었다면 어떻게 그의 부활을 선포할 수 있었겠는가?[18]

기독교 선포의 그러한 부당함을 제기한 어떤 증거도 없다는 점이 예수를 따르는 자들이 말했던 것처럼 그의 시신이 사라졌다는 결정적인 증거로 간주된다.

이 주장은 아리마대 요셉의 예수 장례에 대한 보고가 역사적으로 신뢰할만하며 예수가 매장된 무덤 위치가 기본적으로 알려져 있었다는 것을 전제한다. 때때로 매장 장소가 일반적으로 알려졌을지라도 예수를 따르는 자들이 예수의 부활에 대해 공개적으로 선포하기 시작한 오순절 무렵까지는 시신 확인에 대한 경험적 검증 작업이 이루어지지 않았을 것이라는 반대 의견이 있다.

그러나 이러한 반대 의견은 처형되어 공동 무덤에 묻힌 범죄자에게도 부여한 다음과 같은 미쉬나(Mishnah)의 이차 매장(secondary burial)에 관한 규정에 비추어 볼 때 근거가 없는 것으로 보인다.

---

[18] Pannenberg, *Jesus – God and Man*, 100.

그들은 그의 조상의 매장지에 그를 묻지 않았지만, 두 곳의 매장지
가 법정에 의해 준비되어 있었다. 하나는 참수되거나 목 졸라 죽은
자들을 위한 것이었고, 다른 하나는 돌에 맞거나 불에 타 죽은 자들
을 위한 것이었다(*m. Sahn.* 6.5-6).

이러한 규정은 육신이 부패한 이후에라도 그 가족이 처형된 친족
의 뼈를 확인할 수 있다고 추정한다.

하지만 예수의 시신이나 유해를 확인할 수 있다고 해서 유대 당
국이 그러한 노력을 한 적이 있다는 의미는 아니다. 그에 대한 어떤
증거도 없이, 초기 기독교 운동의 반대자들이 기독교 선포를 방해하
기 위해 시신을 확인하러 무덤으로 뛰어갔을 것이라는 현대 학자들
의 시나리오는 하나의 환상으로 남아있다.

만일 유대인 지도자들이 무덤에 가서 그것이 비어 있었다는 사실
을 발견했다면, 기독교 선포의 진실성을 보여 주는 그러한 놀라운
입증자료가 기독교 문헌에서 눈에 띄지 않을 수 없었을 것이다. 이
경우 자료의 부재는 아마도 보고할 것이 없었다는 것을 나타낸다.

유대인 지도자들이 신경 쓰지 않았거나 빈 무덤이 기독교 선포에
서 중요한 역할을 하지 못했거나 둘 중 하나이다. 빈 무덤이 고린도
전서 15:3-4에 나오는 바울 이전의 공식구에도, 사도행전 2:22-36과
13:32-41의 부활 설교에도 언급되어 있지 않다는 사실은 어떠한 이
유에서든 이 문제가 논쟁거리가 되지 않았다는 것을 암시한다.

5) 빈 무덤에 대한 유대 당국의 동의(concurrence)

마태복음 28:12-15에 나오는 짧은 보고(마태복음 27:62-66에 나오는 그것의 전편[prequel]과 더불어)는 빈번히 초기 유대교 논쟁의 일부로 간주한다. 이 본문에 서술된 유대 당국은 시신이 무덤에서 사라졌다는 경비병의 보고를 반박하지 않는다. 오히려 그들은 병사들을 매수하여 예수의 제자들이 시신을 훔쳐 갔다고 거짓 소문을 퍼뜨리게 한다. 이 이야기의 연대를 초기로 추정하는 해석자들은 그것을 근거로 초기 그리스도인의 적대자들이 빈 무덤에 대한 보고에 이의를 제기한 것이 아니라 단지 잘 해명하려고 했을 뿐이었다는 결론을 내린다.

이 주장의 가장 문제가 되는 측면은 마태의 이야기가 예수의 십자가 처형 직후 예루살렘에서 일어난 사건을 서술하고 있다는 가정이다. 이러한 시나리오는 이 이야기의 진정성에 도전하는 몇 가지 세부사항을 고려할 때 가능성이 매우 작다. 십자가에서 처형된 범죄자의 무덤을 로마 경비병이 지키고 있었다는 것은 상상할 수도 없고 다른 복음서에는 언급되어 있지도 않다. 예수의 적대자들이 사흘 만에 살아날 것이라는 그의 예고를 알고 있었을 것이라고 상상하기 어렵다.

다른 공관복음서의 경우처럼 마태도 그러한 예고를 제자들에게 사적으로 전한 것으로 서술한다. 유대인들이 예수 부활에 대한 선포를 예상했다는 가정은 훨씬 더 개연성이 없다. 또한, 다른 어떤 신약 문헌에도 예수의 제자들이 그의 시신을 훔쳐갔다는 유대인의 고발이 언급되어 있지 않다. 오직 마태만이 그 사건을 언급하고 있다

는 사실은 이것이 예수의 부활에 대한 그리스도인의 선포에 대한 반
응으로 생겨난, 영향력이 크지 않았던 후대의 소문이었다는 가정을
지지해 준다.

6) 예수의 무덤 숭배의 부재

어떤 기독교 자료도 예수의 무덤 숭배를 언급하지 않는다는 사실
이 때때로 빈 무덤을 지지해주는 증거로 해석된다. 예수의 시신이
무덤에 남아있었다면 예수를 따르는 자들이 그곳을 거룩한 장소, 즉
숭배할 가치가 있는 성지로 간주했을 것이다. 그들은 그의 시신이
거기에 없다는 것을 알았기 때문에 거기에 어떤 종교적 가치도 부여
하지 않았다는 것이다.

이것은 침묵으로부터의 논증이며 결정적인 근거는 아니다. 예수를
따르는 자들이 예수의 무덤을 숭배했다는 증거가 없다는 것은 사실
이지만, 그들이 숭배하지 않았다는 증거 또한 없다. 예수가 처형되
고 매장된 장소에 성묘교회(Church of the Holy Sepulchre)가 세워졌다는
믿음은 예수의 무덤 위치에 대한 전승뿐만 아니라 이 장소의 종교적
중요성에 대한 살아있는 기억도 추정하게 한다.

더욱이 초기 그리스도인들이 예수의 무덤을 숭배하지 않았다는
가정은 예수의 무덤이 알려지지 않았다고 하는 정반대의 결론을 지
지하는데 사용될 수도 있다.[19] 어느 쪽이든 간에, 예수의 무덤 숭배
에 관한 침묵에서 많은 것을 결론으로 끄집어낼 수는 없다.

---

19 Lüdemann, *The Resurrection of Jesus*, 45를 보라.

7) 빈 무덤 발견에 대한 마가 이야기의 전설적 특성

어떤 학자들은 마가복음 16:1-8이 마가가 예수의 육체적 부활에 대한 선포를 입증하기 위해 지어낸 이야기라고 주장한다. 이렇게 이해하게 되면, 여인들의 침묵에 대한 마가의 언급은 그 이야기의 후대 기원을 설명하는 문학적 장치의 역할을 한다. 여인들이 아무에게 아무 말도 하지 않았기 때문에 사람들은 이전에 그것에 대해 듣지 못했다는 것이다.

고대에는 사라진 몸에 대한 많은 전설적 이야기들이 있었다. 예를 들면 에녹(창 5:24; 히 11:5; 에녹1서 70:1-3; 에녹3서 6:1; 7:1)과 엘리야(왕하 2:11-12, 15-18; 요세푸스, *Ant.* 9.28)의 승천, 모세의 사라짐(요세푸스, *Ant.* 4.323-326), 찾지 못한 욥의 자녀들의 몸(*T. Job* 39.8-40.4), 에스라(에스라4서 14:9, 48 Syr)와 바룩(바룩2서 76:1-5)의 추정, 로물루스(Romulus/Ovid, *Metam.* 14.805-851; Plutarch, *Rom.* 27.7-28.3), 아리스테아스(Aristeas of Proconnesus/Plutarch, *Rom.* 28.4; Herodotus, *Hist.* 4.14-15), 클레오메데스(Cleomedes of Astypaleia/Plutarch, *Rom.* 28.4-5; Pausanias, *Descr.* 6.9.6-9)의 실종에 관한 이야기들이다.

이러한 많은 전설적 이야기를 고려할 때, 마가의 이야기가 기독교의 전설일 가능성을 쉽게 배제할 수는 없다. 이러한 이야기 중 많은 경우는 먼 과거의 인물이나 전설적 인물과 관련되지만, 그레고리 대제(Gregory the Great/540-640년)의 대화집(Dialogues)에는 그레고리와 동시대인인 한 로마의 기능인에 관한 이야기가 포함된다.

그는 순교자 성 야누아리우스(St Januarius the Martyr)의 교회에서 죽어 매장되었다. 그레고리는 매장 후 첫날 밤에 성구 관리인이 무덤에서 큰소리로 외치는 소리를 들었다고 보고한다. 죽은 사람의 친구들이 무덤 문을 열었을 때 그대로 있는 그의 옷은 발견했지만, 그의 시신은 사라졌다(Dial. 4.56). 교황 그레고리는 이 이야기를 사실로 받아들이고 심지어 그 진실성을 확인하고자 하는 사람이라면 누구든지 증인들과 이야기하거나 매장지를 조사함으로써 그렇게 할 수 있다고 덧붙였다.

이것은 간단히 무시할 수 있는 중세 이야기가 아니다. 예수의 부활 이후 그들의 무덤에서 나와 예루살렘에 나타났던 부활한 성도(마 27:52-53)나 무덤을 지키던 경비병에 대한 마태 이야기(마 27:62-66; 28:4, 11-15)는 초기 그리스도인들이 신학적이고 변증적인 목적으로 이야기를 지어낼 수 있었다는 것을 보여 준다.

하지만 무언가를 할 수 있다는 말과 무언가가 행해졌다는 말은 다른 의미이다. 예를 들어 많은 학자는 마가가 빈 무덤 발견 이야기를 지어냈다는 견해가 설득력이 없다고 여긴다.

요한복음 20:1-13은 마가에 직접 의존하지 않으므로 빈 무덤 발견에 대한 독립 전승일 개연성이 높다.

마가복음 16:1-8에 나타나는 '향품'(1절), '굴리다'(3-4절), '벌벌 떨며'(terror/8절)와 같은 몇 개의 하팍스 레고메나(hapax legomena, 신약성경에서 단 한 번 나타나는 헬라어 단어)가 이 이야기의 비마가 기원(non-Markan origin) 가설을 강화해 준다.

마가 이야기의 전승적 특성을 지지하는 이러한 근거 목록에 데일 엘리슨(Dale Allison)의 통찰력 있는 다음과 같은 관찰을 추가할 수 있다.

성경적 예수 전승의 다른 어떤 말씀(logion)이나 이야기도 사람들이 그것에 대해 침묵했다고 가장함으로써 그것의 최근 등장을 정당화하지 않는다.[20]

이러한 반대 논점들을 고려할 때 마가복음 16:1-8이 무로부터 나온(*ex nihilo*) 기독교의 창작일 것이라는 추측은 설득력이 떨어진다.

8) 예수 무덤의 불가지론(Unknowability)

예수의 시신이 매장되지 못한 채 십자가에 그대로 매달려 있었다거나 아니면 처형된 범죄자를 위해 마련된 공동묘지에 던져졌을 것이라는 주장은 십자가에 달린 범죄자를 새나 짐승의 먹이가 되도록 십자가에 매단 채 남겨두는 일반적인 로마 관습에 근거한다(Suetinius, *Aug.* 13.2; Horace, *Ep.* 1.16.48: Josephus, *J. W.* 4.330-333; 4.360; 4.383; 5.518; 5.531). 존 도미닉 크로산(John Dominic Crossan)은 십자가에 달린 반역자의 매장을 거부하는 로마 관습을 매장 전통의 궤적을 조사함으로써 예수에게 적용한다.

크로산에 따르면 최초의 전승 층은 베드로 복음서 21장(그는 그것을 가설상의 '십자가 복음'으로 부른다)에 보존되어 있다. 이 전승은 예수의 시신이 원수에 의해 매장되었다고 추정한다(또한, 행 13:29도 보라). 마가복음 15:42-47에 보존된 그다음 전승 층은 원수에 의한 매장을 산헤드린의 존경받는 회원에 의한 매장으로 바꾼다.

20 Allison, *Resurrecting Jesus*, 304.

마태복음 27:57-71에 보존된 그다음 전승 층은 아리마대 요셉을 부유한 사람이면서 사실상 예수의 제자로 묘사한다. 마지막 전승 층인 요한복음 19:38-42은 예수의 시신이 누워있던 무덤이 정원에 있었다고 진술한다.

이처럼 매장 전승은 '원수에 의한 매장에서 친구에 의한 매장으로, 불충분하고 서둘러서 한 매장에서 충분하고 완전한 심지어 방부처리까지 마친 매장으로' 발전되었다는 것이다.[21] 크로산은 여기서 추한 진실을 감추려고 애쓴 변증적인 경향을 본다.

> 부활절 주일 아침까지, 관심을 가진 사람들은 무덤이 어디에 있는지 알지 못했고, 알았던 사람들은 관심을 두지 않았다.[22]

하지만 처형된 정치범의 매장을 거부하는 로마 관습이 실제로 예수의 경우에도 적용되었는지는 의심스럽다. 예수가 십자가에 달린 시기에 유대는 로마를 상대로 공공연한 반란을 꾀하지 않았다.

신명기 21:22-23에는 의로운 자든 불의한 자든, 죽은 자의 적절한 장례를 위한 유대인의 강한 관심과 땅을 더럽히지 않으려는 열망이 드러나 있다. 제2성전 시대의 문헌(11Q19 64.10-13; Philo, *Spec.* 3.151-152)은 신명기 21:22-23을 땅의 법칙으로 확인한다.

요세푸스와 필로는 특히 절기 때에 희생자의 장례가 빈번하게 허용되었음을 보여 준다(Josephus. *J. W.* 4.317; Philo, *Flacc.* 83-85). 기밧 하미브타르(Giv'at ha Mivtar)에 있는 한 가족무덤에서 십자가에 달린 남자의

---

21 Crossan, *Historical Jesus*, 393.

22 Ibid., 394.

유골이 발견되었는데, 이것은 십자가형의 희생자에게 매장이 허용될
수 있었다는 견해를 추가로 지지해준다.

비록 예수가 폭도로 십자가에서 처형당했지만, 로마에 대해 무장
반란을 일으키지는 않았다. 모든 1세기 자료는 서두르긴 했어도 예수
가 적절하게 매장되었다는데 전적으로 일치한다. 베드로 복음서 21
장("그다음 그들은 주의 손에서 못을 뽑고 그를 땅에 놓았다")은 크로산의
주장과는 달리 예수의 매장에 대해서 아무것도 말해주지 않는다. 산
헤드린의 경건한 회원인 아리마대 요셉의 장례는 개연성이 있을 뿐만
아니라 가능성이 상당히 크다.[23]

그렇다면 빈 무덤의 역사성에 대해 어떤 결론을 내릴 수 있을까?

한 가지 분명한 결론은 설득력 있는 확실한 주장은 없다는 것
이다. 각각의 경우 다양한 정도의 개연성에 대해서만 말할 수 있을
뿐이다. 하지만 대체로 여인들에 의한 빈 무덤 발견의 역사성을 지
지하는 주장이 더욱더 설득력이 있다. 우리가 이렇게 증거를 평가
한다고 해서 예수의 시신이 사라진 이유를 새로운 부활의 몸으로 변
형되었기 때문으로 입증할 수 있다는 의미는 아니다. 이것은 단지
빈 무덤에 대한 몇 가지 가능한 해석 중 하나이다.

예컨대 예수의 시신이 다른 무덤으로 옮겨졌을 수도 있고, 도난당
했을 수도 있으며, 여인들이 잘못된 무덤으로 갔을 수도 있다. 이러
한 선택 중 일부는 기적적인 설명을 선호하면서도 우리가 살펴본 자
료에서 고려되었다. 이것이 빈 무덤의 발견이 모호한 경험으로 남는

23 Craig A. Evans, 'Jewish Burial Traditions and the *Resurrection* of Jesus', *JSHJ* 3.2 (2005): 233-48; Allison, *Resurrecting Jesus*, 352-63; Jodi Mabness, 'Ossuaries and the Burials of Jesus and James', *JBL* 124(2005): 121-54.

이유이다. 이 경험이 어느 정도까지 부활 신앙 형성에 영향을 끼쳤
는지는 이 시점에서는 말하기 어렵다. 부활 이후 예수 현현의 객관
성에 대한 찬반 주장을 검토한 후 이 질문으로 다시 돌아갈 것이다.

3. 예수의 현현의 객관성

제자들이 보여 준 절망에서 승리로, 두려움에서 (신앙을 위해서는 기
꺼이 죽을 수도 있는) 용기로의 철저한 변화는 틀림없이 그들에게 무
언가 비범한 일이 일어났음을 보여 준다. 바로 이 점이 설명되어야
한다. 초기 기독교 문헌에는 이러한 철저한 변화가 부활하신 예수와
의 만남을 통해 일어났다고 지적한다.

예수의 현현 보고에 대한 역사적 신뢰성을 지지하는 해석자들은
그것이 주관적 환각(hallucinations)이나 환영(apparitions)이 아니라 객관
적 비전(즉 외부 자극 때문에 일어난 감각적 인식)이라고 주장한다. 심지
어 어떤 학자는 이러한 비전(vision)을 비디오카메라에 기록할 수 있
을 정도의 경험으로까지 주장한다.[24]

이 견해는 일반적으로 다음과 같은 논지에 의해 지지된다. 고린
도전서 15:3-7에 언급된 바울 이전 전승의 초기 연대가 죽음 이후의
예수 현현에 대한 전설적 특성에 반대한다. 이 전승 공식구에 언급
된 증인들의 일부가 바울이 그 서신을 기록할 당시에도 여전히 살아

---

24 N. T. Wright, 'The Transforming Reality of the Bodily *Resurrection*', in *The Meaning of Jesus: Two Visions* (eds Marcus Borg and N. T. Wright; New York: Harper-Collins, 1999), 125.

있었다는 사실은 그들에게 정보를 얻을 수도 있었음을 나타낸다. 전승의 공식구가 열두 제자, 오백여 형제와 같은 큰 그룹에 일어난 예수의 현현을 언급하는 것을 고려하면 부활하신 예수의 비전은 환영 (hallucination)이 아니었을 것이다. 왜냐하면, 환영이란 객관적으로 존재하지 않는 무언가를 집단이 아닌, 개인적으로 인식하는 것이기 때문이다.

마이클 리코나(Michael Licona)는 자주 반복된 이 논지를 다음과 같이 간결하게 표현한다.

> 환영은 외부의 지시 대상이 없는 정신적 사건이기 때문에 다른 사람의 환영에 참여할 수 없다.[25]

신령한 몸(spiritual body)에 대한 논의(고전 15:35-57)와 관련하여, 사도바울의 목격자 증언은 자신이 부활하신 예수를 몸의 형태로 보았다는 의미로 받아들여진다. 기독교 변증가들은 보통 신령한 몸에 대한 바울의 개념과 예수의 육체성을 강조하는 복음서 저자의 개념 사이에 어떤 의미 차이를 인정하기를 꺼린다. 그들은 또한, 복음서 내러티브의 일반적 신뢰성을 긍정하고 대체로 개인의 현현 이야기의 정확성을 의심하지 않는다.[26]

이러한 스펙트럼의 정반대 쪽에 예수의 현현을 그가 죽은 후 예수를 따르는 자들의 슬픔과 죄책감의 혼합으로 야기된, 하나님에 의한

25 Licona, *The Resurrection of Jesus*, 484.

26 Gary R. Habermas, *The Risen Jesus and Future Hope* (Lanham: Rowman & Littlefield, 2003), 10-11; Craig, 'Did Jesus Rise from the Dead?', 153-8.

그의 의로움 입증의 기대로 고무된 주관적 환상(visions)으로 간주하는 학자들이 있다. 전형적으로 이러한 주관적 환상은 개인적이거나 집단 심리적 망상(delusions) 또는 환영(apparitions)으로 해석된다. 예를 들어 뤼데만(Gerd Lüdemann)에 따르면, 예기치 않은 예수의 죽음 이후 베드로는 슬픔과 죄책감에 너무 압도되어 그의 잠재의식이 자신의 죄를 용서한 예수의 환영을 불러일으켰다.[27]

이와 유사하게 굴더(Michael Goulder)는 베드로와 바울 모두 죄책감과 자기 회의(self-doubt)로 생겨난 환영(hallucinations)을 경험했는데, 그러한 경험을 통해 자신들의 삶의 방향을 바꾸게 되었다고 주장한다. 베드로는 뽐내며 예수를 부인했던 인물에서 용기 있는 믿음의 챔피언으로, 바울은 이미 유대교의 반감을 사고 있었던 그리스도인의 박해자에서 이방인을 위한 열정적인 선교사로 변화되었다.

굴더는 이러한 개종 비전(conversion visions)을 일차적인 것으로 보고, 사도들이나 오백여 형제에게 일어난 예수의 현현은 오늘날의 마리아(Mary), 빅풋(Bigfoot), UFO 목격 및 다른 집단적 망상에 견줄만한 이차적인 발전으로 간주한다.[28] 이러한 설명은 사회 심리학에서 유래한, 누군가의 내면의 환상 세계와 현실 사이의 불일치를 가정하는 이른바 '인지 부조화'(cognitive dissonance) 이론의 예들이다.

예수의 현현이 객관적 비전이었는지 아니면 단순히 수혜자 마음의 투영(projection)이었는지를 파악할 방법이 있는가?

학자들에 의해 수용된 일반적 방법은 예수 부활 이후의 현현 이야기들을 우리의 현대의 경험에서 나타나는 유사한 현상과 비교하는

27 Lüdemann, *The Resurrection of Jesus*, 49-84, 97-100.
28 Goulder, 'The Baseless Fabric of a Vision', 48-55.

것이다. 후자는 과학자들과 다른 현대 연구자들에 의해 연구되어왔
기 때문이다. 또 하나의 방법은 신약성경의 이야기들을 고대 문헌의
유사한 이야기들과 비교하는 것이다. 이러한 유비들은 부분적으로만
관련이 있더라도 제자들의 경험을 서술하는 데 도움을 줄 수 있다.
그러한 경험을 설명할 수 있는 우리의 능력은 별개의 문제일지라도
말이다.

1) 현대의 비교문화 유비(Cross-Cultural Analogies)

비교문화 연구에서 가장 흔한 유비는 사별을 당한 미망인이 경험
한, 최근에 죽은 배우자에 대한 환영(apparitions)이다. 이 현상에 대한
첫 번째 실질적 연구는 윌리엄 듀이 리스(William Dewi Rees)에 의해
시행되었는데, 그는 1971년 「영국 의학 저널」(British Medical Journal)에
그의 결과를 발표했다.[29]

리스의 보고에 따르면 인터뷰를 한 전체 293명의 미망인 중 47퍼
센트가 죽은 남편의 환영을 보았다. 남성과 여성을 포함한 후속적인
연구들이 리스의 결과를 확인해 주었다. 인터뷰에 응한 사별 배우자
의 최대 50퍼센트가 죽은 배우자의 존재를 보거나 듣거나 느꼈다는
것이다.[30]

---

[29] William Dewi Rees, 'The Hallucinations of Widowhood', *British Medical Journal* 4 (1971): 37-41.

[30] 예를 들면, julian Burton, 'Contact with the Dead: A Common Experience?', *Fate* 35.4 (1982): 65-73; Richard Olson et al. 'Hallucinations of Widowhood', *Journal of American Geriatric Society* 33 (1985): 543-7; Ageneta Grimby, 'Hallucinations Following the Loss of a Spouse: Common and Normal Events Among the Elderly', *Journal of Clinical Geropsychology* 4 (1998): 65-74; Gillian Bennett and Kate Mary

연구의 일부는 죽은 사람의 환영이 슬퍼하는 배우자에게만 제한된 것이 아니라 일반 주민의 다양한 그룹과 연령대를 포함했음을 보여 주었다. 인터뷰를 한 사람들은 죽은 사람의 비전을 보거나 듣거나 만지거나 심지어 냄새까지 맡았다고 보고했다. 어떤 경우에는 한 사람 이상이 동시에 환영을 경험하기도 했다.[31]

과학 서적과 대중 문헌으로 출간된 죽음 이후의 환영에 대한 다양한 보고에 근거해서, 달 엘리슨(Dale Allison)은 예수의 현현에 대한 신약성경의 전승과 사별한 사람의 비교 문화적 환영의 병행 목록을 편집했다.

(1) 둘 다 보고 들을 수 있다.

(2) 둘 다 한 사람에게 보이고 나중에 또 다른 사람에게 보일 수 있다.

(3) 둘 다 함께 있는 몇몇 사람에게 동시에 보일 수 있다.

(4) 둘 다 때로는 더욱 큰 그룹 일부에게만 보일 수 있다.

(5) 둘 다 삶에서 그들을 알지 못했던 개인들에게 나타난다.

(6) 둘 다 어떤 이들에게는 의심을 초래한다.

(7) 둘 다 안도감과 위로를 준다.

(8) 둘 다 지침을 주고 요청을 한다.

(9) 둘 다 압도적으로 현실적이며 실제로 견고해 보일 수 있다.

(10) 둘 다 비정상적이고 갑작스러운 방식으로 나타나고 사라진다.

Bennett, 'The Presence of the Dead: An Empirical Study', *Mortality* (2000): 139-57); M. M. Ohayon, 'Prevalence of Hallucinations and Their Pathological Associations in the General Populations', *Psychiatry Research* 97 (2000): 153-64를 보라.

31 Richard A. Kalish and David K. Reynolds, 'Phenomenological Reality and Post-Death Contact', *Journal for the Scientific Study of Religion* 12 (1973): 209-21.

(11) 둘 다 믿음의 변화를 일으킬 수 있다.

(12) 그 사람의 죽음 이후의 시간 경과에 따라 둘의 빈도가 감소
한다.[32]

이러한 병행들은 일부 성경학자의 주장과는 반대로, 예수의 현
현에 대한 유비가 있다는 것을 보여 주긴 하지만 신약의 부활 이야
기를 이해하는 데는 큰 관련이 없다. 우리에게는 죽음 이후의 환영
과—그리스도와 연관된 환상 경험[33] 및 루르드(Lourdes), 파티마(Fati-
ma), 메주고리예(Medjugorje)에서 일어난 성모 마리아의 환영[34]과 같
은—다른 유사한 현상에 대한 설명이 부활하신 부활하신 예수를 보
았다는 1세기 기독교의 서술에 적용될 수 있는지를 알 방법이 없다.

환영에 대한 현대적 설명에는 융의 원형 이론(Jungian archetype theo-
ry/우리의 의식의 통제를 벗어나는 무의식의 정신적 내용), 정신분석학적 설
명(환각[hallucination]은 무의식적 소원을 만족하게 하려는 욕망에서 비롯된다
는 프로이드[Freud]의 견해), 그리고 환각(옥스퍼드 영어 사전에는 '실제로는
그러한 물체가 존재하지 않음에도 외부 물체에 대한 [보통 시각과 청각에 의한]
명백한 인식'으로 정의된)과 같은 다양한 신경생리학적(neurophysiologi-
cal) 설명 등이 포함된다.

32 Allison, *Resurrecting Jesus*, 278-83. 이러한 병행 목록 각각에 대해 엘리슨(Allison)
은 단행본, 학술지, 대중 문학의 관련 출판물을 열거하는 긴 각주를 제공한다.

33 Phillip H. Wiebe, *Visions of Jesus: Direct Encounters from the New Testament to Today*
(Oxford: Oxford University Press, 1997).

34 Michael P. Carroll, *The Cult of the Virgin Mary: Psychological Origins* (Princeton,
NJ: Princeton University Press, 1986); Sandra Zimdars-Swartz, *Encountering Mary:
From La Salette to Medjugorje* (Ptinceton, NJ: Princeton University Press, 1991).

마지막에 설명된 환각은 종종 부정적 의미를 지니는데, 그것이 보통 정신장애와 연관되기 때문이다. 환각(hallucination)은 전형적으로 진전 섬망증(delirium tremens/심한 정신착란증), 약물 복용, 지각 상실, 수면 박탈, 최면, 신경질환, 조현병과 연관된다.[35]

이러한 이론들을 초기 그리스도인들에게 적용하려는 다양한 시도들은 대부분은 더 폭넓은 학계를 설득하는 데 실패했다. 예를 들어 많은 학자는 부활이 예수의 제자들을 깜짝 놀라게 했음을 올바르게 강조한다. 이러한 사건 전환은 그들이 기대한 것도 소망한 것도 아니었다. 경건한 유대인들이 기대한 것은 역사의 중간에 일어나는 한 개인의 부활이 아니라 종말에 일어날 의인의 부활이었다. 그러므로 예수의 현현을 제자들의 소원이나 욕구의 투영으로 설명하기는 어렵다.

이와 마찬가지로 제자들의 마음 상태를 재구성하려는 어떤 시도도 실패할 수밖에 없다. 우리가 가진 증거가 빈약하고 단편적이기 때문이다. 그들은 실망했을 수도 있지만, 적어도 그들 중 일부는 분노했을 수도 있다. 또한, 그들 중 일부는 지도자 예수의 처형 이후 산산이 부서진 종교적 신념을 붙잡기보다는 자신들의 안전에 훨씬 더 많은 관심을 가졌을 수도 있다. 이러한 모든 논의는 상상할 수는 있지만 입증할 수 없는 추측으로 남아있다.

이러한 반대 의견은 예수의 현현에 대한 자연주의적 설명을 거부하는 기독교 변증가들의 입장을 강화해주지만, 예수 현현의 객관성을 반드시 지지해 주는 것은 아니다. 예를 들면 이러한 경험들의 시각적이고 감지할 수 있는 측면을 지적하는 것으로는 충분하지 않다.

---

[35] Wiebe, *Visions of Jesus*, 172-211.

왜냐하면, 이 두 가지 지각적인 특성은 죽음 이후의 환영을 경험한 사람들에 의해서도 빈번하게 보고되었기 때문이다.

고린도전서 15:5-7에 언급된 예수 현현에 대한 초기 증인들의 목록은 너무 아쉬울 정도로 간결하다. 다만 예수가 어떤 특정한 개인과 그룹에 나타났다는 정보만 들을 수 있을 뿐이다.

바울 자신의 경험에 관한 서술 역시 이와 마찬가지로 매우 간결하다. 그는 단순히 예수가 자신에게 나타났다거나(고전 15:8), 예수를 보았다거나(고전 9:1), 또는 하나님의 아들을 이방인에게 전하라는 위임을 받았다(갈 1:16)고만 말할 뿐이다. 각각의 경우에 그는 단지 자신의 시각적 능력과 청각적 기능에만 호소한다. 신령한 몸에 대한 바울의 서술은 특히 그가 무엇을 보았는지 분명하게 밝히지 않는다. 또한, 그가 이전에 예수를 만난 적이 없었다는 점을 감안할 때 그가 어떤 특별한 특징에 근거하여 예수를 인식할 수 있었는지도 분명하게 설명하지 않는다.

바울의 경험에 대한 누가의 이야기(행 9:1-9; 22:6-11; 26:12-19) 또한 많은 도움이 되지 못하는데, 누가가 이 사건을 부활하신 예수의 현현으로가 아니라, 함께 있던 동료들이 부분적으로만 접근할 수 있었던 환상적 경험(visionary experience)으로 묘사하고 있기 때문이다. 복음서 이야기들은 예수의 몸을 감지할 수 있었던 목격자들의 경험에 대한 초기 기억을 보존하고 있지만, 동시에 예수를 쉽게 알아볼 수 없었음도 반복적으로 강조한다. 특히 누가복음과 요한복음에서 잘 드러나는 이러한 복음서 내러티브의 해체주의적(deconstructive) 측면에 비추어 볼 때, 두 복음서 저자가 예수의 정체를 입증하기 위해 큰 노력을 기울이는 것은 놀랄 일은 아니다.

하지만 그들은 예수의 부활하신 몸의 육체적 현현을 서술하는 것이 아니라, 친숙한 행위(눅 24:30-31), 친숙한 말(요 20:16) 또는 십자가 처형의 표시를 지적함으로써(요 20:20, 27; 참조, 눅 24:39-40) 이 작업을 수행한다.

현대의 환영에 대한 보고와 비교할 때 복음서 내러티브들의 유일한 독특한 면은 음식을 먹을 수 있는 예수의 능력이다. 그러나 이러한 특징은 단지 누가복음 24:41-43(행 10:40-41을 보라)과 아마도 요한복음 21:12-13에만 언급되어 있을 뿐이다. 누가복음과 요한복음의 경우 비교적 늦은 연대와 저자들의 반영지주의적인 경향은 이것이 예수 현현의 초기 경험에 대한 진정한 특징이라는 추정을 약화한다.

기독교 변증가에 따르면 예수 현현의 초기 경험의 객관성에 대한 가장 강력한 근거는 부활하신 예수를 집단으로 목격했다는 신약성경의 보고들이다(고전 15:5-6).

환각(hallucinations)은 사적이고 개인적인 사건이므로 집단적 환각은 불가능하지는 않지만, 매우 드문 현상이다. 그러한 집단적 환각의 참여자들이 동정녀 마리아에 대한 환영(Marian apparitions) 수혜자와 동일한 비전을 경험했다고 주장할지라도 이것은 각 사람이 정확하게 동일한 환각을 경험했다는 의미는 아니다. 그들은 유사한 기대와 감정적 흥분에 의해 촉발된 개별적 환각을 경험했을 가능성이 크다. 하지만 이러한 환각 현상 중 어느 것도 예수의 집단적 현현에 적용되지 않기 때문에, 그러한 현현은 환각이 아니라 그것과는 무관한 현실 경험이었을 것이다.[36]

---

36 Gary R. Habermas, 'Explaining Away Jesus' *Resurrection*: The Recent Revival of Hallucination Theories', *Christian Research Journal* 23.4 (2001): 26-31, 47-9. 이

이러한 견해는 단지 부분적으로만 설득력이 있다. 열한 제자들에게 일어난 예수의 현현은 실제로 가장 잘 입증되고 가장 일관성 있는 현현 중 하나이다. 다른 한편 오백여 형제자매들에게 일어난 현현은 고린도전서 15:6 외에는 어디에도 언급되지 않는다.

이 때문에 그 보고의 신뢰성은 오직 바울 이전의 공식구의 초기 연대와 이 집단적 그리스도 현현을 목격한 사람 중 많은 이들이 고린도전서를 기록하고 있는 중에도 여전히 살아있다는 바울의 진술에만 의존된다. 하지만 앞에서 언급된 (기독교 변증가의) 추론의 주요 약점은 집단적 그리스도 현현의 모든 수혜자가 정확히 같은 경험을 했다는 입증되지 않은 추정이다. 우리는 개별 제자들 또는 오백여 형제자매들 각자가—따로따로 물어보았을 때—동일한 경험을 말했을지 알 도리가 없다.

바울이 자신의 경험을 이전의 현현들과 동일한 유형의 경험으로 믿었다는 것이 사실일지라도 예컨대 우리는 누가가 이 견해를 공유하지 않았다는 점을 이미 알고 있다. 더욱이 신령한 몸에 대한 바울의 묘사는 예수의 육체성을 강조하는 복음서 저자들의 서술과 다르다. 다양한 저자 간의 이러한 차이가 집단적인 그리스도 현현의 수혜자들 간의 차이를 직접 입증해주는 것은 아니지만, 실제로 그럴 가능성이 있음을 나타낸다.

변증적 논의의 또 하나의 약점은 부활하신 예수의 집단적 비전이 어떤 기대나 감정적 흥분 때문에 촉발하지 않았다는 주장이다. 왜냐하면, 예수의 죽음 이후 그의 제자들이 충격을 받은 상태였기 때문

논문은 또한, 하버마스(Habermas)의 웹사이트에서도 찾을 수 있다: http://www.garyhabermas.com/articles/crj_explainingaway/crj_explainingaway.htm).

이다. 하지만 제자들의 감정 상태에 대한 이러한 서술은 예수의 첫 번째 현현 이전의 시기에만 적용할 수 있다.

예수의 최초 현현에 대한 마리아나 베드로의 보고는 제자들에게 앞으로의 현현에 대한 기대를 일으켰을 것으로 상상할 수 있다. 그러므로 그들의 기대와 흥분이 부활하신 예수에 대한 집단적인 경험에 끼친 영향을 배제할 수는 없을 것이다.

그렇다면, 예수 현현의 객관성과 주관성에 대한 견해 모두 개연성이 부족한 것으로 보인다. 현대의 비교문화 유비는 예수 현현의 특성을 결정하는 데 도움을 줄 수 없다. 하물며 그것을 입증하는 데는 더더욱 도움이 되지 않는다.

이처럼 도움이 되지 못하는 이유 중 하나는 자료의 단편적 특성 때문이다. 또 하나의 이유는 대부분 비전과 환영에 대한 수혜자의 인식이 그들의 현실 이해뿐만 아니라 비전의 내용을 결정하는 문화적 가정(cultural assumptions)에 달려있기 때문이다.

그러므로 예수의 현현에 대한 초기 기독교의 보고를 평가하기 위해서는 에틱(etic)의 기준(즉 비교문화 연구를 통한 기준)보다는 오히려 에믹(emic)의 기준(즉 고대 저자들에 의해 제시된 기준)을 사용하는 것이 훨씬 더 유익하다.

2) 고대의 유비

예수의 부활에 대한 신약성경의 진술에 대해 가장 적절한 종교적, 사회적 틀을 제공하는 유대 문헌에는 죽음 이후의 현현과 관련된 두 개의 이야기가 포함된다.

사무엘상 28:4-19의 이야기는 사울이 블레셋 사람들과 싸우기 전 날 밤 신적 확신을 얻기 위해 신접한 여인을 통해 죽은 사무엘의 영 을 불러내는 내용을 서술한다. 사무엘이 실제로 나타나지만, 그는 전쟁에 대한 확신을 주는 대신 사울이 하나님의 말씀에 순종하지 아 니한 것을 책망하고, 블레셋 사람들이 사울의 군대를 물리치고 그와 그의 아들들이 죽을 것이라고 예언한다.

전체 에피소드(episode)는 불법 행위로 묘사된다. 왜냐하면, 영매 역할을 하는 여인이 처음에 다음과 같이 이의를 제기하기 때문이다.

> 네가 사울이 행한 일 곧 그가 신접한 자와 박수를 이 땅에서 멸절시켰음
> 을 아나니 네가 어찌하여 내 생명에 올무를 놓아 나를 죽게 하려느냐 하
> 는지라(삼상 28:9; 삼상 28:3을 보라).

이러한 반대는 주술(necromancy)을 우상 숭배로 금하는 신명기의 계명을 반영한다.

> 점쟁이나 길흉을 말하는 자나 요술하는 자나 무당이나 진언 자나 신접
> 자나 박수나 초혼자를 너희 가운데서 용납하지 말라. 이런 일을 행하는
> 모든 자를 여호와께서 가증이 여기시나니 이런 가증한 일로 말미암아
> 네 하나님 여호와께서 그들을 네 앞에서 쫓아내시느니라(신 18:10-12).

고대 이스라엘에서 땅의 법으로서 기능했던 이러한 금지 명령은 다른 형태의 영적 힘을 강제적으로 조작하는 행위와 함께 죽은 자의 혼에 대한 모든 호소를 금한다.

죽은 후에 나타나는 죽은 자들에 대한 또 하나의 이야기는 마카비 2서 15:12-16에서 발견된다. 이 이야기에서 유다 마카비는 대제사장 오니아스와 예언자 예레미야의 현현에 관해 서술하는데, 그들은 그에게 적군에 대해 곧 승리할 것이라는 격려의 메시지를 준다. 하지만 마카비2서의 저자는 유다가 '믿을 만한 가치가 있는 꿈, 일종의 비전을 말하고' 있었다고 강조한다(마카비2서 15:11). 이 말은 이 이야기가 거룩한 사람이 환상을 보는 사람의 실제 상황과 연관된 메시지를 전달하는 꿈 비전(dream vision)의 장르에 속한다는 것을 가리킨다.

하지만 이러한 죽음 이후의 환영에 관한 이야기들이 예수의 현현에 대한 신약성경의 진술에 대해 적절한 유비를 제공하는지는 의문스럽다. 사무엘상 28:4-19은 죽은 자의 영혼과 접촉하는 영매를 필요로 하는 금지된 관습을 서술한다. 더욱이 죽은 사무엘의 영혼은 예수의 현현에 대한 초기 기독교의 보고의 특징인 육체적 특징이 빠져있다.

다른 한편 마카비2서 15:12-16에는 오니아스와 예레미야의 현현을 유대 문헌과 그레코-로만 문헌에도 풍부하게 나타나는 꿈과 환상의 범주로 분류한다. 예수의 현현은 결코 꿈과 환상으로 묘사되지 않는다. 유일한 예외는 사도행전 9:1-9; 22:6-11; 26:12-19에 나타난 바울의 다메섹 체험에 대한 누가의 묘사이다. 그것은 예수의 현현을 부활 후 40일이라는 기간에 제한하려는 누가의 의도를 드러낸다.

예수의 현현과 가장 가까운 병행 부분은 '~에게 나타나다'(appear to)라는 동사를 사용하는 유대 본문에서 발견된다. 70인 역에서 이 동사는 전형적으로 하나님이나 그분 사자의 현현을 묘사하는 데 사용된다(창 12:7; 17:1; 18:1; 26:2; 출 3:2; 삿 6:12; 왕상 3:5; 9:2; 대하 3:1).

특히 흥미로운 점은 인간의 형태로 나타나는 천사들의 이야기이다. 소돔과 고모라의 멸망에 관한 내러티브에서 아브라함은 세 사람을 보지만 그들이 천사라는 것을 인식하지 못한다(창 18:1-2). 창세기 이 야기에 따르면 이 천사들은 보통 인간의 체질을 보여 준다. 그들은 발을 씻고 음식을 먹는다(창 18:3-15).

이와 마찬가지로 두 천사가 소돔에 도착했을 때 롯은 그들을 보통 의 인간으로 대한다. 그들은 또다시 발을 씻고 음식을 먹으며 롯이 폭도들에 의해 생명이 위험에 처했을 때 손을 내밀어 그를 집으로 끌 어들인다(창 19:1-11). 창세기 18장은 가장한 천사를 가리키기 위해 '사람들'이라는 용어를 일관되게 사용하는 반면(18:2, 16, 22), 창세 기 19장에서는 '천사'(19:1, 15)와 '사람들'(19:5, 8, 10, 12, 16)이란 용 어를 교대로 사용한다.

이와 유사한 이야기가 사사기 6:11-24에서도 나오는데, 거기서는 주의 천사가 기드온에게 나타나는 내용을 서술한다. 천사의 실제 정 체를 인식하지 못하는 기드온은 그를 '주여'(sir)라고 반복해서 부르 면서 보통의 사람으로 대한다. 그는 천사가 시야에서 사라지는 마지 막 부분에 비로소 그의 정체를 알게 된다.

이러한 모티브—천사가 보여 주는 인간의 모습 및 속성과 천사 의 정체를 알아보지 못하는 주인공—는 또한, 사사기 13:16; 토비트 5.4-5; *T. Ab.* 2.2; Philo, *Abr*, 107-110, 113; Josephus, *Ant.* 1.196-198과 같은 다른 유대 본문에서도 나타난다. 특히 중요한 것은 먹고 마심의 모티브이다(창 18:8; 19:3; Philo, *Abr.* 110). 그러나 제2성전시대 의 문헌과 랍비 문헌은 일반적으로 천사가 실제로는 그렇게 하지 않 고 단지 음식을 집어 삼키는 것처럼 보인다고 지적한다(토비트 12:19;

T. *Ab*. 4.9-10; Philo, *Abr*. 117-118; *QG* 4.9; Josephus. *Ant*. 1.197; 창 18:8에 관한 *Tg. Neof. 1*과 *Tg. Ps.-J*; *Gen. Rab*. 48.14).

예수의 현현에 대한 신약성경의 이야기는 인간의 형태로 나타난 천사들에 관한 이야기와 몇 가지 점에서 현저하게 유사하다.

첫째, 그들은 마치 단단한 몸을 가진 것처럼, 그리고 마치 음식을 먹을 수 있는 것처럼 보통의 인간으로 나타난다.

둘째, 그들은 예기치 않게 사라질 수 있다.

셋째, 수혜자들은 일반적으로 그들의 정체를 알아보지 못한다.

바울도 복음서 저자도 예수의 현현을 천사의 현현과 구별하려고 하지 않는다는 사실은 부활하신 예수에 대한 초기 인식이 천인(천사-인간) 동형론(angelomorohism)과 유사했음을 암시할 수도 있다. 이것은 의인이 천사와 별처럼 부활할 것을 기대하는 다양한 유대 본문에 비추어 볼 때 놀랄 일은 아니다(단 12:3; 에녹1서 39:3-5; 104.4; 바룩 2서 49:1-51:10).

초기 기독교 해석자들이 그러한 전승에 친숙했다는 것은 예수와 사두개인의 부활 대화 이야기에서 분명하게 볼 수 있는데, 이 이야기는 공관복음서 전체에서 발견된다(마 22:23-33; 막 12:18-27; 눅 20:27-39). 사두개인들이 부활할 때에 일곱 형제와 결혼한 한 여인은 누구의 아내가 될 것인지 물었을 때, 예수는 다음과 같이 대답한다.

사람이 죽은 자 가운데서 살아날 때는 장가도 아니 가고 시집도 아니 가고 하늘에 있는 천사들과 같으니라(막 12:25; 참조, 마 22:30; 눅 20:34-36).

그러므로 기독교 해석자들이 부활하신 예수에 대한 현현을 서술하기 위해 인간의 형태로 나타난 천사 전승을 기본 모티브로 사용했을 것이라고 상상하는 것은 설득력이 있다. 이러한 견해는 예수의 현현이 주관적이었는지 아니면 객관적이었는지의 문제를 해결하지는 못하지만, 그렇더라도 예수의 부활한 몸에 대한 최초의 인식을 형성했고 그것을 언어로 표현하기 위한 이미지(imageries)를 제공한 1세기 세계로 토론의 장을 옮겨놓는다.

4. 부활 신앙의 출현

아직 대답해야 할 핵심 질문이 남아있다.

예수를 따르는 자들은 왜 맨 처음부터 예수가 죽은 자 가운데서 살아났다고 선포했는가?

N. T. 라이트(N. T. Wright)는 이 주제에 대한 전통적인 견해를 다음과 같이 매끄럽게 진술한다.

> 빈 무덤과 예수의 현현 그 자체로는 초기 기독교 신앙을 초래할 수 없었을 것이다. 빈 무덤만으로는 수수께끼요 비극일 것이다. 외관상 살아있는 예수를 본 경험만으로는 고대 세계에서 충분히 잘 알려진 환상이나 환각으로 분류되었을 것이다. 하지만 빈 무덤과 살아있는 예수의 현현이 하나로 결합할 때는 부활 신앙을 발생시키는 강력한 이유가 되었을 것이다.[37]

---

37 Wright, *The Resurrection of the Son of God*, 686.

라이트는 더 나아가 빈 무덤과 예수의 현현이 부활 신앙의 출현을 위한 필요조건(necessary)을 제공한다고 설명한다. 비록 그 자체로는 이 신앙을 초래하는데 불충분했을지라도 말이다.

하지만 그 둘을 하나로 모아 결합하면 충분조건(sufficient condition)이 된다.[38]

빈 무덤 발견이 부활 신앙을 초래하는데 불충분했을 것이라는 라이트의 주장은 확실히 일리가 있다. 우리는 앞에서 사라진 시신에 대해 다양한 방식으로 해석되었을 가능성을 살펴보았다. 빈 무덤 이야기는 또한 이것의 발견으로 말미암아 일반적으로 믿음이 아니라 혼란이 초래되었음을 일관되게 보여 준다. 유일한 예외는 애제자의 믿음이지만(요 20:8), 그다음 구절("그들은 성경에 그가 죽은 자 가운데서 다시 살아나야 하리라 하신 말씀을 아직 알지 못하더라"[요 20:9])은 이 믿음조차도 많은 이해를 수반하지 못했음을 분명히 한다.

하지만 예수의 현현이 미칠 수 있는 영향에 대한 그의 주장은 설득력이 약하다. 그는 그러한 경험의 현대적 해석과 고대의 해석을 구별하지 않는다. 예를 들어 우리는 앞에서 마카비2서 15:12-16이 오니아스와 예레미야의 죽음 이후의 현현을 꿈-환상(dream-vision)으로 분류했는데, 그것은 실제와 아닌 것을 구별하는 것을 암시한다(행 12:9을 보라).

---

[38] Ibid., 692.

하지만 고대의 사람들이 실제에 근거하지 않는 경험을 '환각'으로 간주할 것이라고 주장하는 것은 현대의 범주를 고대 본문에 강요하는 일이다. 또한, 유대 문헌에는 "그러한 만남이 상당히 잘 알려져 있었다"는 어떤 증거도 없다.[39]

환상적인 경험은 흔했을지라도, 죽은 자를 보는 비전은 꽤 드물었다. 라이트의 유일한 예는 사도행전 12:15이지만, 베드로의 천사가 문 앞에 서 있었다는 제자들의 추측은 그들이 베드로가 죽었다고 생각했다는 의미가 아니라 오히려 그의 수호천사가 방문했다고 생각했다는 의미이다.

하지만 라이트의 논의에서 가장 중요한 측면은 빈 무덤 발견과 부활한 예수 현현 모두가 기독교의 부활 신앙이 출현하는 데 필요했다는 주장이다. 이 견해에 동의하는 학자들은 보통 빈 무덤이 없다면 기독교 선포는 예수의 부활이 아니라 그의 의로움 입증이나 그의 영혼 승천으로 표현되었을 것으로 추정한다.

예를 들어, 제임스 D. G. 던(James D. G. Dunn)은 다음과 같은 두 개의 대안을 제시한다.[40] 이동(translation)/휴거(rapture)와 의로움 입증(vindication)/영혼 승천(exaltation)이다. 그는 첫 번째 선택안을 거부한다. 그러한 개인을 서술하는 유대 본문(창 5:24; 왕하 2;11-12; Josephus, *Ant.* 4.323-326; 에스라4서 14.9, 48 [Syr]; 바룩2서 76.1-5)은 죽음을 배제하여 예수에게 적용될 수 없기 때문이다. 하지만 두 번째 안은 실제 가능성이 있는 것으로 보인다. 내세에 대한 헬라화 된 유대 개념의 고전적 형태는 지혜서 3:1-9과 5:1-5에서 발견된다. 이러한 구절들은 그

39　Ibid., 690.
40　Dunn, *Jesus Remembered*, 866-8.

의 영혼이 하나님의 손에 있는 의인의 운명을 서술한다.

아브라함의 유언(*Testament of Abraham*) 20:10-11은 아브라함의 죽음을 그의 영혼과 육체의 분리로 서술한다.

> 곧 천사장 미카엘이 많은 천사와 함께 그 옆에 섰고, 그들은 그의 귀한 영혼을 신성하게 짠 천으로 싸서 손에 들었다. 그리고 그들은 의로운 아브라함의 몸을 죽은 후 사흘까지 신성한 연고와 향수로 돌보았다.

이와 유사하게 욥의 유언(*Testament of Job*)은 욥이 죽었을 때 그의 영혼이 곧 하늘로 취해졌지만, '매장을 위해 준비된 그의 몸은 무덤으로 옮겨졌다'(욥의 유언 52.10-11).

만일 이것이 실제 선택이었다면, 왜 예수를 따르는 자들이 그가 죽은 자 가운데서 살아났다고 선포하였을까?

가장 직관적인 대답은 '그들이 무덤이 빈 것을 알았기 때문'이라는 것이다. 하지만 불행하게도, 이러한 결론은 종종 빈 무덤을 부적절하게 강조하는 결과를 초래한다. 예를 들면, 라이트는 예수의 현현을 '빈 무덤 발견에 대한 일종의 필수 보충자료'로 간주한다.[41] 하지만 신약성경은 빈 무덤의 중요성을 계속해서 폄하한다.

고린도전서 15:3-7에 있는 바울 이전의 공식구는 심지어 그것을 언급조차 하지 않는다. 빈 무덤이 그 순서에 의해 암시되어 있을 수도 있지만('장사지낸 바 되셨다가 성경대로 사흘 만에 다시 살아나사'[4절]),

---

[41] Wright, *The Resurrection of the Son of God*, 695

그 공식구가 부활의 본질에 대한 초기 기독교 신앙을 반영하는지, 아니면 무덤이 실제로 비어 있었다는 사전 지식을 반영하는지 확인할 수 없다.

만일 후자의 경우라면 기독교 변증가들이 계속해서 주장하듯이 빈 무덤의 발견은 무시되었거나(아마 여성 증언에 대한 불신 때문에), 아니면 중요치 않은 것으로 여겨졌을 것이다(아마 빈 무덤 경험의 모호함 때문에). 여하튼, 예수의 부활 선포의 초기 단계에 빈 무덤이 결정적인 영향을 끼쳤는지는 확정할 수 없다.

실제로 마가 이전의 자료에 빈 무덤이 널리 알려져 있었다는 어떤 증거도 없다. 하지만 이로부터 전체 에피소드가 후대의 구성이라고 결론짓는 것은 설득력도 없고 자료에 의해 입증되지도 않는다. 그러나 마가복음 16:1-8에 언급된 빈 무덤 발견에 대한 가장 초기 이야기가 예수의 현현에 대한 진술 없이 전달되었던 반면, 고린도전서 15:3-7의 바울 이전의 공식구가 빈 무덤을 언급하지 않은 채 예수의 현현 목록을 열거하고 있다는 사실은 이 두 전승이 상호 독립적으로 발전되었다는 점을 암시한다.

이 두 전승의 명시적인 결합은 마태복음, 누가복음, 요한복음이 기록되기 전에는 일어나지 않았다. 그렇다고 이 두 전승이 훨씬 더 이전에 서로에게 영향을 끼치지 않았다거나 도움을 주지 않았다는 의미는 아니다. 다만 그러한 결론은 자료에 의해 제공된 실제적인 증거보다는 오히려 초기 기독교 운동의 발전에 대한 전반적인 평가에 근거한다.

심지어 빈 무덤 발견을 예수의 현현 전에 배치하고 그의 시신이 사라진 무덤 밖에서 예수의 부활하신 몸이 어떻게 나타났는지를 서술함으로써 예수의 사라진 시신과 그의 부활한 몸의 연속성을 확립하려는 복음서 저자들조차도 빈 무덤을 예수의 현현에 대한 명백한 검증(validation)으로 사용하지 않는다.

부활하신 예수는 등장인물들이 당황하거나 그들이 본 인물이 실제로 며칠 전에 십자가에서 못 박힌 주라는 증거를 요청할 때 그의 손과 발과 옆구리를 보여 줌으로써(눅 24:37-39; 요 20:20), 그의 십자가의 표시를 만져 보도록 초청함으로써(요 20:24-29), 그리고 그들 앞에서 음식을 먹음으로써(눅 24:41-43; 요 21:12-13) 자신의 정체를 입증한다.

이 이야기 중 어디에도 예수의 정체에 대한 의심이 빈 무덤을 방문한 증인들에 의해 완화되었다는 언급이 없다. 사라진 시신에 대한 여인들의 보고를 제자들이 검증하는 내용을 포함하는 누가와 요한 모두 그것을 예수의 현현 이후가 아니라 이전에 배치한다(눅 24:12; 요 20:3-10). 오히려 불신앙을 신앙으로 변화시키는 예수의 살아있음을 보는 경험만으로도 예수가 죽은 자 가운데서 살아나셨다는 확신이 형성되기에 충분하였다는 인상을 준다.

그렇다면, 예수의 부활 이후의 현현이 부활 신앙의 출현에 근본적인 역할을 한 것으로 보인다. 예수의 시신이 그가 누웠던 무덤에서 사라졌다는 발견이 보강 증거(corroborating evidence)를 제공하는 것은 확실하지만 특히 여인들이 적어도 초기에 "아무에게 아무 말도 하지 못하더라"(막 16:8)라는 마가의 결론적 진술을 진지하게 받아들인다면, 이러한 지식이 얼마나 이른 시기에 얼마나 널리 퍼져 있었는지는 재구성하기 어렵다.

제자들이 예수의 현현만으로는 예수가 죽은 자 가운데서 살아났다는 것을 확신할 수 없었을 것이라는 라이트의 주장은 자료상의 많은 지지를 받지 못한다. 우리가 지닌 자료는 부활하신 예수와의 만남만이 믿음을 초래할 수 있었다고 반복적으로 보여 주기 때문이다. 예수를 따르는 자들(적어도 그들 중 일부가)이 어떻게 빈 무덤 발견이 없이도 그러한 결론에 도달했는지를 이해하기 위해서 우리는 그러한 현현들이 경험된 종교적, 사회적 맥락을 고려해야 한다.

예수 현현의 의미는 수혜자들이 보거나 만진 경험뿐만 아니라, 그들이 하나님과 세상에 대해 믿었던 내용에 의해서도 결정되었다. 그들의 세계관은 임박한 하나님 나라에 대한 예수의 선포를 통해 생겨난 강렬한 종말론적 기대를 포함하고 있었다. 또한, 마지막 날에 의인의 부활에 대한 기대도 포함하였다.

예수의 수난과 부활 예고가—현재의 형태로—사후 예언(ex eventu prophecies, 예고된 사건 이후에 기록되었지만, 그 사건 이전에 예고된 것으로 제시된 예언-역주)으로 표현되었지만(마 16:21; 17:22-23; 20:17-19; 막 8:31; 9:31; 10:32-34; 눅 9:22, 44; 18:31-33), 그것은 하나님이 자신의 의로움을 신속하게 입증해주실 것이라는 예수 자신의 기대에 대한 실제 기억을 반영한다.

이 모든 소망이 예수 현현의 증인들에게 그들의 경험을 개념화할 수 있는 이미지와 어휘를 공급해 주었다. 그들이 예수가 죽은 자 가운데서 살아났다고 결론 내렸을 때, 그들은 예수에게 일어났다고 믿었던 것만이 아니라 모든 피조물에 일어났다고 믿었던 것(즉 의인에 대한 하나님의 의로움 입증의 여명과 죽은 자의 일반 부활의 시작)도 전하고 있다.

5. 예수 부활의 역사성

역사가는 예수의 부활 신앙을 형성한 사건들의 재구성 이상의 작업을 할 수 있을까?

기독교 변증가들은 일반적으로 이 일이 가능하고 또 해야만 한다고 생각한다. 이러한 그룹의 가장 저명한 목소리는 의심의 여지 없이 라이트의 목소리이다. 그는 부활과 역사에 관한 그의 연구를 다음과 같은 주장으로 마친다.

> 직면해야 할 문제는 예수가 정말로 죽은 가 가운데서 살아나셨다고 하는 초기 그리스도인들이 제공한 자료에 대한 설명이 이러한 정교한 회의론보다 '증거 전체를 더욱더 잘 설명하고 있는가' 하는 점이다. 내 주장은 그렇다. 그 주장은 다시 한번 필요충분조건(necessary and sufficient conditions)이라는 관점에서 말할 수 있다. 예수의 실제적인 몸의 부활(단순한 소생이 아니라 변화하는 부활)은 분명 무덤이 비어있었고 '만남'이 있었다는 충분조건(sufficient conditions)을 분명하게 제공한다.
>
> 아무도 그것을 의심하지 않을 것이다. 일단 예수가 실제로 살아났다고 인정하기만 하면 초기 기독교 역사의 모든 퍼즐 조각들이 맞추어진다. 내 주장은 더욱더 강력한데, 즉 예수의 몸의 부활이 이러한 것들에 대한 필요조건(necessary conditions)을 제공한다는 점이다. 다시 말해서 다른 어떤 설명도 할 수 없거나 하지도 않을 것이다. 대안적

설명을 찾으려는 모든 노력은 실패하고, 그렇게 될 수밖에 없었다[42]

예수 부활의 역사성에 대한 600면 이상의 방대한 단행본을 출간한
마이클 R. 리코나(Michael R. Licona)도 이와 유사한 결론에 도달한다.

> 나는 죽은 자 가운데서의 예수의 부활이 관련 역사적 기반에 대한 최
> 상의 역사적 설명이라고 주장한다. 그것이 최상의 설명을 위한 다섯
> 가지 모든 기준(즉 설명 범위, 설명 능력, 개연성, 덜 임시적 특성(less ad hoc),
> 조명)을 충족시키고 같은 기준을 수행할 수 있는 능력에서 상당한 차
> 이로 경쟁 가설들을 능가하기 때문에, 역사가는 예수의 부활을 과거에
> 일어난 사건으로 간주하는 것이 타당하다.[43]

죽은 자 가운데서의 예수의 육체적 부활이 실제로 사용 가능한 증
거를 통해 얻어낸 최상의 역사적 설명일까?
학계의 많은 학자는 그러한 대담한 주장을 제안하기를 주저한다.
하나님께서 죽은 사람을 살리실 수 있다는 사실을 믿지 않기 때문
이 아니라 역사가의 종교적 확신이 자료 평가에 영향을 끼쳐서는 안
된다고 생각하기 때문이다.
'사건 배후의 원인(즉 누가 또는 무엇이 예수를 다시 살아나게 했는가)과
사건 배후의 메카니즘(정확히 그 사건이 어떻게 이루어졌는가), 그리고 예
수의 부활한 상태의 정확한 본질에 관련된 질문들이 역사가의 범위

---

42 Ibid., 717

43 Licona, *The Resurrection of Jesus*, 610.

를 벗어난다'[44]고 말하는 것은 객관성에 대해 잘못된 주장을 하는 것이다.

그러나 반면에 한 사람의 믿음의 영향력을 인정하거나 모든 역사적 판단이 주관적이라고 주장하는 것은 역효과를 가져온다. '회의론자를 유혹하기에 충분한 증거가 있다'라는 라이트의 주장에도 불구하고,[45] 이 주제에 대한 모든 논쟁은 단지 그 반대 경우만을 확인해왔다.

개연성이 있다고 간주하는 것은 대부분 한 사람의 세계관에 의해 결정된다. 예수가 죽은 자 가운데서 살아났다는 주장은 신적 행위를 전제하고 있으므로(명시적으로 진술되지 않은 경우에도), 이 믿음을 공유하지 못하는 사람들은 설득될 가능성이 작다.

하지만 이것은 누가 누구를 설득할 수 있느냐의 문제가 아니라 역사적 탐구의 진실성(integrity)에 대한 문제이다. 역사적 판단이란 결코 절대적이지 않기 때문에 예수의 부활이 역사적 사건이라는 선언은 부활이 확실히 일어났다는 의미가 아니라 아마도 일어났을 것이라는 의미이다. 그러므로 다음과 같은 알랜 F. 시걸(Alan F. Segal)의 결론이 최상이다.

> 부활은 개연성이 있지도 않고 없지도 않다. 그것은 역사적으로 확인하기가 불가능하기 때문이다.[46]

---

44 Ibid.

45 Wright, *The Resurrection of the Son of God*, 715.

46 Segal, 'The *Resurrection*: Faith or History?', 135.

6. 요약과 결론

이 장은 예수의 부활 연구에서 가장 논란이 되는 문제 중 하나를
다룬다.

예수가 죽은 자 가운데서 살아났다는 선포는 어느 정도까지 역사
적 탐구의 대상이 되는가?

이 질문에 대한 대답은 역사적 탐구의 본질에 대한 이해에 달려
있다. 역사적 판단의 특성에 대한 트뢸취의 설명에 동의하는 사람들
은 일반적으로 역사적 탐구의 대상이 부활 자체가 아니라, 단지 예수
의 부활에 대한 신앙의 출현뿐이라는 점에 일치한다. 조사 중인 사
건의 가능한 원인 목록에서 알려진 자연의 법칙을 중단하실 수 있는
하나님의 능력을 배제해서는 안 된다고 믿는 사람들은 예수의 부활
을 역사적 조사의 대상으로 삼기가 더 쉽다.

그러한 사람 중 대부분은 빈 무덤 발견에 대한 보고와 부활 이후
의 예수 현현에 관한 서술이 적법한 역사 탐구에 속한다는 데 동의
한다. 빈 무덤의 역사성에 대한 일반적인 찬반론을 검토한 후, 찬성
견해가 더 설득력이 있는 것으로 주장하곤 한다. 하지만 우리가 가
진 자료는 사라진 몸의 발견이 모호한 경험이었음을 일관되게 보여
준다. 이러한 모호함은 여성 증언의 신뢰성에 대한 고대의 가부장적
편견의 도움을 받아, 빈 무덤이 왜 초기 기독교 선포에서 언급되지
않았는지에 대한 이유가 되었을 수도 있다.

예수의 현현 이야기에 대한 역사적 고찰에는 현대의 비교문화 유
비 및 고대 유비와의 비교가 포함된다. 전자의 경우에는 슬퍼하는
배우자와 다른 가족 구성원에게 일어난 죽은 자의 환영에 대한 보고

가 특히 흥미로웠다. 그것을 제자들의 경험에 적용하기에는 상당히
제한적이지만, 그렇더라도 그것은 죽음 이후의 환영이 수혜자에게
압도적으로 실제적이고 견고한 경험임을 보여 준다.

고대의 유비 경우에는 천사가 인간의 형태로 서술되는 유대인 본
문에서 가장 가까운 병행을 찾을 수 있다. 예수의 현현과 유사하게
천사는 수혜자에게 보통의 인간 존재로 나타나고 예기치 않게 사라
질 수 있으며 흔히 마지막까지 인식되지 못한다. 부활한 의인을 천
사과 비교하는 다양한 유대 본문에 비추어볼 때, 예수의 부활한 몸
을 천사동형론적 이미지(angelomorphic imagery)의 도움으로 서술하는
것은 부활을 종말론적 견지에서 개념화하는 방식이었을 수 있다.

빈 무덤과 예수 현현이 기독교 부활 신앙의 출현을 위한 필요충
분조건을 제공한다는 주장은 개연성은 있지만, 여전히 추측에 근거
한 것으로 보인다. 빈 무덤이 초기 기독교 선포에 포함되지 않았기
때문에 부활 전승의 발전에 중요한 영향력을 끼쳤는지 입증하기 어
렵다. 빈 무덤 발견과 사라진 시신을 부활한 몸과 서술적으로 연결
하는 복음서 저자들조차도 부활 신앙이 부활하신 예수와의 만남을
통해서만 생겨났음을 강조한다.

예수의 부활 자체가 역사적 탐구의 대상이 될 수 있는지의 문제는,
피조된 세계에 개입하시는 하나님의 능력을 역사가의 세계관에서 배
제할 수 없다고 믿는 사람들과, 유비와 인과관계의 원칙을 따르지
않는 역사 이해는 그 분야에서 할 일이 아니라고 주장하는 사람들 간
의 핵심 쟁점이다. 이러한 방법론적 차이가 양 그룹 사이의 건설적
논의를 방해한다. 이것은 매우 유감스러운 일이다. 왜냐하면, 일반
독자와 청중에게 이것은 하나님을 실제로 믿는 사람들과 믿지 않는

사람들 사이의 논쟁이라는 잘못된 인상을 줄 수 있기 때문이다.

그러나 이것은 자연의 법칙을 중단시키실 수 있는 하나님의 능력에 대한 논쟁이 아니다. 이것은 역사적 탐구의 개념과 그 분야의 경계에 관한 논쟁이다. 예수의 부활이 역사적 탐구의 대상이 될 수 없다고 말하는 사람들은 역사적 탐구의 본질에 대한 현대의 이해뿐만 아니라, 신약 문헌들 자체와도 부합된다.

신약 문헌들은 예수의 부활이 관찰할 수 있는 사건(observable event)이 아니라 하나님이 예수를 죽은 자 가운데서 살리셨다는 신앙고백을 통해서만 표현할 수 있는 신적 행위(divine act)였다고 만장일치로 전하고 있기 때문이다.

제6장

예수의 부활과 신학

하나님이 예수를 죽은 자 가운데서 살리셨다는 선포는 기독교 신앙의 중심에 놓여 있으므로 이 사건의 의미는 기독교의 정체성을 위해 가장 중요하다. 오늘날 많은 그리스도인에게 예수의 부활은 죽음 이후의 생명에 대한 믿음을 입증해 준다. 그러나 이 죽음 이후의 생명은 종종 몸의 부활이 아니라 죽음 이후 영혼이 천국에 가는 것으로 상상되곤 한다.

대부분 교파의 교리적 진술에는 종말에 일어날 몸의 부활에 대한 기대가 포함되어 있지만, 더 자세히 조사해 보면 현대의 신자들은 보통 '몸의 부활'이란 용어를 실제로는 '영혼 불멸'(immortality of the soul)의 의미로 생각하고 있음을 알 수 있다.

어떤 독자에게는 놀라운 일이 될 수도 있지만, 불멸의 영혼이 죽은 후 천국으로 간다는 믿음은 신약성경에서 유래한 것이 아니라 플라톤철학(Platonism)의 영향을 받은 초기 교회에서 발전되었다. 그러므로 오늘날 우리를 위한 부활의 의미를 묻기 전에 먼저 예수 부활의 의미를 1세기의 맥락에서 살펴보는 것이 필요하다. 초기 그리스도인들에게 예수의 부활은 죽은 자의 일반 부활(general resur-rection)의 시작을 알리는 사건이었다. 그러나 신자의 일반 부활은 기독교 첫 세대가 빠르게 깨달았듯이 예수의 부활에 뒤이어 일어나지 않았으며 아직도 일어나지 않았다.

기독교의 소망을 위해 이렇게 지연된 부활의 완성은 무엇을 의미하는가?

더욱이 초기 그리스도인들이 예수에게 일어난 일이 자신들에게도 일어날 것으로 믿었다면, 왜 그들은 예수가 죽은 자 가운데서 부활하심으로써 하나님의 아들로 선포되었으며(롬 1:3-4), 예수를 살리심으로써 하나님께서 그를 주요, 메시아로 삼으셨다(행 2:36)고 선언했는가?

예수의 부활은 어떤 면에서 그를 따르는 자들의 기대된 부활과 다른가?

이 문제는 하나님의 정체성 문제와 연관된다. 예수의 부활이 하나님의 행위였다면, 이 사건이 하나님이 누구신지에 대한 우리의 이해를 어떻게 형성하는가?

신약성경에서 하나님은 왜 예수를 죽은 자 가운데서 살리신 분으로 빈번하게 소개되는가(롬 4:24; 8:11; 고후 4:14; 갈 1:1; 골 2:12; 벧전 1:21)?

끝으로 부활은 그리스도인의 삶과 어떤 관련이 있는가?

바울이 "이는 아버지의 영광으로 말미암아 그리스도를 죽은 자 가운데서 살리심과 같이 우리로 또한, 새 생명 가운데서 행하게 하려 함이라"(롬 6:4)라고 말할 때 그 의미는 무엇인가?

이러한 질문들은 네 개의 별개의 그룹으로 분류할 수 있다.

(1) 신자들의 부활에 대한 보증으로서의 예수의 부활과 관련된 질
  문들(종말론).
(2) 예수의 부활과 그의 메시아적 정체성과 관련된 질문들(기독론).
(3) 하나님 이해를 위한 예수 부활의 의미에 관한 질문들(신론).
(4) 예수의 부활과 그리스도인의 삶의 관계에 관한 질문들(윤리).

1. 예수의 부활과 기독교의 소망

처음부터 예수의 부활은 죽은 자의 일반 부활의 시작을 표시하는
사건으로 이해되었다. 이러한 부활 해석은 신약성경의 모든 전승 층
에서 찾을 수 있다.

바울은 부활하신 예수를 '잠자는 자들의 첫 열매'(고전 15:20), 죽
은 자의 부활이 온 한 사람(고전 15:21), 또는 '많은 형제 중에서 맏
아들'(롬 8:29)로 묘사한다. 같은 이유로 예수는 '죽은 자들 가운데
서 먼저 나신 이'(골 1:18), '죽은 자 가운데서 먼저 살아나(신 분)'(행
26:23) 또는 '죽은 자 가운데서 먼저 나신 분'(계 1:5)으로 묘사된다.
마태는 예수의 부활 이후 무덤에서 나와 예루살렘 사람에게 나타난
성도들의 부활 이야기를 통해 동일 개념을 전달한다(마 27:52-53).

하지만 동시에 초기 기독교 해석자들은 일반 부활이 아직 일어나
지 않았다는 자각도 드러내는데 이 자각은 시간이 지남에 따라 점
점 더 중요해졌다. 이 문제를 가장 직접적이고 심오하게 다루는 저

자는 바울이다. 그는 아담-그리스도 유형론을 사용하여 '첫 열매 그리스도'로 시작해 신자들의 부활로 종결되는 두 단계 부활(two-stage resurrection) 청사진을 제시한다(고전 15:20-23). 결과적으로 유대인의 문헌에서 하나의 종말론적 사건으로 이해된 의인의 부활은 두 개의 사건으로 나누어졌다. 먼저는 예수의 부활이고, 그다음에 그에게 속한 사람들의 부활이 온다.

　바울은 이러한 과정의 완성이 현재는 하늘에서 다스리시는 그리스도가 모든 원수를 그의 발 아래에 둘 때 일어날 것이라고 가르친다. 그의 통치에 반대하는 세력에 대한 최후의 승리는 마지막 원수인 죽음의 멸망과 함께 이루어질 것이다. 바울의 논의 문맥에 죽음의 멸망은 신자들의 부활을 가리킬 가능성이 높다(고전 15:24-28).

　　그러나 이제 그리스도께서 죽은 자 가운데서 다시 살아나사 잠자는 자들의 첫 열매가 되셨도다. 사망이 한 사람으로 말미암았으니 죽은 자의 부활도 한 사람으로 말미암는도다. 아담 안에서 모든 사람이 죽은 것 같이 그리스도 안에서 모든 사람이 삶을 얻으리라. 그러나 각각 자기 차례대로 되리니 먼저는 첫 열매인 그리스도요 다음에는 그가 강림하실 때에 그리스도에게 속한 자요. 그 후에는 마지막이니 그가 모든 통치와 모든 권세와 능력을 멸하시고 나라를 아버지 하나님께 바칠 때라. 그가 모든 원수를 그 발아래에 둘 때까지 반드시 왕 노릇 하시리니, 맨 나중에 멸망 받을 원수는 사망이니라. 만물을 그의 발아래에 두셨다 하셨으니 만물을 아래에 둔다 말씀하실 때 만물을 그의 아래에 두신이가 그중에 들지 아니한 것이 분명하도다. 만물을 그에게 복종하게 하실 때 아들 자신도 그때 만물을 자기에게 복종하게 하신 이에게 복종하게 되리니 이는 하나님이 만유의 주로서 만유 안에 계시려 하심이라 (고전 15:20-28).

  이 단락은 예수의 부활과 함께 시작된 종말론적 사건의 순서를 설명한다. 그러나 예수의 부활과 그에게 속한 사람들의 부활 간의 상호관계를 충분히 설명하지는 않는다. 바울은 이 문제를 앞에서 인용한 단락의 바로 앞 단락에서 다룬다. 고린도전서 15:12-19에서 바울은 죽은 자의 일반 부활을 단언하지 않고서는 예수의 부활도 단언할 수 없다는 점을 보여 주려고 한다. 왜냐하면, 예수의 부활이 신자의 일반 부활의 첫 사건이기 때문이다. 다소간 순환적이긴 하지만, 이 논의 부분은 비교적 명확하다.

  하지만 바울 논의의 가장 획기적인 측면은 예수의 부활과 신자들의 부활을 연결하는 **그의 설명**에 있다. 그는 **기독교의 부활 소망에 관한 논의를 도입할 때**, 단순히 '만일 죽은 자가 다시 살아나는 일이 없으면, 너희의 믿음도 헛되고 … 그리스도 안에서 잠자는 자도 망하였으리니'라고 말하지 않는다. 오히려 그는 예수의 부활을 매개체로 하여 이런 결론에 도달한다(밑줄로 표시).

> 만일 죽은 자가 다시 살아나는 일이 없으면 <u>그리스도도 다시 살아나신 일이 없었을 터이요 그리스도께서 다시 살아나신 일이 없으면</u> 너희의 믿음도 헛되고…그리스도 안에서 잠자는 자도 망하였으리니
>
> (고전 15:16-18절).

  바울의 설명은 그리스도인의 부활 소망이 죽은 자의 일반 부활에 대한 종말론적 기대로부터 직접 유래하는 것이 아니라, 인간의 역사

가운데서 일어난 이러한 기대의 특정한 징후인 예수의 부활로부터 유래한다는 것을 보여 준다.

이런 점에서 우리는 몸의 부활이야말로 신약성경과 연속선 상에 있는 죽음 이후의 생명에 대한 유일한 신앙형태라고 결론 내릴 수 있다. 이러한 형태의 인류의 종말론적 운명은 창조의 선함과 성육신, 그리고 죄와 죽음의 세력에 대한 승리로서의 예수의 부활을 확인해 준다. 바울이 "이 썩을 것이 반드시 썩지 아니할 것을 입겠고 이 죽을 것이 죽지 아니함을 입으리로다"(고전 15:53)라고 선언할 때, 그는 그리스도에게 속한 사람들의 영혼의 미래 운명이 아니라, 그들의 몸의 미래 운명을 서술한다.

이러한 가정하에서만 다음과 같은 바울의 승리에 찬 환호를 이해할 수 있다.

사망을 삼키고 이기리라(고전 15:54).

영혼 불멸에 대한 믿음은 죽음 이후의 영혼의 중간 상태에 대한 문제를 우선시하고 종말론적 드라마에서 몸의 부활을 이차적인 사건으로 바꿈으로써 부활 신앙의 가치를 폄하시킨다.

몸의 부활에 대한 믿음이 기독교 소망의 기본 형태라면, 이 소망을 현대 세계에서 어떻게 개념화할 수 있을까?

우리는 앞에서 복음서의 부활 내러티브에서 강조되는 예수의 부활한 몸의 육체적 특성이 바울의 영에 의해 살아 움직이는 몸(body animated by the spirit)의 개념과 다르다는 점을 살펴보았다. 이러한 차이는 인류의 종말론적 운명의 특성과 상당한 관련이 있다.

예수의 부활과 우리의 부활의 주된 차이는 예수의 몸이 사흘 후에 다시 살아났지만, 우리의 죽은 몸은 결국 부패할 것이라는 점에 있다. 시신이 부패하는 속도는 여러 요인에 따라 차이가 있지만, 인체의 모든 조직은 결국 사라질 것이다. 일반 부활에 대한 이러한 측면이 고려될 때, 예수 부활의 역사성에 관한 현대의 논의에서 중요한 역할을 하는 빈 무덤 개념은 거의 관련이 없어진다. 훨씬 더 적절한 것은 바울이 지상의 몸을 '장래의 형체'(장차 생겨날 몸/the body that is to be)의 전형을 보여 주지 않는 씨앗에 비유하는 점(고전 15:37)과 "하나님이 그 뜻대로 그에게 형체(body)를 주신다"라는 그의 진술이다.

하지만 바울의 진술은 단지 죽은 자의 미래 부활에 대한 현대의 논의에 도움이 되는 출발점을 제공할 뿐이다.

이러한 논의의 핵심 문제 중 하나는 개인적 정체성의 본질이다.

인간의 자아(self)가 유형(형체를 지닌)의 자아(an embodies self)라면 무엇이/누가 지상의 생명과 부활의 생명 사이의 연속성을 보존하는가?

우리의 지상의 몸의 육체적 잔재는?

우리의 의식은?

우리의 도덕적 특성은?

우리가 누구인지에 대한 하나님의 기억은?

새로운 몸은 옛 몸의 단순한 복제품인가 아니면 하나님은 향상된 몸을 창조하실 것인가?

그들의 장애는 제거될 것인가 아니면 유지될 것인가?[1]

---

1   Amos Yong, Theology and Down Syndrome: *Reimagining Disability in Late Modernity* (Waco, TX: Baylor University Press, 2007), 259-92를 보라. 용(Yong)은 '장애

이러한 질문 중 어떤 것도 여기서 해결될 수는 없지만, 그것은 죽은 자의 종말론적 부활의 본질에 대해 진행 중인 성경 해석자, 신학자, 과학자 간의 대화가 얼마나 복잡한지를 실질적으로 보여 준다.[2]

2. 예수의 부활과 그의 메시아적 정체

초기 그리스도인들은 예수의 부활을 죽은 자의 일반 부활의 시작으로 해석했지만, 그의 메시아적 정체를 드러내는 독특한 사건으로도 간주하였다. 신자들의 부활과는 범주적으로도 연대기적으로 구별되는 예수 부활은 기독론적 의미를 지니는 배타적인 사건이다. 바울이 받은 전승에는 그리스도(메시아를 가리키는 헬라어 용어)가 성경대로 사흘 만에 살아나셨다는 고백이 포함된다(고전 15:3-4).

누가복음 24:46에서 부활하신 예수는 제자들에게 '또 이르시되 이같이 그리스도가 고난을 받고 제삼 일에 죽은 자 가운데서 살아날 것'이라고 설명한다. 사도행전 17:3에서 바울은 '그리스도가 해를 받고 죽은 자 가운데서 다시 살아나야 할 것'이라고 선포한다.

이러한 진술들은 놀라운 것인데, 어떤 사람도 기독교의 태동 전에 메시아(그리스도)의 부활을 기대했던 증거가 없기 때문이다. 메시아

가 있는 사람들이 … 천상에서는 더 이상 장애를 앓지 않을 것이라고 말하는 것은 그들의 현재 정체성과 그들의 부활한 몸의 정체성 사이의 연속성을 위협한다'고 주장한다(ibid., 269).

2 Ted Peters, Robert John Russell and Michael Welker (*Resurrection: Theological and Scientific Assessments* [Grand Rapids, MI: Eerdmans, 2002])가 편집한 논문 모음집을 보라.

에 대한 기대와 종말에 일어날 죽은 자의 부활에 대한 소망이 유대
문헌에서 잘 입증되기는 하지만, 의인의 부활이 메시아 시대에 또는
그 끝 무렵에 일어날 것으로 주장하는 일부 본문(4Q521 frg. 2 2.12; 에
스라4서 7.26-32)을 제외하고는 이러한 두 기대가 함께 연결된 부분은
어디에도 없다.

그렇다면 초기 그리스도인들은 예수의 부활이 왜 그의 메시아적
정체를 확인해 준다고 선포했을까?

이 질문에 대한 대답은 주로 예수의 지상 사역에 대한 재구성에 달
려있다. 유대인의 다양한 메시아적 소망을 고려할 때 예수의 선포와
활동이 모든 종류의 메시아 기대를 불러일으켰다는 것은 놀라운 일
이 아니다. 학자들의 견해는 주로 예수가 이러한 기대에 어떻게 반
응했는가에 대한 문제에서 차이가 있다. 어떤 해석자들은 메시아적
자기주장(selfclaim)이 예수가 전한 메시지의 일부가 아니었다고 주장
하는 반면, 다른 해석자들은 공공연한 메시아 선포가 없음에도 예수
는 이스라엘의 메시아로서 말하고 행동했다고 주장한다.[3]

하지만 예수가 자신을 메시아로 간주했는지의 여부 문제와는 상관
없이 사복음서 모두 그가 메시아 사칭자로 처형당했다는 데 전적으
로 일치한다. 그의 죄 패에는 '유대인의 왕'이라고 쓰여 있었다(마
27:37; 막 15:26; 눅 23:38; 요 19:19).

이러한 잘 입증된 죄목에 비추어볼 때, 예수를 따르는 자들은 그
의 부활을 그의 사역에 대한 신적 정당성 입증(divine vindication)과 그
가 십자가에 못 박힌 대의(cause)—그의 메시아 직—에 대한 신적 긍

---

3 예를 들면, *The Meaning of Jesus: Two Visions*, 31-76에 나오는 이 주제에 관한 마르쿠스
   J. 보그(Marcus J. Borg)와 N. T. 라이트(N. T. Wright) 간의 의견 교환을 보라.

정(divine affirmation)으로 이해했을 가능성이 매우 크다. 그 결과 그들은 그가 부활을 통해 얻은 새로운 메시아적 위엄(dignity)을 그에게 돌렸다.

이러한 역사적 재구성이 잠정적이지만, 예수의 메시아 되심을 죽은 자로부터의 부활에 근거하여 명시적으로 언급하는 세 개의 신약 구절이 있다. 하나는 바울 서신(롬 1:3-4)에서, 두 개는 사도행전의 설교(행 2:29-36; 13:30-37)에서 발견된다.[4] 비록 예수의 메시아 되심에 대한 믿음이 이러한 논지를 이해할 수 있는 선입관으로 작용하지만, 그 본문들은 예수의 메시아 되심에 대한 고백과 그가 죽은 자 가운데서 살아나셨다는 진술을 결합하는 근거(rationale)를 엿볼 수 있게 해준다.

1) 로마서 1:3-4

로마서의 시작 부분에 나오는 바울의 자기 소개에는 예수의 다윗 **기원을** 죽은 자 가운데서 부활하여 **능력있는** 하나님의 아들로 선포된 그의 지위와 병치시키는 초기 기독교 고백이 포함된다.

> 예수 그리스도의 종 바울은 사도로 부르심을 받아 하나님의 복음을 위하여 택정함을 입었으니 이 복음은 하나님이 선지자들을 통하여 그의 아들에 관하여 성경에 미리 약속하신 것이라. 그의 아들에 관하여 말하면 육신으로는 다윗의 혈통(씨)에서 나셨고 성결의 영으로는 죽은 자의

---

4 이러한 구절에 나오는 구약 인용에 대한 포괄적인 분석에 대해서는 Lidija No-vakovic, *Raised from the Dead According to Scripture: The Role of Israel's Scripture in the Early Christian Interpretations of Jesus' Resurrection* (JCT 12; London: Bloomsbury T&T Clark, 2012), 133-46, 198-213을 보라.

> 부활 이래로(*since the resurrection of the dead*) 능력있는(*in power*) 하나님의 아
> 들로 선포되셨으니 곧 우리 주 예수 그리스도시니라(롬 1:1-4/ 4절은 사
> 역-역주).[5]

바울 이전의 이 공식구 자료(여기에 '하나님의 아들'을 수식하는 '능력
있는'이라는 구문은 포함되지 않았을 수도 있다)는 다음과 같은 두 개의
병행 진술로 구성된다.

첫째, 예수는 육신으로는 다윗의 씨(혈통)에서 태어났다.
둘째, 예수는 성결의 영(성령)으로는 죽은 자의 부활 이래로 하나
님의 아들로 선포되었다.[6]

첫 번째 진술은 일반적으로 다윗적 메시아(Davidic Messiah)로서 예
수의 지상의 삶에 관한 서술로, 두 번째 진술은 하나님의 아들로서
그의 천상의 통치에 관한 서술로 이해된다. 이러한 형태의 기독론을
두 단계 기독론(two-stage Christology)이라 부르는데, 이는 예수의 존재
가 두 개의 연속적인 단계, 즉 그의 지상적 비하(humiliation)의 삶과
부활한 승귀(exaltation)의 상태로 이루어진다고 추정하기 때문이다.
예수의 부활은 이러한 두 단계 사이의 시간적 경계 역할을 한다.
주목해야 할 점은 이 본문이 일반 부활('죽은 자의 부활'[the resurrec-

---

5 저자의 사역.
6 로마서 1:3-4의 구조는 디모데전서 3:16('그는 육신으로 나타난 바 되시고 영으
   로 의롭다 하심을 받으시고')과 베드로전서 3:18('육체로는 죽임을 당하시고 영
   으로는 살리심을 받으셨으니')의 구조와 유사하다.

tion of the dead])이란 용어가 예수의 부활을 나타내는 유일한 신약성
경 구절이라는 것이다. 나중에 더욱 분명한 표현('죽은 자로부터의 부
활'[the resurrection from the dead]/벧전 1:3)으로 대체된 이러한 표현이 사
용된 것은 초기 그리스도인들이 예수의 부활을 일반 부활의 시작으
로 간주했음을 가리킨다. 예수의 부활은 고립된 사건이 아니라 죽은
자의 종말론적 부활에 대한 첫 번째 분납금(instalment)이었다.

　로마서 1:3-4을 두 단계 기독론의 표현으로 읽는 학자들은 전형적
으로 '다윗의 혈통(씨)에서 나셨고'라는 선언을 예수를 유대인의 민
족적 소망을 성취한 다윗적 메시아(Davidic Messiah)로 간주한 유대인
그리스도인 공동체(Jewish-Christian communities)에서 유래한 전승으로
본다.[7]

　그들은 또한 이 공식구의 강조점이 두 번째 단계, 즉 하나님의 아
들로서의 예수의 승귀된(exalted) 지위에 두어진다고 주장한다. 예를
들어, 슈바이처(Eduard Schweizer)는 "다윗의 자손(Son of David)의 지상
적 존재는 낮은 수준의 첫 단계로 간주된 것이 분명한데, 그 단계는
오직 하나님의 아들로 승귀됨으로써만 성취되었다"라고 주장한다.[8]

　이렇게 이해하면, 예수는 죽은 자 가운데서 살아났을 때 단지 하
나님의 아들로 선포된 것이 아니라 실제로 하나님의 아들로 임명된
것이다. 부활과 함께 예수는 이전에는 갖지 못했던 지위를 얻게 되

7　Robert Jewett, 'The Redation and Use of an Early Christian Confession in Romans 1:3-4', in *The Living Text: Essays in Honor of Ernest W. Saunders* (eds. Dennis E. Groh and Robert Jewett; Lanham, MD: University Press of America, 1985), 104; Georg Strecker, *Theology of the New Testament* (ed. Friedrich Wilhelm Horn; trans. M. Eugene Boring; Louisville: Westminster John Knox, 2000), 69.

8　Eduard Schweizer, *Lordship and Discipleship* (SBT 28; London: SCM, 1960), 59.

었다는 것이다.

본래의 공식구에 '능력 있는'이라는 구문이 포함되지 않았다면, 예수의 하나님의 아들 됨이 그의 부활에서 기원하였다고 선언한 것이다. 본래의 공식구에 '능력 있는'이라는 구문이 포함되었다면, 예수의 능력 있는 하나님의 아들 됨이 그의 부활에서 기원하였다고 선언한 것이다. 어느 쪽이든, 즉 '이전에 누리지 못했던 지위와 특권으로 취임한 것이든, 아니면 이미 누리고 있던 아들 됨이 크게 향상된 것이든, 예수의 부활은 그를 하나님의 아들로 결정하는 데 가장 중요한 요인으로 간주되었다.'[9]

하지만 전승의 공식구의 전반부만 다윗적 메시아(Davidic Messiah)를 가리키는지는 의문의 여지가 있다. '다윗의 혈통'(씨)이란 표현은 '다윗의 자손'(Son of David)이라는 메시아적 칭호와 동의어가 아니라, 다윗 왕좌의 청구자(claimant)라면 누구나 충족시켜야 할 조건을 규정하는 계보의 표지(genealogical maker)이다. 다윗의 자손(David-ide)은 그의 출생 덕분이 아니라, 적법한 다윗의 계승자로 즉위함으로써 왕이 된다. 더욱이 시편 2:7은 고대 이스라엘에서 왕위 즉위식은 새롭게 취임한 왕의 신적 입양으로 간주 되었음을 보여 준다.

이 본문에서 하나님은 "너는 내 아들이라 오늘 내가 너를 낳았도다"라고 선언하심으로써 군주의 새로운 지위를 인정하신다. 왕으로 즉위했을 때 하나님이 그 왕(시 2:2에서 하나님의 '기름 부음 받은 자'로 불린)을 아들로 입양하는 것과 부활했을 때 예수가 하나님의 아들로 취임하는 것 사이의 유사점이 두드러진다. 하지만 많은 학자가

---

[9] James D. G. Dunn, *Christology in the Making: A New Testament Inquiry into the Origins of the Doctrine of Incarnation* (2nd edn; London: SCM, 1989), 35 (강조체 제거).

인정하듯이 로마서 1:3-4에 언급된 공식 문구의 후반부가 시편 2:7 을 암시한다면, '하나님의 아들'이라는 명칭은 메시아적 칭호 역할 을 한다.

기독교 이전의 유대 자료에는 시편 2:7을 메시아의 관점에서 해석 하는 증거가 많지 않지만, 초기 기독교 해석자들은 일관되게 이 구절 을 메시아적인 본문으로 읽는다(행 13:33; 히 1:5; 5:5). 이러한 이해는 사무엘하 7:12-16에서 하나님이 다윗에게 주신 약속과 일치하는데, 곧 하나님께서 다윗의 씨를 그 뒤에 세우실 것이며 그의 씨가 하나 님의 아들이 될 것이라는 약속이다. 이 약속의 첫 번째 요소(다윗의 혈통)는 다윗적 메시아 기대에 있어서 중요한 요인이 되었다.

다윗의 혈통이라는 첫 번째 요소보다는 덜 언급되지만, 두 번째 요소(하나님과 다윗계의 왕 간의 아버지-아들 관계) 역시 다윗적 메시아 사상의 발전에 중요한 역할을 하였다. 예를 들면, 4Q174 1.10-11에 서 저자는 다윗적 메시아의 정체를 분명히 밝히기 위해서 사무엘하 7:12(다윗의 자손 언급), 사무엘하 7:13b(다윗 혈통의 왕위를 영원히 견고 하게 하실 것이라는 하나님의 약속 언급), 사무엘하 7:14(다윗 자손을 양자로 삼으시겠다는 하나님의 약속 언급)의 인용문을 결합한다.

다윗의 혈통과 신적 입양이 병치할 때, 다윗의 혈통은 단지 누군 가의 메시아적 자격을 확립할 뿐, 그 자체로는 그의 메시아적 주장을 입증하지 못한다.

이런 이유로 예수의 메시아적 정체를 확립하는 부분은 로마서 1:3-4의 전반부가 아니라 후반부이다. 예수의 다윗 혈통은 그의 기 원에 대한 비칭호적(non-titular) 인정을 통해 확인된다. 즉 그는 '육 신으로는 다윗의 혈통에서 나셨다.' 하지만 예수의 부활은 여기서 그가 하나님 아들의 직위로 취임하여 메시아가 된 순간으로 제시된다. '성결의 영으로는'이란 구문은 예수의 즉위가 성령의 활동을 통해 일어났다는 언급이거나 그의 메시아적 통치의 종말론적 특성에 대한 지표(indicator)로서 역할을 한다.

이러한 점들을 고려할 때, 두 '단계'의 예수의 삶에 대해 말하는 것은 적절하다. 하나는 그의 탄생으로 시작하고 또 다른 하나는 그의 부활로 시작했다. 하지만 로마서 1:3-4에서 이 두 단계는 예수 생애의 두 개의 독립적인 국면, 즉 유대인의 메시아로서의 측면과 하나님의 아들로서의 측면이 아니라 그의 메시아적 정체에 대한 두 개의 긴밀하게 연관된 측면으로 생각해야 한다. 좀 더 구체적으로 말하면 예수의 메시아적 신분을 확인하는 것은 두 번째 단계, 즉 부활을 통한 예수의 (왕적) 즉위와 (아들로서의) 신적 입양이다.

2) 사도행전 2:29-36

사도행전에는 초기 기독교 운동의 처음 몇십 년 동안 활동했던 여러 인물이 행한 설교들(speeches)이 소개되지만, 그것들은 1세기 말경에 나타난 많은 신학적 관심을 드러낸다. 이런 점에서 대부분 학자가 사도행전에 나오는 설교(또는 연설)를 누가의 구성으로 간주하는 것은 놀라운 일이 아니다. 하지만 각각의 경우 누가는 인물에 부합된 설교(speech in character), 즉 설교자의 성격과 설교가 전달된 상황에 적합하게 구성하려고 했다.

베드로는 오순절 성령 강림과 연관해서 사도행전의 첫 번째 주요 설교를 전한다(행 2:14-36). 그것은 두 단락으로 구성되었는데, 이른

바 '오순절 설교'(행 2:14-21)와 '부활 설교'(행 2:22-36)이다. '부활 설교'는 예수의 생애('하나님께서 나사렛 예수로 큰 권능과 기사와 표적을 너희 가운데서 베푸사 너희 앞에서 그를 증언하셨느니라'[22절]), 예수의 죽음('그가 하나님께서 정하신 뜻과 미리 아신 대로 내준 바 되었거늘 너희가 법 없는 자들의 손을 빌려 못 박아 죽였으나'[23절]), 그리고 예수의 부활('[그러나] 하나님께서 그를 사망의 고통에서 풀어 살리셨으니 이는 그가 사망에 매여 있을 수 없었음이라'[24절])에 대한 간략한 개요로 시작한다.

하지만 설교의 나머지 부분은 처음에 언급된 두 주제를 다루지 않고 예수의 부활에만 초점을 맞춘다. 베드로의 전체 논의는 부활이 이스라엘의 성경에 이미 예언되어 있음을 입증하기 위한 다양한 성경 인용문으로 구성된다.

베드로는 먼저 시편 16:8-11의 헬라어 번역(70인 역-역주)을 인용하는데, 거기서 다윗은 하나님께서 그의 영혼을 음부에 버리지 아니하시며 주의 거룩한 자를 썩지 않게 하실 것이라는 확신을 표명한다(25-28절). 이 시편의 히브리어 본문은 본래 생명을 위협하는 현재 상황에서 하나님의 구원을 기대하는 내용이다. 시편 기자는 내세에 관해서 서술하는 것이 아니라 현재 하나님의 치유하심과 죽음의 모면을 기대한다.

하지만 이 시편의 헬라어 번역은 "나의 육체가 소망 속에 살 것이다"(시 15:9b 70인 역, 개역개정에는 '육체도 희망에 거하리니'로 번역-역주)나 '주께서 생명의 길을 내게 보이셨으니'(시 15:11a, 70인 역) 같은 표현을 사용하는데, 그것은 번역자의 의도와는 상관없이 부활에 대한 언급으로 해석될 수 있다. 실제로 이것이 베드로가 본문을 해석하는 방법이다. 그는 이 시편을 다윗 자신의 치유를 위한 기도로 이해하지 않고 메시아의 부활에 대한 다윗의 예언으로 이해한다.

> 형제들아 내가 조상 다윗에 대하여 담대히 말할 수 있노니 다윗이 죽어
> 장사 되어 그 묘가 오늘까지 우리 중에 있도다. 그는 선지자라 하나님이
> 이미 맹세하사 그 자손 중에서 한 사람을 그 위에 앉게 하리라 하심을 알
> 고 미리 본 고로 그리스도의 부활을 말하되 그가 음부에 버림이 되지 않
> 고 그의 육신이 썩음을 당하지 아니하시리라 하더니 이 예수를 하나님
> 이 살리신지라. 우리가 다 이 일에 증인이로다. 하나님이 오른손으로 예
> 수를 높이시매 그가 약속하신 성령을 아버지께 받아서 너희가 보고 듣는
> 이것을 부어 주셨느니라. 다윗은 하늘에 올라가지 못하였으나 친히 말
> 하여 이르되 주께서 내 주에게 말씀하시기를 내가 네 원수로 네 발등 상
> 이 되게 하기까지 너는 내 우편에 앉아 있으라 하셨도다 하였으니. 그런
> 즉 이스라엘 온 집은 확실히 알지니 너희가 십자가에 못 박은 이 예수를
> 하나님이 주와 그리스도가 되게 하셨느니라 하니라(행 2:29-36).

베드로는 시편 15:9-10(70인 역)을 의역함으로써 다윗이 자신이 아
니라 메시아에 관해 말했다는 주장을 보강한다. 즉 '육체'는 더 이상
소망 속에 살아간다는 개념(행 2:26b)과 연관되는 것이 아니라(시 15:9,
70인 역의 본래 인용문은 그렇게 연관된다), '썩음'이라는 용어('그의 육신이
썩음을 당하지 아니하시리라'[행 2:31])와 연관된다는 것이다. 육체가 썩
음을 당한다는 이미지는 죽음을 연상시키기 때문에, 그 반대의 이미
지(육체가 썩음을 당하지 않는다는 이미지)는 당연히 부활을 암시한다.

그러나 이것은 바울 논의의 첫 단계일 뿐이다. 다윗이 자신의 부
활이 아니라 메시아의 부활을 예고했다는 것을 입증하기 위해 베드

로는 청중에게 다윗이 죽어서 매장되었다는 사실을 회상시킨다. 여기서 다윗의 묘가 공공연히 알려져 있었다는 언급은 그가 썩음을 당하지 않을 하나님의 '거룩한 자'일 수 없다는 증거 역할을 한다 (행 2:27).

그다음 베드로는 다윗이 말한 인물이 하나님께서 그의 왕좌에 앉히시기로 약속하신 그의 자손 중 한 사람이라고 선언한다(시 132:11[131:11 70인 역]을 보라). 그 선언을 통해 이 인물이 바로 메시아라는 결론에 도달하게 된다.

메시아의 부활에 대한 베드로의 논지는 획기적일 뿐만 아니라 또한 기발하기도 하다. 시편 15:9-10(70인 역)의 본래 인용문을 의역하여, 다윗의 예고가 개인적으로 자신이 아니라 그의 왕좌에 앉을 것으로 약속된 다윗의 자손에게 적용된다고 지적함으로써, 베드로는 어떤 현존하는 유대 문헌에도 기록되어 있지 않은 결론에 도달한다. 즉 성경이 메시아의 부활을 기대하고 있다는 것이다. 이러한 추론은 누가복음에 있는 부활하신 예수의 진술('또 이르시되[it is written] 이같이 그리스도가 고난을 받고 제삼일에 죽은 자 가운데서 살아날 것'[눅 24:46]) 배후에 있는 근거일 가능성이 크다.

베드로는 다윗이 메시아의 부활에 관해 예언했다는 점을 확립한 후에 비로소 예수를 언급하는데, 이는 예수의 부활이 문자적으로 시편의 말씀을 성취하는 것이기 때문에 그가 메시아임이 틀림없다는 점을 입증하기 위함이다. 그래서 그는 단순히 "이 예수를 하나님이 살리신지라 우리가 다 이 일에 증인이로다"라고 선언한다(행 2:36).

베드로의 논지는 예수의 시신이 부패할 정도로 충분히 무덤에 남아있지 않았다고 추정한다. 그럴 때만이 "그의 육신이 썩음을 당하지 아니하리라"(행 2:31)은 시편의 말씀이 문자적으로 성취될 것이기 때문이다.

부활의 이러한 측면은 예수만의 독특한 것이다. 왜냐하면, 종말에 일어날 신자들의 부활은 분명 그들 시신의 썩음을 가정하고 있기 때문이다. 베드로의 논지는 실제로 일반 부활의 시작으로서의 예수 부활에 대한 이해를 전제하지도 않고 그것에 의존하지도 않는다. 하지만 그의 논의는 육체의 부활 개념에 의존한다. 이러한 두 가지 특징, 즉 예수의 부활과 신자의 부활 간의 구별 및 육체의 부활 개념은 예수의 부활에 대한 초기 기독교 선포의 특징이 아니므로 누가복음과 요한복음의 부활 내러티브와 일치하는 후대의 발전임을 드러낸다.

베드로의 목적이 단지 예수의 부활을 근거로 그의 메시아 지위를 입증하는 것뿐이었다면, 그의 설교는 32절에서 끝났을 것이다. 그 지점까지 그는 앞에서 언급한 시편 16:8-11(15:8-11, 70인 역)에서 서술한 방식대로 예수가 다시 살아나셨으므로 예수는 틀림없이 메시아라는 점을 효과적으로 입증했다. 베드로는 실제로 이런 결론을 내리긴 하지만, 논리적으로 더 적합해 보이는 32절 바로 뒤에서 내리지 않고 그의 설교의 마지막 부분인 36절에서 내린다.

> 그런즉 이스라엘 온 집은 확실히 알지니 너희가 십자가에 못 박은 이 예수를 하나님이 주와 그리스도가 되게 하셨느니라 하니라(행 2:36).

이 두 지점(예수가 메시아라는 논지의 마지막 증거와 그 논지의 논리적 결론) 사이에 베드로는 시편 110:1에 근거한 또 하나의 성경 논지를 삽입한다. 그것을 통해 그는 '주'라는 칭호를 십자가에 달리고 부활하신 예수의 정체에 대한 마지막 진술에 덧붙일 수 있게 된다.

예수의 주 되심에 대한 논의는 다음과 같은 베드로의 단언으로 시작된다.

> 하나님이 오른손으로 예수를 높이시매 그가 약속하신 성령을 아버지께 받아서 너희가 보고 듣는 이것을 부어 주셨느니라(행 2:33).

여기서 예수의 부활과 승귀(exaltation)가 두 개의 동시적인 사건으로 제시된 것인지 아니면 연속적인 사건으로 제시되었는지는 분명치 않다. 누가가 일반적으로 예수의 부활과 높아지심을 동일시하는 전승 자료를 포함하고 있다고 추정하면(빌 2:9; 히 1:3-13; 8:1), 전자의 경우가 가능할 수도 있다. 하지만 예수의 부활과 승천을 구별하는 누가-행전의 문학적 신학적 틀에서는 후자의 경우가 훨씬 더 타당하다.

이러한 해석은 또한, 33절의 하반부에 성령을 주시겠다는 약속의 성취가 언급된다는 점을 통해 지지를 받는다. 이렇게 이해하면 32와 33절은 다음과 같은 세 개의 분리된 사건—예수의 부활, 예수의 높아지심(여기서는 그의 승천), 오순절의 성령 강림—을 서술한다.

베드로는 시편 110:1을 인용함으로써 하나님이 예수를 높이 올리셔서 자기의 오른쪽에 앉히셨다는 진술(개역개정에는 '하나님이 오른손으로 예수를 높이시매'로 번역-역주)을 지지한다. 거기서는 주(하나님)께서 '주'로도 불리는 누군가를 자기 오른쪽에 앉도록 초청하신다.

베드로는 여기서 두 번째의 '주'가 예수라고 진술하는데 하늘에 올라가지 못한 다윗과 달리 예수는 부활하시어 하나님의 우편으로 높여지셨기 때문이다.[10] 이러한 해석을 통해 그는 "너희가 십자가에 못 박은 이 예수를 하나님이 주와 그리스도가 되게 하셨느니라"(36절)라고 결론 내리게 된다.

따라서 베드로의 '부활 설교'는 다르지만, 연관성이 있는 두 가지 진술을 전개한다. 예수의 부활은 한편으로는 그가 메시아임을 입증하고, 다른 한편으로는 그가 주이심을 입증한다. 이 두 진술은 성경에 비추어서만 이해할 수 있다. 시편 16:8-11(15:8-11, 70인 역)이 예수가 메시아라는 선언을 지지해 준다면, 시편 110:1은 그가 주시라는 고백을 성경적으로 지지해 준다.

3) 사도행전 13:30-37

비시디아 안디옥의 회당에서 행한 바울의 설교(행 13:16-41)는 이스라엘의 역사(애굽에서의 번영-출애굽-광야 생활-가나안 정복-사사 시대-사울 왕-다윗 왕[행 13:17-22])에서 일어난 주요 사건들을 개관하고 이어서 예수의 삶, 죽음, 부활에 대한 개요를 제공하는데, 이것의 목적은 예수를 죽은 자 가운데서 일으키심으로 하나님께서 마침내 그리고 결정적으로 다윗에게 주신 약속을 성취하셨음을 보여 주는 데 있다(행 13:23-37). 이 약속의 내용이 설명되어 있지 않지만, '이 사

---

[10] 예수가 하나님의 우편에 앉아 계신다는 사상은 시편 110:1을 인용하거나(막 12:36; 마 22:44; 눅 20:32-43; 행 2:34-35; 히 1:13) 암시하는(마 26:64; 막 14:62; 눅 22:69; 행 2:33; 5:31; 7:55-56; 롬 8:34; 엡 1:20; 골 3:1; 히 1:3; 8:1; 10:12-13; 12:2; 벧전 3:22; 계 3:21) 다수의 신약 구절에서 발견된다. 이 모든 본문에서 하나님의 우편에 앉으신 그리스도의 표상은 그의 메시아 즉위 개념을 전달한다.

람(다윗)의 후손'[11](23절)이라는 표현을 통해 사무엘하 7:12-16에 있는 나단의 예언을 암시하는 것이 분명하다.

사도행전 2장에 나오는 베드로의 '부활 설교'와 유사하게 바울도 시편 16장의 헬라어 번역을 사용하지만, 그는 단지 그 본문에서 한 구절만 인용한다. 또한, 그의 성경 인용에는 사도행전 2장에서는 사용되지 않은 시편 2:7과 이사야 55:3도 포함된다. 이러한 구약 인용의 주된 목적은 예수가 메시아라는 것을 입증하는 데 있는 것이 아니라, "하나님이 예수를 일으키심으로써 우리의 조상들에게 주신 약속을 우리 자녀들을 위해 성취하셨다"(32b-33a절 사역)는 점을 입증하는 데 있다. 사도행전 13장과 사도행전 2장의 이러한 차이는 바울의 설교가 단지 베드로의 설교를 반복하는 것이 아님을 보여 준다.

누가가 그리는 바울은 예수가 메시아라는 진술에 청중이 익숙하다는 점을 전제하는데, 그것을 통해 바울은 예수의 정체로부터 다윗에게 주신 약속의 성취로 이동할 수 있게 된다.

> 하나님이 죽은 자 가운데서 그를 살리신지라. 갈릴리로부터 예루살렘에 함께 올라간 사람들에게 여러 날 보이셨으니 그들이 이제 백성 앞에서 그의 증인이라. 우리도 조상들에게 주신 약속을 너희에게 전파하노니 곧 하나님이 예수를 일으키사 우리 자녀들에게 이 약속을 이루게 하셨다 함이라 시편 둘째 편에 기록한 바와 같이 너는 내 아들이라 오늘 너를 낳았다 하셨고 또 하나님께서 죽은 자 가운데서 그를 일으키사 다시 썩음을 당하지 않게 하실 것을 가르쳐 이르시되 내가 다윗의 거룩하고 미쁜 은사를

---

[11] 저자의 사역.

너희에게 주리라 하셨으며 또 다른 시편에 일렀으되 주의 거룩한 자로 썩음을 당하지 않게 하시리라 하셨느니라. 다윗은 당시에 하나님의 뜻을 따라 섬기다가 잠들어 그 조상들과 함께 묻혀 썩음을 당하였으되 하나님께서 살리신 이는 썩음을 당하지 아니하였나니(행 13:30-37).

하나님이 예수를 죽은 자 가운데서 살리셨다는 바울의 선언은 예수의 부활에 대한 초기 기독교의 선포를 상기시킨다. 하나님이 능동태 동사의 주어이고, 예수는 그를 위한 하나님의 행위의 수혜자이다. 이러한 선언은 그를 따르는 자들에게 일어난 예수의 현현에 대한 언급과 부활의 증인으로서의 그들의 역할에 의해서만 지지가 된다. 바울에게 초점은 예수가 죽은 자 가운데서 살아났다는 데 있는 것이 아니라, 이 사건의 의미를 명확하게 밝히는 데 있다.

그의 설명에는 시편 2:7, 16:10(15:10, 70인 역), 이사야 55:3에서 끌어온 세 개의 성경 인용문이 포함된다(33b-35절). 시편 2:7의 본래 문맥은 하나님이 새로 취임한 왕을 자기 아들로 입양하시는 왕위 즉위식으로 추정된다. 바울의 설교에서 이 시편 인용문에 나타나는 '오늘'이란 부사("너는 내 아들이라. 오늘 너를 낳았다"[행 13:33b])는 예수의 부활을 가리킬 가능성이 크다. 로마서 1:3-4에 있는 바울 이전의 신앙고백은 예수의 부활과 그의 메시아 취임의 연관성이 매우 초기에 확립되었다는 점을 보여 주지만, 오직 사도행전 13:33b에서만 부활은 신적 낳음(divine begetting)으로 묘사된다.

바울은 예수를 일으키심으로 하나님께서 조상들에게 주신 그의 약속을 이루셨다는 논지를 지지하기 위해 시편 2:7을 인용함으로써 예수의 부활을 다윗의 자손을 양자로 삼으시겠다는 하나님의 약속을

완성한 왕의 즉위로 해석한다(삼하 7:14). 이러한 논지는 로마서 1:3-4
과 매우 유사하지만, 훨씬 더 발전되었다. 누가의 바울은 단순히 시
편 2:7을 암시하기보다는 오히려 이 시편 구절 전체를 인용할 뿐
만 아니라 그 구절을 그것의 해석학적 기능을 설명하는 진술로 도
입한다.

다른 두 개의 성경 인용문―이사야 55:3과 시편 15:10, 70인 역―
은 부활하신 예수가 더 이상 썩음을 당하지 않게 되실 것이라는 선언
으로 도입된다(34절). 다시 썩음을 당하지 않을 것이라는 개념은 특별
히 바울의 논점에서 중요해 보인다.

왜냐하면, 이 개념을 두 개의 구약 인용문에 이은 그의 설명에서 두
번이나 반복하고 있기 때문이다.

첫 번째는 다윗에 대한 언급(그는 썩음을 당하였다-36절)
두 번째는 부활하신 예수에 대한 언급(그는 썩음을 당하지 아니하였다,
-37절)

썩음을 당하는 것/썩음을 당하지 않는 것이라는 이러한 점층적인
강조의 목적은 사도행전 2장의 베드로의 설교 경우처럼 단순히 "주
의 거룩한 자로 썩음을 당하지 않게 하시리라"(35절)고 선언함으로
써 다윗이 자신이 아니라 그 외의 다른 누군가에 대해 말했다는 것
을 보여 주는 데만 있지 않다. 바울의 회당 설교의 주된 목적은 예수
의 부활이 이사야 55:3의 예언("나는 너희에게 다윗에게 베푼 거룩한 약속
을 줄 것이다"[사역])을 성취한다는 것을 입증하는 데 있다. 여기서 이
사야의 인용문은 하나님이 다윗과 맺으신 영원한 언약(삼하 7:12-16)

을 인식하게 하는 기능을 한다.

이러한 나단의 예언에 대한 축약된 언급은 다윗과 맺은 하나님 약
속의 지속적이고 철회될 수 없는 특성을 강조하는데, 그것은 사무엘
하 7:12-16에서뿐만 아니라 다윗 언약을 언급하는 다른 성경 구절
(삼하 23:1-5; 대하 13:5; 21:7; 시 89:4-5, 27-30; 132:11; 암 9:11-12)에서도
중요한 역할을 한다. 바울은 다시 썩음을 당하지 않을 예수를 일으
키심으로써 하나님께서 마침내 다윗에게 주신 영원한 나라에 대한
약속을 성취하셨다고 단언한다.[12]

역시 예수의 부활을 다윗과 맺으신 하나님 약속의 성취로 제시하
는 로마서 1:3-4 과 사도행전 2:29-36과 비교할 때, 바울의 비시디
아 안디옥 설교는 부활의 이러한 기능을 가장 정교하게 그리고 가장
완벽하게 제공해 준다. 로마서 1:3-4과 사도행전 2:29-36이 단지 예
수의 다윗 혈통과 부활을 통한 하나님 아들의 지위에만 초점을 맞추
는 것과 달리 누가의 바울은 예수가 사무엘하 7:12-16에 언급된 나
단의 세 가지 예언을 모두 성취한다는 점을 강조한다.

(1) 그는 다윗의 자손이고(행 13:23),
(2) 죽은 자로부터의 부활을 통해 하나님의 아들로 즉위하고 선포
    되었으며(행 13:32-33),
(3) 그는 다시 썩음을 당하지 않을 것이기 때문에 그의 통치는 영
    원하다(행 13:34-37).

---

12 바울의 회당 설교에 나타난 이사야 55:3의 인용문의 역할에 대한 철저한 해석에
대해서는 Evald Lövestam, *Son and Saviour: A Study of Acts 13, 32-37* (trans. Mi-
chael J. Petry; ConBNT 18; Lund: Gleerup, 1961), 48-81을 보라.

누가복음-사도행전의 내러티브 구조 안에서 바울의 설교는 누가복음 1:32-33에 나오는 천사의 예고에 대한 직접적인 반응을 제공한다.

그가 큰 자가 되고 지극히 높으신 이의 아들이라 일컬어질 것이요 주 하나님께서 그 조상 다윗의 왕위를 그에게 주시리니 영원히 야곱의 집을 왕으로 다스리실 것이며 그 나라가 무궁하리라(눅 1:32-33).

3. 예수의 부활과 하나님의 성품(character)

칼 바르트(Karl Barth)는 "예수 그리스도의 부활에 있어서 우리는 단순히 인간의 역사뿐만 아니라, 하나님 자신에게서 가장 먼저 일어났던 움직임과 행위와 관련이 있다"고 주장한다.[13] 토왈드 로렌젠(Thorwald Lorenzen)은 에버하드 융엘(Eberhard Jüngel), 지르겐 몰트만(Jürgen Moltmann), 로버트 젠슨(Robert Jenson)의 개념을 요약하여 다음과 같이 말한다.

십자가에 못 박힌 예수를 일으키심으로 '하나님께서는 자신의 존재를 죽음의 소외시키는 힘에 노출하셨지만, 하나님 되심을 중단하지 않으셨다.'[14] 예수의 부활이 하나님의 성품(character)을 드러낸다

---

13 Karl Barth, *Church Dogmatics* IV/1 (trans. Geoffrey W. Bromiley; Edinburgh: T&T Clark, 1956), 304.

14 Thorward Lorenzen, *Resurrection and Discipleship: Interpretative Models, Biblical Reflections, Theological Consequences* (Maryknoll, NY: Orbis, 1995), 257.

는 견해는 하나님이 예수를 죽은 자 가운데서 살리셨다는 진술이 신적인 술어(divine predicate)의 역할을 하는 몇몇 신앙고백 진술을 통해 강화된다.

의로 여기심을 받을 우리도 위함이니 곧 예수 우리 주를 죽은 자 가운데서 살리신 이를 믿는 자니라(롬 4:24).

예수를 죽은 자 가운데서 살리신 이의 영이 너희 안에 거하시면 그리스도 예수를 죽은 자 가운데서 살리신 이가 너희 안에 거하시는 그의 영으로 말미암아 너희 죽을 몸도 살리시리라(롬 8:11).

주 예수를 다시 살리신 이가 예수와 함께 우리도 다시 살리사 너희와 함께 그 앞에 서게 하실 줄을 아노라(고후 4:14).

오직 예수 그리스도와 그를 죽은 자 가운데서 살리신 하나님 아버지로 말미암아 사도 된 바울은(갈 1:1).

또 죽은 자들 가운데서 그를 일으키신 하나님의 역사를 믿음으로 말미암아 그 안에서 함께 일으키심을 받았느니라(골 2:12).

너희는 그를 죽은 자 가운데서 살리시고 영광을 주신 하나님을 그리스도로 말미암아 믿는 자니(벧전 1:12).

이러한 각각의 진술에서 하나님은 예수를 죽은 자 가운데서 일으키신 행위를 통해 서술되거나 어떤 분인지 확인된다.

로마서 4:13-25에서 바울은 유대인뿐만 아니라 이방인도 믿음으로 의롭다 함을 얻을 수 있다는 점을 입증하기 위해 아브라함의 경험을 신자의 경험과 비교한다. 유대인은 '율법에 속한 자'로, 이방인은 '아브라함의 믿음에 속한 자'로 서술된다(롬 4:16). 여기서 다루어지는 유비에는 믿는 행위, 하나님의 성품, 믿음의 결과 등이 포함된다.

첫 번째 유비, 즉 믿는 행위는 바울 논의의 토대가 된다. 아브라함은 두 가지 극복하기 힘든 장애물에도 불구하고, 자신이 많은 민족의 아버지가 될 것이라는 하나님의 약속을 믿었다. 즉 그 자신은 백세나 되어 자기 몸이 '거의 죽은 것' 같았고, 아내 사라의 태도 죽은 것 같았기 때문이다(롬 4:19).

바울은 아브라함의 믿음을 '바랄 수 없는 중에 바라고 믿은'(롬 4:18) 것으로 구체적으로 설명하는 반면 유대인이든 이방인이든 그리스도인의 믿음은 단순히 단언만 할 뿐이다. 아브라함의 믿음이 그에게 의로 여겨졌다고 선언한 후 그 믿음이 '믿는 우리도 의롭게 할 것'이라고 단언한다(롬 4:24).

두 번째 유비, 즉 하나님의 성품이 여기서는 가장 중요하다. 아브라함이 믿은 하나님은 '죽은 자를 살리시며 없는 것을 있는 것으로 부르시는 이'로서 묘사된다(롬 4:17). 그리스도인이 믿는 하나님은 '예수 우리 주를 죽은 자 가운데서 살리신 이'(롬 4:24)로 확인된다.

세 번째 유비, 즉 믿음의 결과와 직접 관련된다. 하나님은 아브라함의 몸을 회생시키시고 아이를 잉태하도록 사라의 자궁을 열어 주셨다. 그 아이의 탄생은 하나님이 자신의 특성대로 행동하셨음을 입증해 준다. 죽은 자에게 생명을 주시고 없는 것을 있는 것으로 부르시는 하나님은 거의 죽은 자와 같았던 아브라함의 몸에 아이를 낳을 수 있는 능력을 주셨고, 사라의 황폐한 자궁에 새로운 생명, 이삭을 낳을 수 있는 능력을 주셨다.

하지만 하나님의 성품과 신자의 믿음의 결과 사이의 관계는 덜 명료하다. 바울은 죽은 자 가운데서 예수를 살리신 하나님을 믿기 때문에 우리 역시 죽은 자 가운데서 살아날 것이라고 말하지 않고(분명 이러한 결론이 암시되어 있긴 하지만), 예수의 부활이 우리를 의롭게 할 수 있다고 말한다(롬 4:25).[15] 칭의(justification)의 개념은 로마서 4장에서 반복해서 등장하는 아브라함의 믿음이 그에게 의로 여겨졌다는 모티브와 밀접하게 관련되어 있다(롬 4:3, 9, 10, 11, 22, 23, 24).

하나님을 예수를 죽은 자 가운데서 살리신 분으로 밝힘으로써 바울은 아브라함의 믿음과 기독교 신자의 믿음을 연관시킬 수 있게 된다. 즉 아브라함이 믿은 동일한 하나님(예수를 죽은 자 가운데서 살리심으로써 자신의 신실하심을 확인해 주신 하나님)을 믿음으로써 의롭다 함을 얻을 수 있음을 보여 준다.

예수를 죽은 자 가운데서 살리신 분(유대인과 이방인 신자들 모두의 믿음의 대상)이 죽은 자에게 생명을 주시는 같은 하나님이심을 입증함

---

15 Michael F. Bird, "'Raised for Our Justification': A Fresh Look at Romans 4:25", *Colloquium* 35 (2003): 31-46).

으로써 바울은 로마서 3:28-30에 언급한, 유대인의 하나님이 이방인의 하나님도 되시며 이 하나님이 할례자와 무할례자 모두를 '율법의 행위와는 상관없이 믿음으로'(롬 3:28, 표준새번역) 의롭게 하신다는 자신의 진술을 확인한다. 이러한 논점들은 이삭의 탄생과 신자의 칭의 사이에 있는 유비의 본질에 빛을 던져 준다. 즉 두 경우 모두 아브라함의 자손, 즉 하나님 백성의 창조를 가져온다는 것이다.[16]

예수를 죽은 자 가운데서 살리심으로써 드러난 하나님의 성품과 예수 부활의 구원론적 함의 사이의 상호 연관성은 로마서 8:11에서 훨씬 더 분명해진다.

> 예수를 죽은 자 가운데서 살리신 이의 영이 너희 안에 거하시면 그리스도 예수를 죽은 자 가운데서 살리신 이가 너희 안에 거하시는 그의 영으로 말미암아 너희 죽을 몸도 살리시리라(롬 8:11).

이 진술의 가장 놀라운 측면은 '하나님'이라는 단어를 언급하지 않는다는 점이다. 오히려 하나님은 이 조건문의 조건절(protasis)에서도 주절(apodosis)에서도 예수를 살리시는 행위를 통해 확인된다. 바울은 '하나님'이란 단어를 하나님의 성품 묘사로 대체한다.

왜냐하면, 그는 예수를 죽은 자 가운에서 살리심으로써 하나님이 생명을 주시는 분으로서의 그의 성품에 신실하시다는 점을 보여 주기를 원하기 때문이다. 그 결과 신자는 하나님의 성령을 통해 예수에게 일어난 일 또한 그들에게도 일어날 것을 성령을 통해 재확인

---

16 J. R. Daniel Kirk, Unlocking Romans: *Resurrection and the Justification of God* (Grand Rapids, MI: Eerdmans, 2008), 75.

할 수 있다.

고린도후서 4:14에 나오는 바울의 진술 역시 같은 목적에 기여한다. 거기서 그는 '주 예수를 살리신 이가 예수와 함께 우리도 다시 살리사 너희와 함께 그 앞에 서게 하실 줄을 아노라'고 선언한다. 로마서 4:24과 8:11의 경우와 마찬가지로 '하나님'이란 용어가 여기서도 '주 예수를 살리신 이'라는 명사절로 대체된다. 예수를 죽은 자 가운데서 살리신 하나님의 행위는 하나님의 성품을 표현할 뿐만 아니라, 하나님이 누구신지 확인해준다. 이런 식으로 하나님의 존재는 과거 사건으로서의 예수의 부활과 미래 사건으로서의 신자의 부활 간의 연관성을 보증해준다.

갈라디아서 1:1에서 바울은 수신자들에게 자신을 "사람들에게서 난 것도 아니요. 사람으로 말미암은 것도 아니요 오직 예수 그리스도와 그를 죽은 자 가운데서 살리신 하나님 아버지로 말미암아 사도 된" 자로 소개한다. 이러한 표현에서 하나님은 예수를 죽은 자 가운데서 살리신 행위를 통해 특징지어질 뿐만 아니라 아버지로서도 확인된다. 후자는 예수 그리스도와 하나님의 관계를 설명하는 용어일 가능성이 크다. 이 본문은 예수의 부활이 주는 구원의 혜택을 언급하고 있지 않으므로 강조점은 오로지 예수를 죽은 자 가운데서 살리시는 행위를 통해서 보이는 예수의 아버지로서의 하나님께 두어진다.[17]

앞에서 언급된 구절들과는 달리 골로새서 2:12의 경우, 예수를 죽은 자 가운데서 살리신 행위를 통한 하나님의 특성 묘사는 기독교의 세례를 은유적으로 그리스도와 함께 장사되고 부활한 것으로 묘사하

---

17 Martinus C. de Boer, *Galatians: A Commentary* (NTL; Louisville, KY: WEstminster John Knox, 2011), 24-5.

는 진술을 통해 나타난다. 이 서신의 저자는 바울이든 아니면 바울의 친밀한 동료이든 그의 독자들에게 다음과 같이 말한다.

> 너희가 세례로 그리스도와 함께 장사 되고 또 죽은 자들 가운데서 그를 일으키신 하나님의 역사를 믿음으로 말미암아 그 안에서 함께(그리스도와 함께) 일으키심을 받았느니라(골 2:12).

신자의 부활을 재현하실 수 있는 하나님의 능력이 명백하게 추정되고 있지만, 강조점은 신자의 미래 부활이 아니라, 그리스도 안에서 새 생명을 얻은 그들의 현재 경험에 두어진다.

끝으로 베드로전서 1:21에서 저자는 청중에게 예수 그리스도를 통해 그들이 '그를 죽은 자 가운데서 살리시고 영광을 주신 하나님을 그리스도로 말미암아 믿는 자니 너희 믿음과 소망이 하나님께 있게 하셨음'을 상기시킨다. 예수의 부활을 통해 드러난 하나님의 특성은 여기서 기독교의 믿음과 소망의 토대로서 제시된다. 이 본문이 이 믿음과 소망의 내용을 설명하지는 않지만, '말세에 나타내기로 예비하신 구원'을 언급하는 이 서신의 앞부분(벧전 1:5)은 신자의 종말론적 부활이 고려되는 것으로 보인다.

이러한 진술들 각각의 경우에 하나님은 예수를 죽은 자 가운데서 살리시는 행위를 통해 확인되거나 묘사된다. 하나님에 대한 이러한 표현 방식은 "존재하는 것은 행동한다는 것이다"(esse est operari)라는 원칙에서 비롯된다. 하나님의 신적 존재는 하나님의 행위를 통해 밝혀지며, 하나님의 행위는 인간이 하나님의 성품을 인식할 수 있게 해준다. 존재론적 관점보다는 오히려 기능적 관점에서 하나님에 관해 말하는 것은 기독교에만 있는 것이 아니다.

"나는 너를 애굽 땅에서 인도하여 낸 하나님 여호와니라"는 진술은 유대 문헌에 나타나는 일반적인 하나님의 자기 표현이다(출 20:2; 29:46; 레 11:45; 19:36; 25:38; 26:13; 민 15;41; 신 5:6; 시 81:10). 다른 경우에는 하나님은 창조 활동을 통해 확인된다(대하 2;12; 시 115:15; 121:2; 124:8; 146:5-6; 사 44:24; 45:18; 요세푸스, *Ag. Ap.* 2.121; *Jos. Asen.* 12.1-2).

이러한 두 가지 형태의 신적 술어 중에서 하나님을 이스라엘 백성을 애굽에서 인도해 내신 분으로 밝히는 술어가 하나님을 예수를 죽은 자 가운데서 살리신 분으로 밝히는 기독교의 술어에 더 가까운 유비를 제공한다.

이것은 두 술어의 신학적 목적이 유사하기 때문이다. 하나님께서 히브리 노예들을 애굽에서 인도해 내신 행위가 이스라엘의 출현에 결정적인 요소가 된 것과 유사하게, 기독교 문헌에서 예수의 부활이 하나님의 존재의 본질적인 측면으로 묘사되는 이유는 그것이 기독교 공동체의 출현에 결정적인 요소가 되기 때문이다.

이와 마찬가지로 각각의 경우에 과거 하나님의 구원행위는 현재와 미래의 하나님 백성을 위한 구원행위의 토대가 된다.

하나님의 성품 묘사에 대한 이러한 측면은 특히 신약성경에서 두드러진다. 왜냐하면, 예수의 부활을 하나님의 성품을 독특하게 확인해주는 행위로 사용하는 진술들이 일반적으로 그것을 그리스도인의 소망을 위한 유일한 토대로 제시되고 있기 때문이다.

이런 점에서 하나님을 예수를 죽은 자 가운데서 살리신 분으로서 서술하는 것은 하나님의 존재(God's being)를 예수 그리스도를 통해 구원받은 사람들과의 관계성 속에서 정의한다. 예수를 살리심으로

써 하나님의 존재는 우리를 위한 하나님의 존재로 드러났다.[18]

4. 예수의 부활과 그리스도인의 삶

부활에 대한 초기 기독교 해석의 가장 놀라운 측면 중 하나는 예수에게 일어난 과거 사건이나 신자들에게 일어날 미래 사건뿐만 아니라, 그것이 이 두 양극, 즉 '이미'(already)와 '아직 아닌'(not yet)의 종말론적 긴장 속에서 살아가는 그리스도인의 삶을 특징짓는 사건으로도 제시된다는 점이다. 바울은 부활을 통해 변화된 삶을 새 생명 가운데 행하는 것으로 서술한다.

무릇 그리스도 예수와 합하여 세례를 받은 우리는 그의 죽으심과 합하여 세례를 받은 줄을 알지 못하느냐 그러므로 우리가 그의 죽으심과 합하여 세례를 받음으로 그와 함께 장사되었나니 이는 아버지의 영광으로 말미암아 그리스도를 죽은 자 가운데서 살리심과 같이 우리도 또한, 새 생명 가운데서 행하게 하려 함이라. 만일 우리가 그의 죽으심과 같은 모양으로 연합한 자가 되었으면 또한, 그의 부활과 같은 모양으로 연합한 자도 되리라. 우리가 알거니와 우리의 옛 사람이 예수와 함께 십자가에 못 박힌 것은 죄의 몸이 죽어 다시는 우리가 죄에서 종노릇하지 아니하려 함이니 이는 죽은 자가 죄에서 벗어나 의롭다 하심을 얻었음이라. 만일 우리가 그리스도와 함께 죽었으면 또한, 그와 함께 살 줄을 믿노니 이는 그

---

[18] Eberhard Jüngel, *God's Being Is in Becoming: The Trinitarian Being of God in the Theology of Karl Barth* (trans. John Webster; Edinburgh: T&T Clark, 2001), 120.

리스도께서 죽은 자 가운데서 살아나셨으매 다시 죽지 아니하시고 사망
이 다시 그를 주장하지 못할 줄을 앎이로라. 그가 죽으심은 죄에 대하여
단번에 죽으심이요 그가 살아 계심은 하나님께 대하여 살아계심이니 이
와 같이 너희도 너희 자신을 죄에 대하여는 죽은 자요 그리스도 예수 안
에서 하나님께 대하여는 살아있는 자로 여길지어다(롬 6:3-11).

이 단락에서 바울은 그리스도인의 세례를 그리스와 함께 죽고 함
께 사는 상징적 사건으로 서술한다. 물 속에 잠기는 행위(하향 운동)
는 신자가 그리스도의 죽음에 참여하는 것을 상징하고, 물 위로 올라
오는 행위(상향 운동)는 신자가 그리스도의 부활에 참여하는 것을 상
징한다. 예수의 죽음과 부활이라는 두 개의 유비는 여기서 은유적
의미로 사용된 것이 분명하다. 그리스도와 함께 죽는 첫 번째 유비
는 바울이 '죄의 몸'이라 부르는 옛 자아의 파멸을 서술하는데, 이
것은 죄로부터의 해방을 가져온다(롬 6:6).

그리스도와 함께 살아나는 두 번째 유비는 이러한 죄로부터의 해
방이 무엇을 의미하는지를 설명한다. 죽음이 더 이상 지배하지 못하
는 그리스도가 하나님께 대하여 살기 때문에, 세례를 받은 사람들 또
한, 자신을 죄에 대하여는 죽고 하나님께 대하여는 살아있는 자로 여
겨야 한다(롬 6:9-11). 바울이 여기서 서술하는 것은 철저하게 변화되
어 하나님의 영광을 위해 사는 삶이다.

세례받은 신자의 새 생명을 은유적 부활(metaphorical resurrection)로
언급한다고 해서 몸의 부활이 영적인 부활로 대체되었다거나 종말
론이 윤리로 분해되었다는 의미는 아니다. 바울은 부활을 새 생명에
대한 은유로서 묘사하면서(롬 6:4) 동시에 미래에 경험될 부활에 대해

서도 계속해서 말한다(롬 6:5). 린더 E. 켁크(Leander E. Keck)는 다음과 같이 분명하게 말한다.

> 바울에게 세례는 죽음(morality)을 끝내지 않는다. 그것은 실현해야 할 새로운 도덕을 시작한다.[19]

예수의 부활로 인해 변화된 삶의 특징은 무엇인가?

바울은 독자들에게 죄에 지배된, 모든 생명을 부정하는 세력과의 싸움에 참여함으로써 '죽은 자 가운데서 다시 살아난 자'로 살도록 요구한다(롬 6:12-13). 베드로전서 저자는 '예수 그리스도의 부활을 통해 산 소망으로 새롭게 태어나는 것'(벧전 1:3, 역자 사역)에 관해 말한다. 전통적으로 성령을 통한 영적 거듭남으로 묘사된 이러한 새 생명은 예수의 부활과 함께 시작된 피조물의 변화에 참여하는 삶이다. 로렌젠(Thorwald Lorenzen)은 죄와 사망이라는 파괴적 세력에 대한 그리스도의 승리를 단언하는 기독교적 실천(Christian praxis)의 다중적인 차원을 다음과 같이 적절하게 표현한다.

> 만약 우리가 '그리스도와 함께 살아난다면', 이러한 부활 현실은 하나님과의 관계, 서로 간의 관계, 자연과의 관계, 그리고 역사와의 관계 속에서 구체화한다. 기독교적 실천은 이러한 관계를 반영해야 한다. 그러므로 믿음의 실천은 하나님과의 실존적인 관계(개종, 예배, 기도), 이웃에 대한 의도적인 헌신(선교, 복음전파, 정의, 자유), 자연에 관한 관

---

19 Leander E. Keck, Romans (ANTC; Nashville: Abingdon Press, 2005), 161.

심(생태적 삶의 방식), 미래에 대한 책임(정치, 경제적 정의)을 포함한다.[20]

그러므로 예수 부활의 긍정은 단순히 과거 현실에 대한 지적이고 고백적인 동의로 축소될 수 없다. 또한, 종말에 있을 몸의 부활에 대한 소망으로도 축소될 수 없다. 부활의 긍정은 또한 그 약속을 확인하는 의도적인 삶을 통한 현재의 변혁적인 능력을 긍정한다는 의미이기도 하다. 굶주린 자에게 먹을 것을 주고, 사랑스럽지 않은 자를 사랑하며, 정의를 위해 일할 때, 우리는 인간의 몸이 중요하다는 점과 그 몸이 죽은 자를 살리시는 하나님의 능력으로 회복될 것이라는 점을 인정한다.

우리는 그러한 행동을 통해 모든 형태의 죽음을 촉진하는 시스템과 이데올로기에 대한 하나님의 정의의 승리를 선포한다. 이러한 과정은 죽음에 대한 하나님의 마지막 승리와 함께 완성될 것인데, 바울의 표현에 따르면, 이 일은 '이 썩을 것이 썩지 아니함을 입고 이 죽은 것이 죽지 아니함을 입을 때'(고전 15:54)에 일어날 것이다.

5. 요약과 결론

초기 기독교 해석자들은 예수의 부활이 하나님의 행위였음을 만장일치로 동의한다. 예수를 죽은 자 가운데서 살리심으로써 한편으로는 하나님이 예수의 원수들에 대해 심판을 선언하셨고, 다른 한편으

---

[20] Lorenzen, *Resurrection and Discipleship*, 229.

로는 예수의 말씀과 그가 십자가에 못 박힌 이유의 정당함을 입증하셨다.

이러한 사건의 반전은 모두를 놀라게 하였다. 많은 유대인이 부활을 믿었지만, 한 개인이―아무리 비범한 인물일지라도―역사의 한가운데서 죽은 자 가운데서 다시 살아나 새로운 종말론적 삶을 얻을 것으로 기대했던 사람은 아무도 없었다.

그러므로 하나님이 예수를 죽은 자 가운데서 다시 살리셨다는 고백은 종교-역사적 새로운 사실(novum)로 간주할 수 있다.[21] 그러나 이 새롭고 예상치 못했던 하나님의 행위는 예수를 따르는 자들의 당시 종교적 세계관에서 유래한 언어적이고 개념적인 범주를 통해서만 전달될 수 있었다.

가장 초기의 공식구와 신앙고백은 초기 교회가 예수의 부활을 죽은 자의 일반 부활에 대한 시작으로 간주했다는 점을 보여 준다. 이것은 특히 '잠자는 자들의 첫 열매'(고전 15:20), 또는 '죽은 자 가운데 먼저 나신 이'(골 1:18)와 같은 예수의 '최초성'(firstness)을 강조하는 진술에서 나타난다. 이러한 개념적 틀 안에서 예수 부활의 새로움(novum)은 그것의 타이밍(timing)에 있다. 예수가 먼저 살아나셨고 그다음에 그에게 속한 사람들이 종말에 거의 같은 방식으로 살아나게 될 것이다.

하지만 보다 깊이 생각해보면, 예수의 부활과 우리의 부활 사이에 한 가지 중요한 차이점이 있다. 그의 죽은 시신은 썩음을 당하지 않았지만, 우리의 몸은 분해되어 없어질 것이 거의 확실하다. 이러한 차이

---

21 Jürgen Moltmann, *Theology of Hope: On the Ground and the Implications of a Christian Eschatology* (trans. James W. Leitch; London: SCM Press, 1967), 179; Lorenzen, *Resurrection and Discipleship*, 116-26.

점은 빈 무덤에 대한 우리의 이해와 관련된다. 빈 무덤이 복음서 내러 티브에서 중요한 역할을 하지만, 죽은 자의 종말론적 부활과 어떤 관 련이 있는지는 의심스럽다.

현대의 논의에서 제기된 기독교의 부활 소망에 대한 또 다른 문제 는 유형의(형체를 지닌) 자아(embodied self)에 관한 개인적 정체성의 본 질이다. 이 문제는 특히 장애를 지닌 사람들의 부활에 있어서 중요 하지만, 또한 우리의 지상의 몸과 부활한 몸 사이의 연속성에 대한 이해에 더 큰 의미가 있다.

예수의 부활의 새로움은 특히 예수의 메시아적 정체성에 대한 초기 기독교 해석에서 특히 분명하게 드러난다. 이와 연관해서 예수의 부 활은 그의 메시아 되심을 유일무이하게 결정한 배타적인 사건이었다. 초기 그리스도인들은 부활을 예수가 십자가에 못 박힌 죄목-유대인의 왕-에 대한 하나님의 정당성(의로움) 입증으로 이해했기 때문에 이러 한 결론에 도달한 것으로 보인다. 그들은 이스라엘의 성경 해석을 통 해 그 결론을 보다 상세하게 설명했다.

이러한 과정에서 매우 중요한 것은 다윗의 자손(다윗의 '씨'), 신 적 입양, 영원한 왕국의 내용이 포함된 사무엘하 7:12-16의 하나님께 서 다윗에게 주신 약속에서 유래한 본문들이었다. 우리는 앞에서 초 기 기독교 해석에 대해 엿볼 수 있는 로마서 1:3-4의 내용이 예수의 부 활을 이 약속의 처음 두 요소(다윗의 자손과 신적 입양)의 성취로 제시 한다는 것을 살펴보았다. 예수를 죽은 자 가운데서 살리시는 하나님 의 행위가 여기서는 예수의 왕적 즉위식으로서 묘사되는데, 이 즉위식 때 예수는 시편 2:7에 묘사된 새롭게 취임한 왕의 신적 입양과 유사하 게 하나님의 아들로 선언되었다.

사도행전 2:29-36과 13:30-37에 언급된 설교와 같은 후대 본문은 시편 16:8-11, 110:1, 이사야 55:3의 도움으로 더욱 상세하게 이 개념을 설명한다. 사도행전 2:29-36에 나오는 베드로의 설교는 예수의 부활을 하나님의 우편으로 높여진 그의 위상으로 서술한다. 사도행전 13:30-37에 나오는 바울의 설교는 예수의 메시아적 정체성 개념을 영원한 왕국의 개념으로 확장한다. 이 구절의 성경적 논지는 예수를 살리심으로써 하나님께서는 그의 자손 중 하나가 그의 왕국을 영원히 통치할 것이라는 다윗에게 주신 약속을—완전히 그리고 결론적으로—성취하셨다는 점을 보여 준다.

신약성경 저자들은 예수의 부활을 하나님의 성품을 드러내 준 사건으로 서술한다. 하나님을 예수를 죽은 자 가운데서 살리신 분으로 서술하거나 확인하는 다양한 선언의 새로움은 이 특정한 신적 자기 계시(divine self-revelation)의 행위에 배타적인 초점을 두고 있다는 데 있다. 하나님은 일반적으로는 '죽은 자를 살리시며 없는 것을 있는 것으로 부르시는'(롬 4:17) 분으로 묘사될 뿐만 아니라, 특정적으로는 '예수 우리 주를 죽은 자 가운데서 살리신'(롬 4:24) 분으로 묘사되기도 한다.

하나님을 예수의 부활과 연관하여 서술하는 구절들은 일반적으로 이러한 하나님의 자기 계시 행위의 구원 목적을 강조한다. 예수를 죽은 자 가운데서 살리심으로써 하나님은 이 일이 우리에게도 일어날 것이라는 확신을 주셨다. 이 개념은 고린도후서 4:14에서 가장 분명하게 표현되는데, 거기서 바울은 "주 예수를 다시 살리신 이가 예수와 함께 우리도 다시 살리사 너희와 함께 그 앞에 서게 하실 줄을 아노라"라고 단언한다. 신학적인 관점에서 예수를 죽은 자 가운데서 살리심으로써 하나님은 창조주로서뿐만 아니라, 구원자로서도 자신을 계시하셨다.

끝으로 로마서 6:3-11과 베드로전서 1:3과 같은 일부 구절에서 예수의 부활이 새로운 삶(newness of life)에 대한 은유의 역할을 한다. 예수를 죽은 자 가운데서 살리심으로써 하나님은 새 창조를 시작하셨다. 우리는 그러한 새 창조에 참여하도록 부름을 받는다. 이러한 참여에는 신자 공동체 내에서의 예배와 봉사의 행위뿐만 아니라, 죽음을 촉진하는 모든 구조—그것이 폭력이든, 정치적 억압이든, 사회적 불의든, 다른 형태의 삶의 비인간화든—에 대한 투쟁도 포함된다.

에스겔 37:1-14과 호세아 6:1-3과 같은 일부 유대인 본문이 죽은 자의 부활을 이스라엘 회복에 대한 은유로 사용하는 반면, 부활에 대한 기독교의 은유적 이해의 새로움(Novum)은 그리스도인의 삶을 하나님의 창조적 변혁에 대한 참여로 적용한다는 데 있다.

그러므로 예수의 부활을 긍정한다는 것은 하나님이 한 특정한 개인—나사렛 예수—을 죽은 자 가운데서 새로운 종말론적 생명으로 다시 살리심으로써 결정적으로 행동하셨다는 것을 믿는 것이다. 따라서 우리 또한 예수처럼 죽은 자 가운데서 다시 살아날 것을 소망하고, 예수의 메시아성이 그의 부활로부터 유래한 것을 인정해야 한다. 또한, 신실하신 하나님께서 일찍이 예수를 위해 행동하셨던 것처럼, 우리를 위해서도 행동하실 것을 확고하게 믿고, 생명의 충만함을 긍정하면서 모든 형태의 죽음과 투쟁하는 부활 시민으로 살아가야 할 것이다.

참고 문헌

Allison, Dale C., Jr. *Resurrecting Jesus: The Earliest Christian Tradition and its Interpreters*. London: T&T Clark, 2005.

Asher, Jeffrey R. *Polarity and Change in 1 Corinthians 15: A Study of Metaphysics, Rhetoric, and Resurrection*. Hermeneutische Untersuchungen zur Theologie 42. Tübingen: Mohr Siebeck, 2000.

Avery-Peck, Alan J. and Jacob Neusner, eds. *Death, Life-After-Death, Resurrection and the World-to-Come in the Judaisms of Antiquity*. Part 4 of *Judaism in Late Antiquity*. Handbuch der Orientalistik I/49. Leiden: Brill, 2000.

Barth, Karl. *Church Dogmatics* IV/1. Translated by Geoffrey W. Bromiley. Edinburgh: T&T Clark, 1956.

Bennett, Gillian and Kate Mary Bennett. 'The Presence of the Dead: An Empirical Study'. *Mortality* (2000): 139–57.

Bird, Michael F. '"Raised for Our Justification": A Fresh Look at Romans 4:25'. *Colloquium* 35 (2003): 31–46.

Bode, Edward Lynn. *The First Easter Morning: The Gospel Accounts of the Women's Visit to the Tomb of Jesus*. Analecta Biblica 45. Rome: Biblical Institute Press, 1970.

Boer, Martinus C. de. *Galatians: A Commentary*. The New Testament Library. Louisville, KY.: Westminster John Knox, 2011.

Brock, Ann Graham. *Mary Magdalene, the First Apostle: The Struggle for Authority*. Harvard Theological Studies 51. Cambridge, MA: Harvard University Press, 2003.

Brown, Raymond E. *The Gospel according to John (xiii–xxi)*. The Anchor Bible 29A. Garden City, NY: Doubleday, 1970.

Bultmann, Rudolf. *The History of the Synoptic Tradition*. Translated by John Marsh. New York: Harper & Row, 1963.

Bultmann, Rudolf. *The Gospel of John: A Commentary*. Translated by G. R. Beasley-Murray et al. Philadelphia: Westminster Press, 1971.

Burton, Julian. 'Contact with the Dead: A Common Experience?' *Fate* 35.4 (1982): 65–73.

Carroll, Michael P. *The Cult of the Virgin Mary: Psychological Origins*. Princeton, NJ: Princeton University Press, 1986.

Cavallin, Hans C. C. *Life After Death: Paul's Argument for the Resurrection of the Dead in 1 Cor 15, Part I: An Enquiry into the Jewish Background*. Coniectanea Biblica: New Testament Series 7. Lund: Gleerup, 1974.

Charlesworth, James H., ed. *The Old Testament Pseudepigrapha*. 2 vols. New York: Doubleday, 1983–85.

Charlesworth, James H. et al. *Resurrection: The Origin and Future of a Biblical Doctrine*. Faith and Scholarship Colloquies. London: T&T Clark, 2006.

Coakley, Sarah. 'Is the Resurrection a "Historical" Event? Some Muddles and Mysteries' in *The Resurrection of Jesus Christ*. Edited by Paul Avis. London: Darton, Longman & Todd, 1993, 85–11.

Collins, Adela Yarbro. 'The Empty Tomb in the Gospel according to Mark' in *Hermes and Athena: Biblical Exegesis and Philosophical Theology*. Edited by E. Stump and T. P. Flint. University of Notre Dame Studies in the Philosophy of Religion 7. Notre Dame: University of Notre Dame Press, 1993, 107–37.

Collins, Adela Yarbro. 'Apotheosis and Resurrection' in *The New Testament and Hellenistic Judaism*. Edited by Peder Borgen and Søren Giversen. Peabody, Mass.: Hendrickson, 1995, 88–100.

Collins, Adela Yarbro. *Mark: A Commentary*. Hermeneia. Minneapolis: Fortress, 2007.

Collins, John J. *Daniel: A Commentary on the Book of Daniel*. Hermeneia. Minneapolis: Fortress, 1993.

Craig, William Lane. *The Historical Argument for the Resurrection of Jesus*. Texts and Studies in Religion 23. Lewiston, NY: Edwin Mellen, 1985.

Craig, William Lane. *Assessing the New Testament Evidence for the Historicity of the Resurrection of Jesus*. Studies in Bible and Early Christianity 16. Lewiston, NY: Edwin Mellen, 1989.

Craig, William Lane. 'Did Jesus Rise from the Dead?' in *Jesus under Fire: Modern Scholarship Reinvents the Historical Jesus*. Edited by Michael J. Wilkins and J. P. Moreland. Grand Rapids, MI: Zondervan, 1995, 141–76.

Craig, William Lane and Gerd Lüdemann. *Jesus' Resurrection: Fact or Figment? A Debate between William Lane Craig & Gerd Lüdemann*. Edited by Paul Copan and Ronald K. Tacelli. Downers Grove, IL: InterVarsity Press, 2000.

Craig, William Lane, John Dominic Crossan and William F. Buckely, Jr. *Will the Real Jesus Please Stand Up? A Debate between William Lane Craig and John Dominic Crossan*. Edited by Paul Copan. Grand Rapids, MI: Baker, 1998.

Crossan, John Dominic. 'Empty Tomb and Absent Lord' in *The Passion in Mark: Studies on Mark 14–16*. Edited by Werner H. Kelber.

Philadelphia: Fortress, 1976, 134–52.

Crossan, John Dominic. *The Historical Jesus: The Life of a Mediterranean Jewish Peasant*. San Francisco: HarperSanFrancisco, 1991.

Crossan, John Dominic. *The Birth of Christianity: Discovering What Happened in the Years Immediately after the Execution of Jesus*. San Francisco: HarperSanFrancisco, 1998.

Crossan, John Dominic and N. T. Wright. *The Resurrection of Jesus: John Dominic Crossan and N. T. Wright in Dialogue*. Edited by Robert B. Stewart. Minneapolis: Fortress, 2006.

Dalferth, Ingolf U. 'The Resurrection: The Grammar of "Raised"' in *Biblical Concepts and Our World*. Edited by D. Z. Phillips and Mario von der Ruhr. Claremont Studies in the Philosophy of Religion. New York: Palgrave Macmillan, 2004, 190–212.

Davies, W. D. and Dale C. Allison Jr. *A Critical and Exegetical Commentary on the Gospel According to Saint Matthew*. International Critical Commentary. 3 vols. Edinburgh: T&T Clark, 1988–7.

Delobel, Joël. 'The Corinthians' (Un)Belief in the Resurrection' in *Resurrection in the New Testament*. Edited by Reimund Bieringer, Veronica Koperski and Bianca Lataire. Bibliotheca Ephemeridum Theologicarum Lovaniensium 165. Leuven: Peeters, 2002, 343–55.

Dunn, James D. G. *Christology in the Making: A New Testament Inquiry into the Origins of the Doctrine of Incarnation*. 2nd edn. London: SCM, 1989.

Dunn, James D. G. *Jesus Remembered*. Vol. 1 of *Christianity in the Making*. Grand Rapids: Eerdmans, 2003.

Ehrman, Bart D. and Zlatko Pleše, trans. *The Apocryphal Gospels: Texts and Translations*. Oxford: Oxford University Press, 2011.

Endsjø, Dag Øistein. 'Immortal Bodies before Christ: Bodily Continuity in Ancient Greece and 1 Corinthians'. *Journal for the Study of the New Testament* 30 (2008): 417–36.

Enslin, Morton Scott. *Christian Beginnings*. New York: Harper & Brothers, 1938.

Evans, Craig A. 'Jewish Burial Traditions and the Resurrection of Jesus'. *Journal for the Study of the Historical Jesus* 3.2 (2005): 233–48.

García Martínez, Florentino and Eibert J. C. Tigchelaar. *The Dead Sea Scrolls: Study Edition*. 2 vols. Leiden: Brill, 1997–8.

Ginsberg, Harold L. 'The Oldest Interpretation of the Suffering Servant'. *Vetus Testamentum* 3 (1953): 400–4.

Goulder, Michael. 'The Baseless Fabric of a Vision' in *Resurrection Reconsidered*. Edited by Gavin D'Costa. Oxford: Oneworld, 1996, 48–61.

Grimby, Agneta. 'Hallucinations Following the Loss of a Spouse: Common and Normal Events among the Elderly'. *Journal of Clinical Geropsychology* 4 (1998): 65–74.

Gundry, Robert H. 'Trimming the Debate' in *Jesus' Resurrection: Fact or Figment*. Edited by Paul Copan and Ronald K. Tacelli. Downers Grove, IL: InterVarsity Press, 2000, 104–23.

Habermas, Gary R. 'Explaining Away Jesus' Resurrection: The Recent Revival of Hallucination Theories'. *Christian Research Journal* 23.4 (2001): 26–31, 47–9.

Habermas, Gary R. *The Risen Jesus and Future Hope*. Lanham, MD: Rowman & Littlefield, 2003.

Habermas, Gary R. and Antony G. N. Flew, *Did Jesus Rise from the Dead? The Resurrection Debate*. Edited by Terry L. Miethe. San Francisco: Harper & Row, 1987.

Harrington, Daniel J. 'Afterlife Expectations in Pseudo-Philo, 4 Ezra, and 2 Baruch, and their Implications for the New Testament' in *Resurrection in the New Testament*. Edited by Reimund Bieringer, Veronica Koperski, and Bianca Lataire. Bibliotheca Ephemeridum Theologicarum Lovaniensium 165. Leuven: Peeters, 2002, 21–34.

Hays, Richard B. *First Corinthians*. Interpretation. Louisville: John Knox Press, 1997.

Holmes, Michael W., trans. *The Apostolic Fathers: Greek Text and English Translations*. 3rd edn. Grand Rapids, MI: Baker Academic, 2007.

Jewett, Robert. 'The Redaction and Use of an Early Christian Confession in Romans 1:3–4' in *The Living Text: Essays in Honor of Ernest W. Saunders*. Edited by Dennis E. Groh and Robert Jewett. Lanham, MD: University Press of America, 1985, 99–122.

Jüngel, Eberhard. *God's Being Is in Becoming: The Trinitarian Being of God in the Theology of Karl Barth*. Translated by John Webster. Edinburgh: T&T Clark, 2001.

Kalish, Richard A. and David K. Reynolds, 'Phenomenological Reality and Post-Death Contact'. *Journal for the Scientific Study of Religion* 12 (1973): 209–21.

Keck, Leander E. *Romans*. Abingdon New Testament Commentaries. Nashville: Abingdon Press, 2005.

Keener, Craig S. *The Gospel of John: A Commentary*. 2 vols. Peabody, MA: Hendrickson, 2003.

Kirk, J. R. Daniel. *Unlocking Romans: Resurrection and the Justification of God*. Grand Rapids, MI: Eerdmans, 2008.

Koester, Craig R. 'Jesus' Resurrection, the Signs, and the Dynamics of Faith in the Gospel of John' in *The Resurrection of Jesus in the Gospel of John*. Edited by Craig R. Koester and Reimund Bieringer. Wissenschaftliche Untersuchungen zum Neuen Testament 222; Tübingen: Mohr Siebeck, 2008, 47–74.

Koester, Helmut. *Ancient Christian Gospels: Their History and Development*. London/ Philadelphia: SCM/Trinity Press International, 1990.

Lake, Kirsopp. *The Historical Evidence for the Resurrection of Jesus*

Christ. London: Williams & Norgate, 1907.

Lehmann, Karl. *Auferweckt am dritten Tag nach der Schrift: Früheste Christologie, Bekenntnisbildung und Schriftauslegung im Lichte von 1 Kor. 15,3–5.* Quaestiones disputatae 38. Freiburg: Herder, 1968.

Licona, Michael R. *The Resurrection of Jesus: A New Historiographical Approach.* Downers Grove, IL: IVP Academic, 2010.

Lindars, Barnabas. *The Gospel of John.* New Century Bible. London: Oliphants, 1972.

Lorenzen, Thorwald, *Resurrection and Discipleship: Interpretative Models, Biblical Reflections, Theological Consequences.* Maryknoll, NY: Orbis, 1995.

Lövestam, Evald. *Son and Saviour: A Study of Acts 13.32–37.* Translated by Michael J. Petry. Coniectanea Neotestamentica18. Lund: Gleerup, 1961.

Lowder, Jeffery J. 'Historical Evidence and the Empty Tomb Story: A Reply to William Lane Craig' in *The Empty Tomb: Jesus Beyond the Grave.* Edited by Robert M. Price and Jeffery J. Lowder. Amherst, NY: Prometheus, 2005, 261–306.

Lüdemann, Gerd. *The Resurrection of Jesus: History, Experience, Theology.* Translated by John Bowden; London: SCM Press, 1994.

Lüdemann, Gerd. *The Resurrection of Christ: A Historical Inquiry.* Amherst, NY: Prometheus, 2004.

Magness, Jodi. 'Ossuaries and the Burials of Jesus and James'. *Journal of Biblical Literature* 124 (2005): 121–54.

Martin, Dale B. *The Corinthian Body.* New Haven, CT: Yale University Press, 1995.

Metzger, Bruce M. *A Textual Commentary on the Greek New Testament.* 2nd edn. Stuttgart: Deutsche Bibelgesellschaft/United Bible Societies, 1994.

Moltmann, Jürgen. *Theology of Hope: On the Ground and the Implications of a Christian Eschatology.* Translated by James W. Leitch; London: SCM Press, 1967.

Nickelsburg, George W. E. 'Judgment, Life-After-Death, and Resurrection in the Apocrypha and the Non-Apocalyptic Pseudepigrapha' in *Death, Life-After-Death, Resurrection and the World-to-Come in the Judaisms of Antiquity* (part 4 of *Judaism in Late Antiquity.* Edited by Alan J. Avery-Peck and Jacob Neusner. Handbuch der Orientalistik I/49. Leiden: Brill, 2000, 141–62.

Nickelsburg, George W. E. *1 Enoch 1: A Commentary on the Book of 1 Enoch, Chapters 1–36; 81–108.* Hermeneia. Minneapolis: Fortress, 2001.

Nickelsburg, George W. E. *Resurrection, Immortality, and Eternal Life in Intertestamental Judaism and Early Christianity.* Expanded edition. Harvard Theological Studies 56. Cambridge, MA: Harvard University Press, 2006.

Nickelsburg, George W. E. and James C. VanderKam. *1 Enoch: A New*

Translation. Minneapolis: Fortress, 2004.

Novakovic, Lidija. *Raised from the Dead According to Scripture: The Role of Israel's Scripture in the Early Christian Interpretations of Jesus' Resurrection*. Jewish and Christian Texts in Contexts and Related Studies Series 12; London: Bloomsbury T&T Clark, 2012.

Ohayon, M. M. 'Prevalence of Hallucinations and their Pathological Associations in the General Populations'. *Psychiatry Research* 97 (2000): 153–64.

Olson, Richard et al. 'Hallucinations of Widowhood'. *Journal of the American Geriatric Society* 33 (1985): 543–7.

Pannenberg, Wolfhart. *Jesus – God and Man*. Translated by Lewis L. Wilkins and Duane A. Priebe. Philadelphia: Westminster Press, 1968.

Pannenberg, Wolfhart. 'History and the Reality of the Resurrection' in *Resurrection Reconsidered*. Edited by Gavin D'Costa. Oxford: Oneworld, 1996, 62–72.

Peters, Ted. 'The Future of the Resurrection' in *The Resurrection of Jesus: John Dominic Crossan and N. T. Wright in Dialogue*. Edited by Robert B. Stewart. Minneapolis: Fortress, 2006, 149–69.

Peters, Ted, Robert John Russell and Michael Welker, eds. *Resurrection: Theological and Scientific Assessments*. Grand Rapids, MI: Eerdmans, 2002.

Plank, Karl A. 'Resurrection Theology: The Corinthian Controversy Reexamined'. *Perspectives in Religious Studies* 8 (1981): 41–54.

Puech, Émile. *La croyance des Esséniens en la vie future: Immortalité, résurrection, vie éternelle? Histoire d'une croyance dans le Judaïsme ancient*. Études Bibliques 21–22. 2 vols. Paris: Gabalda, 1993.

Rees, William Dewi. 'The Hallucinations of Widowhood'. *British Medical Journal* 4 (1971): 37–41.

Reid, Barbara E. *Choosing the Better Part? Women in the Gospel of Luke*. Collegeville, MI: Liturgical Press, 1996.

Schenkel, Daniel. *A Sketch of the Character of Jesus: A Biblical Essay*. London: Longmans, Green, 1869.

Schweizer, Eduard. *Lordship and Discipleship*. Studies in Biblical Theology 28. London: SCM, 1960.

Segal, Alan F. *Life after Death: A History of the Afterlife in the Religions of the West*. The Anchor Bible Reference Library. New York: Doubleday, 2004.

Segal, Alan F. 'The Resurrection: Faith or History?' in *The Resurrection of Jesus: John Dominic Crossan and N. T. Wright in Dialogue*. Edited by Robert B. Stewart. Minneapolis: Fortress, 2006, 149–69.

Sellin, Gerhard. *Der Streit um die Auferstehung der Toten*. Forschungen zur Religion und Literatur des Alten und Neuen Testaments 138. Göttingen: Vandenhoeck & Ruprecht, 1986.

Smith, Daniel A. *Revisiting the Empty Tomb: The Early History of Easter*. Minneapolis: Fortress, 2010.

Smith, D. Moody. *John*. Abingdon New Testament Commentaries. Nashville: Abingdon, 1999.

Spong, John Shelby. *Resurrection: Myth or Reality? A Bishop's Search for the Origins of Christianity*. San Francisco: HarperSanFrancisco, 1994.

Strecker, Georg. *Theology of the New Testament*. Edited by Friedrich Wilhelm Horn. Translated by M. Eugene Boring. Louisville: Westminster John Knox, 2000.

Talbert, Charles H. *Luke and the Gnostics: An Examination of Lucan Purpose*. Nashville: Abingdon, 1966.

Troeltsch, Ernst. 'Historical and Dogmatic Method in Theology' in *Religion in History*. Translated by James Luther Adams and Walter F. Bense. Minneapolis: Fortress, 1991, 11–32.

Tuckett, Christopher M. 'The Corinthians Who Say "There Is No Resurrection of the Dead" (1 Cor 15,12)' in *The Corinthian Correspondence*. Edited by R. Bieringer. Bibliotheca Ephemeridum Theologicarum Lovaniensium 125. Leuven: Peeters, 1996, 247–75.

Wedderburn, A. J. M. 'The Problem of the Denial of the Resurrection in 1 Corinthians XV'. *Novum Testamentum* 23 (1981): 229–41.

Westcott, Brooke F. and Fenton J. A. Hort. *The New Testament in the Original Greek*. 2 vols. Cambridge: Macmillan, 1881.

Wiebe, Phillip H. *Visions of Jesus: Direct Encounters from the New Testament to Today*. Oxford: Oxford University Press, 1997.

Wright, N. T. 'The Transforming Reality of the Bodily Resurrection' in *The Meaning of Jesus: Two Visions*. Edited by Marcus Borg and N. T. Wright. New York: HarperCollins, 1999, 111–27.

Wright, N. T. *The Resurrection of the Son of God*. Vol. 3 of *Christian Origins and the Question of God*. Minneapolis: Fortress, 2003.

Yong, Amos. *Theology and Down Syndrome: Reimagining Disability in Late Modernity*. Waco, TX: Baylor University Press, 2007.

Zimdars-Swartz, Sandra. *Encountering Mary: From La Salette to Medjugorje*. Princeton, NJ: Princeton University Press, 1991.